D1097319

czyli reszta z bloga
i coś jeszcze

Artur Andrus

czyli reszta z bloga
i coś jeszcze

Prószyński i S-ka

Redaktor prowadzący
Anna Derengowska

Redakcja
Ewa Charitonow

Korekta
Małgorzata Denys

Łamanie
Jacek Kucharski

Projekt okładki
Paweł Panczakiewicz
www.panczakiewicz.pl

Zdjęcie na okładce
Agnieszka K. Jurek

ISBN 978-83-7839-775-5

Warszawa 2014

Wydawca
Prószyński Media Sp. z o.o.
02-697 Warszawa, ul. Rzymowskiego 28
www.proszynski.pl

Druk i oprawa
Drukarnia CPI BOOKS

* * *

Nie wiem, jak prawdziwi współcześni pisarze wymyślają tytuły swoich książek. Nie znam prywatnie zbyt wielu prawdziwych pisarzy, a tych, których znam, krępuję się o takie rzeczy pytać. Nie wiem jak, ale domyślam się, kiedy wymyślają. Na przykład kiedy dzwoni pani z wydawnictwa i mówi: „Panie Arturze, żebyśmy zdążyli z promocją książki, okładka musi jutro pójść do...". Raczej trudno sobie wyobrazić okładkę bez tytułu. Jestem pewien, że zawsze jest tak samo. No, może nie do wszystkich prawdziwych pisarzy panie z wydawnictwa zwracają się per panie Arturze, ale na pewno dzwonią i popędzają. I wtedy się zaczyna męka. Pół biedy, jeśli autor wie, o czym napisał. Wtedy wymyśli coś intrygującego i związanego z treścią książki. Na przykład: „Skąd wracacie, siostry mojej matki?". A jeżeli nie wie? Bo pisał przez kilka lat o wszystkim, co mu do głowy wpadło?

Teksty, które są tutaj zebrane, zamieszczałem na internetowym blogu, w „Gazecie Lekarskiej" i w miesięczniku „Zwierciadło". Czyli właściwie powinienem tę książkę zatytułować *Niczym szczególnym, poza osobą autora, niepowiązane ze sobą żartobliwe teksty, pisane z myślą o lekarkach i lekarzach, kobietach, mężczyznach czytających kobiece pisma oraz wszystkich*

7

innych, zwłaszcza posiadających dostęp do Internetu, a teraz już niekoniecznie. Domyśliłem się od razu, że moja książka może nie mieć aż tak dużej okładki, i zrezygnowałem z tego pomysłu.

Skąd więc *VIETATO FUMARE*? Przykro mi, ale nie mam żadnej zgrabnej historyjki z tym tytułem związanej. Po prostu pani z wydawnictwa zadzwoniła, kiedy zamiast jeździć na nartach, leżałem we włoskim hotelu i leczyłem przeziębienie. „Panie Arturze..." i tak dalej. Tabliczka z włoskim napisem oznaczającym po polsku „zakaz palenia" była pierwszym punktem, na którym przez dłuższą chwilę zatrzymałem wzrok po zakończeniu naszej rozmowy. I uznałem to za znak. Nie wiem jaki, ale znak. Poza tym mam teraz takie usprawiedliwienie, że kiedy wymyślałem tytuł, byłem chory. Gorączka minęła, a tytuł nie. Nawet zaczął mi się podobać. *VIETATO FUMARE*. Już chyba nie wymyślę nic bardziej niezwiązanego z treścią niezbyt ze sobą związanych tekstów. A brzmi poważnie. Prawie jak „CARPE DIEM", „NIL DESPERANDUM" czy „TEMPUS FUGIT". Kto jest w stanie z pełną odpowiedzialnością stwierdzić, że „VIETATO FUMARE" przynajmniej raz w życiu w jakichś okolicznościach nie powiedział Juliusz Cezar? Niby bzdura, a wzbudza szacunek.

No to może już się dłużej nie będę tłumaczył. Życzę miłej lektury i serdecznie pozdrawiam.

Artur Andrus

PS. Co po świetnym tytule, kiedy nazwisko mało nośne? Wymyśliłem sobie pseudonim. Żeński i skandynawski. Alva Björhäll, *VIETATO FUMARE*. To by się sprzedawało! Ale niestety. Za późno. „Okładka już poszła..."

Matki inne niż lekkoatletka

Znowu mnie fotografowano. Grzecznie wykonywałem polecenia pań: stylistki i fotografki. Kazały się przebrać, to się przebierałem, kazały usiąść – siadałem, krzyczeć – milczałem, bo nie umiem krzyczeć na zawołanie. W przerwach pomiędzy poszczególnymi ujęciami panie konsultowały się ze sobą. Oto zapis jednej z takich konsultacji:

Pani stylistka: – Ta szara koszula i te ciemne spodnie będą dobre?
Pani fotografka: – Ale nie chciałabym, żeby to była taka szara masa.
Pani stylistka: – Ale ładna szara masa!

Mam! Kolejny komplement do zbioru tych niebanalnych! „Ale ładna szara masa"! Nie każdy może coś takiego usłyszeć. Po pierwsze trzeba mieć trochę tej masy, żeby nawet w szarości rzucała się w oczy, po drugie – nie każda „szara masa" musi być ładna. Może to nadinterpretacja, może na ulicy za taką „ale ładną szarą masą" nawet by się nie obejrzała, ale tym zdaniem poprawiła mi humor na kilka dni.

Gdybym traktował to instrumentalnie, chciał na tym zarobić, prowadziłbym tę akcję tylko w okolicy Dnia Matki. Sypałyby się zamówienia, mógłbym wprowadzić jakieś stawki i od razu zacząć je podnosić. A ja robię to za darmo i przez cały rok. Piszę wiersze o matkach wykonujących różne zawody. Pierwszy był ten o matce lekkoatletce:

Bije, bije dzwon na wieży
W święto świętej Kunegundy,
Do chałupy matka bieży...
Dwie minuty trzy sekundy.

A teraz, przy okazji każdego spotkania z publicznością, przyjmuję zamówienia na kolejne utwory, prosząc o podanie jakichś zawodów, które mogłaby wykonywać matka, a byłyby warte uwiecznienia w wierszu.

Zaczęło się łagodnie – publiczność zazwyczaj życzyła sobie wierszy wychwalających matkę nauczycielkę, matkę pielęgniarkę itp. Z czasem zaczęły się pojawiać coraz bardziej skomplikowane zamówienia, coraz trudniej też było sprostać ich liczbie. Okazuje się, że społeczeństwo odczuwa potrzebę literackiego uwiecznienia wielu matek różnych profesji. Musiałem przyjąć jakieś zasady. Po pierwsze skrótowość – takie wiersze nie mogą być zbyt rozwlekłe, bo to obniża ich poziom. Po drugie – szybkość. Jeśli wiersz nie napisze mi się w ciągu kilku minut, to znaczy że w ogóle nie był wart pisania.

Zauważyłem pewne zjawisko. Otóż na występy kabaretowe, zwłaszcza te moje lub te, które ja prowadzę, przychodzi coraz więcej osób o skłonnościach sadystycznych. Wymyślają takie zawody dla matek, że od razu widać, że chodzi tylko o sprawienie jak największego kłopotu wykonującemu zamówienie.

Oto przykłady. We Wrocławiu zobowiązano mnie, żebym napisał o matkach: grabarzu, stolarzu i żigolaku, a w Poznaniu o: księdzu, hyclu, nauczycielce i górniku (przepraszam, nie będę tworzył żeńskich odmian wszystkich nazw zawodów, bo się pogubimy). Łatwo nie było, ale dałem radę. Zastosowałem zasadę skrótowości, każdy przybrał formę czterowiersza. Ten wrocławski wyszedł tak:

> Matka ma zdolności takie:
> Z drewna zrobi drzwi garażu,
> Bywa także żigolakiem,
> Zwłaszcza na cmentarzu.

A ten poznański tak:

> Wiatr po świecie goni matkę,
> Matka biegnie i nie zwalnia,
> Matka nosi koloratkę
> I uczy łapać psy w kopalniach.

Działanie z potrzeby serca nie musi wykluczać działania komercyjnego. Zbiorę wszystkie w jeden tomik i wydam na Dzień Matki. Dedykację dla mojej mamy podpisałbym słowami: „Twoja »ale ładna szara masa«", tylko boję się, że mama mogłaby się obrazić. Bo jak jej, to wiadomo, że ładna. Po co to „ale"?

20 marca 2012

Emerytura na tle nerwowym

Pan poseł się przejęzyczył. Przejęzyczenie posła nie jest niczym wyjątkowym, ale to było szczególnie niebezpieczne, bo miało miejsce w trakcie jedzenia. Działo się to w radiu, w audycji, w której politycy spotykają się, żeby zagryzając ogórkiem albo popijając kawą, kilkukrotnie powtórzyć: „Ja panu nie przerywałem" i o czymś tam jeszcze wspomnieć pomiędzy serem a pomidorem. Na przykład o przyszłych emeryturach. Poseł akurat jadł, ale wywołany do odpowiedzi, nie zważając na grożące mu niebezpieczeństwo zakrztuszenia, odezwał się. Niewiele brakowało, a dzisiaj śpiewano by o nim ludowe piosenki:

Najpierw się zachłysnął,
Potem się zakrztusił,
I teraz za niego
Już kto inny musi.

Szkoda by było pana posła. Ja go lubię. Może nie do tego stopnia, że „gdybym to ja miał ja skrzydełka jak gąska, to poleciałbym ja za posłem do Śląska", ale lubię.

Być może to, co powiedział, miało związek z tym, co przed chwilą zjadł, w każdym razie zamiast: „emerytury cząstkowe" powiedział: „emerytury czosnkowe". I że niby co takiego? Ano to, że powiedziane przez przypadek, a mądre. Gdyby tak osobę przechodzącą na emeryturę dokładnie badać i oprócz olbrzymich pieniędzy, które sobie wypracowała, dorzucać coś w naturze, co może wzmacniać organizm przyszłego emeryta? „Emerytura czosnkowa" – 600 zł i 14 ząbków czosnku miesięcznie, „emerytura cebulowa" – 800 zł i 2 kilogramy cebuli, „emerytura ziemniaczana" – 1500 zł i 3 worki ziemniaków. Dla wojska, policji i straży pożarnej – dodatkowo 2 worki ziemniaków w mundurkach.

Jeden słaby żart już przed chwilą był, a na końcu klawiatury mam następny – że wiem, komu należałoby przyznawać „emeryturę buraczaną". Ale nie napiszę, bo to płytkie, słabe, niskich lotów.

Pismo promujące zdrowy tryb życia zapytało mnie, jak dbam o zdrowie. Odpowiedziałem krótko, że: „jem, piję, chodzę, śpię". W tym samym numerze na to samo pytanie odpowiadała pewna popularna aktorka. Ale odpowiedziała nieco inaczej: „Wiem, co jem, a poza tym staram się pilnować kondycji, pedałując na rowerku". Odstawmy rowerek, bo to, jak na mnie, zbyt ekstremalna forma dbania o zdrowie, skoncentrujmy się na początku tej wypowiedzi. „Wiem, co jem". Czyli gdybym chciał rozbudować moją odpowiedź, korzystając z tego wzoru, jak powinna brzmieć? „Wiem, co jem, ile piję, dokąd chodzę i z kim śpię"? Może być. Ale pasuje też: „Wiem, gdzie jem, co piję, z kim chodzę i gdzie śpię", a nawet: „Wiem, którędy jem (bo znam anatomię), skąd piję (kto pędził), po co chodzę (bo generalnie mi się nie chce) i co śpię". To ostatnie może kogoś zdziwić, ale proszę sobie przypomnieć – na pewno każdy przynajmniej raz w życiu słyszał dziecko zadające pytanie: „Tatusiu, co śpisz?".

Znalazłem jeszcze jedno pytanie, a właściwie zdanie, o dokończenie którego poproszono zarówno mnie, jak i pewną popularną aktorkę: „Nie wystąpiłabym/Nie wystąpiłbym w…”. Ona odpowiedziała: „…rewii erotycznej *à la* Moulin Rouge”, ja odpowiedziałem: „…w bikini”. Znamy się, ale niczego nie ustalaliśmy! Jaka zbieżność myśli! Muszę się uważniej sobie przyjrzeć, bo może mam zadatki na popularną aktorkę, a nie wykorzystuję szansy.

Niby wszystko, co napisałem wyżej, ma związek z medycyną, zwłaszcza z psychiatrią, ale daleko temu do fachowości. A mam ambicję, żeby w każdym tekście kierowanym do lekarzy znalazło się coś świadczącego jeśli nawet nie o wiedzy piszącego, to przynajmniej o jego medycznej intuicji. Gdybym napisał, że „dyskutowałbym z pewnymi aspektami teorii dotyczącej dziedziczenia autosomalnego recesywnego”, ktoś słusznie mógłby sobie pomyśleć, że idiota i że znalazł sobie to określenie w Internecie. Będę więc pisał tylko o tym, co naprawdę mi się wydaje i w związku z tym jestem tego pewien. Otóż kiedy znajomy lekarz po raz kolejny mówił mi, że „to na tle nerwowym”, niesprawiedliwie podejrzewałem go o brak fachowej wiedzy lub lenistwo. Teraz wiem na pewno, że większość ludzkich chorób ma naprawdę takie tło. Znam nawet jednego takiego, który miał złamany nos na tle nerwowym. Zdenerwował ochroniarza w dyskotece.

Kwiecień 2012 („Gazeta Lekarska”)

Miałem przyjemność...

Próbowałem dotrzeć na umówione spotkanie. Pojawiły się problemy. Nie przyjechała taksówka, a kiedy udało mi się jakoś inaczej dobrnąć na dworzec, na peronie zobaczyłem czerwone światełka znikające w tunelu. To była okazja, żeby się na chwilę zatrzymać i zastanowić. Na przykład nad tym, czy zawsze światełko w tunelu powinno cieszyć tego, który je widzi? Zwłaszcza kiedy zamiast zbliżającego się jednego białego widzi oddalające się dwa czerwone? Ale te refleksje dopadły mnie dopiero teraz, wtedy, na peronie, nie zdążyły. Musiałem szybko dostać się do samochodu i w taki sposób pokonać kilkaset kilometrów. Wiedziałem, że nie zdążę na ustaloną godzinę; zadzwoniłem z tą informacją do pani organizatorki.

– Niech się pan nie przejmuje, proszę jechać spokojnie. Byłam wczoraj w kinie na Muppetach i wiem, że Muppety w każdej sytuacji dają sobie radę...

Właściwie na koniec mogła dorzucić na przykład: „Panie Gonzo" i wszystko byłoby jasne. Ale nie dorzuciła i teraz nie wiem, z którą postacią ze słynnego serialu jej się skojarzyłem. Z racji wykonywanego zawodu konferansjera mógłbym być Kermitem, w związku z postępującą zrzędliwością którymś z dwóch szyderców – Statlerem albo Waldorfem. Przyjrzałem się swojej twarzy – w niektórych fragmentach przypomina Sama Orła. Rano mam dykcję Szwedzkiego Kucharza. Zresztą, co ja będę wymyślał – podejrzewam, że skojarzenie pani organizującej moje spotkanie uruchomiło już wystarczająco wyobraźnię Czytelników tego tekstu i każdy już życzliwie do kogoś mnie porównał.

À propos „życzliwie". Kolegom, z którymi nie mogłem spędzić wieczoru, chociaż ten towarzysko zapowiadał się imponująco, wysłałem esemesa z tekstem, że żałuję i że pozdrawiam, że mam nadzieję, że wkrótce nadrobimy itd. Od jednego z nich następnego dnia dostałem wiadomość o treści: „Dzięki za pozdrowienia. Mieliśmy wypić twoje zdrowie, ale zapomnieliśmy". Znowu zobaczyłem czerwone światełko. Uwaga! Będzie metafora! Czerwone światełko pociągu naszej przyjaźni odjeżdżającego z peronu Sympatia w kierunku stacji Zapomnienie.

I jeszcze jeden cytat. Przysiadł się (nie cytat, tylko autor tego tekstu) podczas śniadania w hotelu. Że nie będzie łatwo, wiedziałem już po głośnym:

– To ty jesteś Andrus?! Ha!

Takie „ha!" powoduje, że z człowieka wydobywa się dość dużo powietrza, które wcześniej było w jego środku. Tamten oddech jednoznacznie wskazywał na stan, który mistrz Przybora pięknie opisał w jednej z piosenek zwrotem: „Oj, nie wraca ci on z kina".

Gość poinformował mnie, że lubi kulturę i sztukę, nie znosi chamstwa, nie jeździ na nartach, bo kilka lat temu miał wypadek, i że: „Kiedyś miałem przyjemność wkur…ić się na Pendereckiego". Po czym wyszedł. I sądząc po tym, w jakim stanie zobaczyłem go kilka godzin później. „oj, nie poszedł ci on do kina".

Z jak różnych zdarzeń można czerpać przyjemność! Gdyby tak wszyscy potrafili docenić niezwykłość spotkań z wybitnymi przedstawicielami świata kultury i sztuki. Zostańmy przy kompozytorach: „Kiedyś miałem przyjemność oszukać Lutosławskiego, a mój dziadek miał to szczęście pobić Szymanowskiego".

2 kwietnia 2012

Porządek musi być

W Krakowie wylądowała czwarta rakieta świata... – powiedział w telewizji pan prezenter. – ...Agnieszka Radwańska – dokończył po krótkiej pauzie, a na ekranie pojawił się reportaż z powitania naszej tenisistki na lotnisku w Balicach.

Do sensacyjnych zanęceń niekoniecznie sensacyjnych wiadomości już się przyzwyczaiłem. Wiem, że „trzęsienie ziemi w województwie łódzkim" może być po prostu zapowiedzią telewizyjnego materiału o pierwszym użyciu nowej glebogryzarki kupionej przez jednego z działkowców w Zgierzu. Dygresja – sprawdziłem, czy w Zgierzu są działki pracownicze. Internet poinformował mnie, że są. „Pracownicze Ogródki Działkowe im. 20-lecia PRL", przy ulicy 1 Maja. Wybiorę się tam 22 lipca, pokręcę w okolicy, posłucham, czy przypadkiem od któregoś grilla, zza krzaczka malin, nie poniesie się tęskne: „...krwawy skończy się trud, gdy związek nasz bratni...".

Wracamy do „czwartej rakiety świata". A gdyby tak tego typu tytuły urzędowo nadawać obywatelom w związku z ich osiągnięciami, umiejętnościami, wyjątkowymi cechami? Zacznijmy od sportowców: „pierwsza sztanga Rzeczpospolitej", „druga tyczka Europy", „dwie trzecie narty świata"... A może raczej

„trzecie dwie narty świata", bo chodzi o brązowego medalistę w narciarstwie, a tamto wcześniejsze zabrzmiało tak, jakby ze względu na oszczędności sportowcom kazano jeździć tylko na jednej, i to skróconej, narcie. Ale w przypadku tych określeń jeszcze łatwo się domyślić, o co chodzi. Gorzej zaczyna być przy „pierwszym kiju Polski Północnej". Bo czy to najlepszy bejsbolista, golfista, bilardzista, czy wędkarz Kaszub, Warmii i Mazur, Pobrzeża Gdańskiego, Pomorza Zachodniego i Środkowego? Albo „drugi pionek Podkarpacia". To może być zarówno wicemistrz gier planszowych, jak i mało wpływowy polityk. Ale taki, który już troszkę może, bo najmniej wpływowy jest „pierwszy pionek Podkarpacia".

Na początku byłoby trochę zamieszania, ale po pewnym czasie wszystko stałoby się jasne. Przyzwyczailibyśmy się do tego typu określeń i każdy by rozumiał, że „pierwsza laska Rzeczpospolitej spotkała się z trzecią laską Polski" oznacza po prostu tyle że „Marszałek Sejmu rozmawiała z Drugą Wicemiss Polonia".

W radiu pan prezenter powiedział:
– Sprzątanie mieszkań przed świętami to bardzo stara tradycja.

No, w niektórych środowiskach kultywuje się nawet stare tradycje mycia się i prania brudnych rzeczy! Pan redaktor powinien podążyć tropem swojego odkrycia i przygotować jakiś materiał, w którym na początku okazałoby się, że pierwszymi sprzątającymi mieszkania przed świętami byli Inkowie. Że sprzątali gałązkami, którymi wcześniej biły się po łydkach młode Inki/Inkinie. Oj tam! Biły się po łydkach młode kobiety z plemienia Inków, oblewając się wodą po wzorkach, które zostawały na ich ciałach po tych gałązkach. A na koniec twórczyni ludowa w stroju skórzanym opowiedziałaby, jak to młodzi nie interesują się już dzisiaj sprzątaniem mieszkań przed świętami i uciekają do restauracji, które ktoś inny za nich sprząta.

Na szczęście pochodzę z bardzo tradycyjnej rodziny. W święta przeszedłem się po mieszkaniach wszystkich krewnych – wszędzie aż lśniło. Najpiękniej u ciotki Haliny i wujka Marka. Sprzątał głównie on. Ciotka Halina mówi, że wujek Marek to „pierwsza szmata świata". I to jest komplement.

11 kwietnia 2012

Z wiekiem...

Zaczęło się! Powoływanie się na wiek, udowadnianie, że kiedyś czegoś takiego się nie miało. Jeśli ktoś uzna, że to, co napiszę, jest głupie, to przynajmniej musi zdawać sobie sprawę, że to wina wapnienia niektórych części mojego organizmu. I że to naturalne. Że trzeba zaakceptować, pogłaskać po siwiejącej główce i pocieszyć, mówiąc:

– Jejku, jejku, najważniejsze, żeby cię nic nie bolało.

Z wiekiem zaczynam zwracać uwagę na rzeczy, których jeszcze parę lat temu w ogóle bym nie zauważył. Chociaż miałem lepszy wzrok. Przed chwilą w telewizji pokazywali film. Ona śliczna, on przystojny, rzucili się na siebie i w tym uścisku runęli do łóżka, rozbierając się już w locie. A ja co widzę? Że on na podeszwie buta ma przyklejoną gumę do żucia! Wdepnął. To się zdarza, ale żeby nikt z realizatorów filmu nie zwrócił na to uwagi? Brak szacunku dla widza! Zamiast koncentrować się na dalszym ciągu sceny łóżkowej, cieszyć się, że im ze sobą dobrze, i trzymać kciuki, żeby potem on się z nią ożenił, ja mam cały wieczór zepsuty przez gumę do żucia przyklejoną do buta aktora! Zresztą widziałem ją tylko przez sekundę, zaraz potem zdjął buty, ale to niczego nie zmienia! Ja wiem, że ona tam jest! Oni w łóżku, a but z gumą koło łóżka! Być może na wykładzinie, którą potem wezmą do scenografii innego filmu, i ta guma przetoczy się przez następne arcydzieła kinematografii!

Teraz już wszystko będę oglądał podejrzliwie, bo skąd ja mogę mieć pewność, że rycerz z filmu historycznego nie ma do zbroi przylepionej gumy, której akurat nie zauważyłem?

Kiedy zacząłem wpadać w panikę, bo nie wiem, czy ten stan paranoi jest przejściowy, czy zawsze tak już będzie, stwierdziłem, że na szczęście nie jestem sam. W Internecie są ludzie, którzy żyją z tego, że czepiają się drobiazgów. Oglądają setki filmów i z wyrazem zachwytu na twarzy oznajmiają całemu światu, że mają ich! Że w czwartym odcinku *Czterech pancernych i psa* Szarik miał lekko wystający prawy kieł i sierść znad czoła opadała mu na oczy, a w piątym już nie! Czyli albo podmienili Szarika, albo zaprowadzili go do dentysty i fryzjera! A na dodatek w piątym, kiedy załoga „Rudego" miała na jego masce odbić ślady swoich dłoni, Grigorij miał rękę białą, zanim włożył ją do farby!

Kiedyś w ogóle nie interesował mnie wystrój lokalu, w którym jadałem. Jak się człowiek żywił w studenckich stołówkach albo w barach mlecznych, to wiedział, że zaraz po wejściu do nich należy wyłączyć wszelkie receptory – nie widzieć, nie wąchać, nie mieć smaku. Dzisiaj inaczej. Zaczyna mnie coś skręcać, kiedy zatrzymuję się w przydrożnym lokalu urządzonym w stylu „żona nie dostała się do liceum plastycznego". Wpadam w przerażenie już przy drzwiach toalety, kiedy idę umyć ręce przed jedzeniem. Bo nie wiadomo, która męska, która damska. „Żona..." zrezygnowała nawet z kółka i trójkąta, których znaczenie po trzydziestu latach prób wreszcie opanowałem. „Żona..." na jednych i drugich drzwiach namalowała coś, z czego jedno miało być chyba kobietą, a drugie zapewne mężczyzną. Ale nie jest. Zaraz... Może trzeba się domyślić po tym, co ci na drzwiach trzymają w rękach? Jedno oliwną gałązkę leszczyny, a drugie kamień? Czy może bułkę? Trzeba szybko podejmować decyzję, bo uczucie potrzeby skorzystania z toalety potęguje efekt dźwiękowy dochodzący z ogródka skalnego. Otwieram drzwi od tego z kamieniem. Bingo! Pisuar!

Ogródki skalne w restauracjach stylizowanych na wiejskie chaty trzeba będzie kiedyś opisać oddzielnie. Najpierw muszę dowiedzieć się od jakiegoś etnologa, kiedy i w której części Polski takie ogródki były szczególnie popularne na wsiach. Bo na pewno były. Zmęczony chłop, po całym dniu orki, natychmiast zabierał się do konstruowania systemu, dzięki któremu woda będzie wypływała spod kupy kamieni, obok zdziwionej kaczki. W tym samym czasie jego żona gotowała jakąś staropolską potrawę o wymyślnej nazwie. Na przykład: „Kociołek głodnego/Jak dla drwala misa/Gulasz gajowego/Z podrobów sołtysa".

2 maja 2012

SPRINGFORCE

Mógłbym pójść na łatwiznę i korzystając z chwilowej popularności jednej z moich piosenek, opublikować przewodnik turystyczny pod tytułem *Piłem w Spale, spałem w Pile... I co dalej? Czyli gdzie się przespać i napić?* Każdy rozdział mógłby się zaczynać od nowej zwrotki. Na przykład:

Wczoraj zjadłem ćwiartkę świni,
Mam odciski po widelcu,
Piję dzisiaj w Bogatyni,
Prześpię się w Zgorzelcu.

Ale to za proste! Ktoś (słusznie) stwierdzi, że odcinam kupony, że to znak bliskiego końca twórczego, jeśli nie stać mnie na nowy temat i muszę powielać stare. Tylko gdzie tu cokolwiek znaleźć, kiedy cały naród wypoczywa? Może tam, gdzie wypoczywa?

Spędziłem trzy godziny na basenie. Skupić się trudno, bo po prawej stronie płacze dziecko, po lewej wali młot pneumatyczny. Przed sezonem letnim remontują część basenu (młotem, dziecko w remoncie nie uczestniczy). Ciekawostka: młot i dziecko nie działają w tym samym czasie. Dziecko zaczyna płakać dokładnie wtedy, kiedy młot przestaje walić. Muszę sprawdzić, może na jakimś pedagogicznym kierunku którejś uczelni ktoś już napisał pracę naukową pod tytułem *Sprzężenie dzieci w wieku przedżłobkowym z młotami pneumatycznymi na basenach termalnych Europy Środkowej i Wschodniej – wstęp do zarysu?*

W pensjonacie poszukam. Ale jedyne, na co wpadam, to obwoluta papieru toaletowego. Zabiorę do domu, to już zaczyn kolekcji. Parę lat temu znalazłem taką z napisem: *„Toilet Paper – Professional"*, dzięki czemu dowiedziałem się, że papier toaletowy dzieli się na amatorski i profesjonalny. Ciekawe, od kiedy można się uważać za profesjonalistę w czynności, do której służy papier toaletowy, i ile na tym można zarobić? A na tym, na który trafiam w pensjonacie, jest napis: *„Toilet Paper – SPRINGFORCE"*. Czyli: „Papier toaletowy – sprężysta siła"? To jeszcze jakoś da się wytłumaczyć. Ale ktoś, kto tak jak ja zna język angielski na poziomie jednej trzeciej rozmówek drukowanych na końcu przewodnika po Londynie, może to też zrozumieć jako: „Papier toaletowy – wiosenna moc". Albo: „Papier toaletowy – siła źródła".

Rozwijać tematu nie chcę, bo ryzykowny. Można się zagalopować i cały tekst do… niczego. O, właśnie przed chwilą był moment, w którym mogłem się zagalopować. No to tylko jedno pytanie: czy gdyby ta firma miała wyprodukować papier toaletowy dla prezydenta USA, nazwałaby go *„SPRINGFORCE ONE"*? Nie podejrzewam, żeby *„Toilet Paper – SPRINGFORCE"* sprzedawał się lepiej od „papieru toaletowego". Różnicy w działaniu pewnie też nie ma. Że też ludziom nie wystarczy korzystać z nazw, które już zostały wymyślone! Że też muszą jeszcze koniecznie dodawać coś od siebie!

To tak jak z wyznawaniem miłości. (O proszę, jednak da się bez uczucia zażenowania przejść od rozważań na temat nazw papieru toaletowego do wyznawania miłości.)

Można po prostu powiedzieć „kocham Cię", ale można też przekombinować. Myślałem, że wielokrotnie powtarzane przeze mnie „kocham Cię bardziej niż wczoraj i mniej niż jutro" to moje, oryginalne, nie do podrobienia. I przeżyłem szok! W poszukiwaniu tematu włączyłem słowacką telewizję. W porze najwyższej oglądalności, po sensacyjnym materiale dotyczącym inauguracji letniego sezonu turystycznej kolejki parowej, nadali kilkudziesięciominutowy program z nagraniami z archiwum. Na koniec przystojny piosenkarz, siedzący na równie ładnym krześle, na tle pary tańczącej, że się kochają, zaśpiewał znaną francuską piosenkę przetłumaczoną na język słowacki. I mniej więcej w połowie utworu padły słowa: *„Ľúbim Ťa viac ako včera, a menej ako zajtra"*. Czyli moje oryginalne, niepowtarzalne wyznanie miłości czechosłowacka telewizja nadawała już w latach siedemdziesiątych ubiegłego wieku? To straszne!

Chyba jednak powrócę do przewodnika, zwłaszcza że:

Mam to już wypróbowane,
Można mówić o smykałce,
Że wypiję w Zakopanem,
A prześpię się w Białce...

8 maja 2012

Drugie „nie"

Zacznę od apelu. Odczepcie się od pulchnych wesołków! A teraz wytłumaczę, skąd ten apel. Otóż po wyborach prezydenckich we Francji jakiś komentator polityczny powiedział w telewizji, że François Hollande wcześniej nie odnosił sukcesów, bo był „tylko takim pulchnym wesołkiem". Zwycięstwo przyszło, kiedy schudł i spoważniał. Być może ta uwaga miała dotrzeć wyłącznie do przyszłych kandydatów na urząd prezydenta Francji, którzy zapewne namiętnie oglądają polskie programy informacyjne, ale zabrzmiała ogólniej i trafiła również do takich, którzy karierą polityczną nad Sekwaną nie są zainteresowani. Czyli żeby odnieść sukces, trzeba się odchudzać i spoważnieć? A co ze szczupłymi wesołkami albo pulchnymi poważnymi? I jeszcze to „tylko". Czyli „pulchny wesołek" jest „tylko", a „szczupły poważny" jest „aż"? Takim uproszczeniom mówimy stanowcze „nie"! A nawet dwa razy „nie"!

Bo drugie „nie" jest czasami ważniejsze. Utwierdza w przekonaniu, że to pierwsze „nie" nie było powiedziane przypadkowo.

– Wyjdziesz za mnie?

– Nie.

– E… No… Ale serio?

– No nie!

I dopiero wtedy sytuacja jest w pełni jasna.

Jak ważne bywa drugie „nie", uświadomiłem sobie, kiedy przeczytałem relację z demonstracji antyrządowych w Czechach. Na praskim placu Wacława pojawiło się sto tysięcy ludzi, którzy „…nieśli transparenty z napisami: »Chcemy nowych wyborów«, »Dymisja rządu« oraz portrety pierwszego czechosłowackiego prezydenta Tomáša Garrigue Masaryka, z jego hasłem: »Nie bać się i nie kraść«". No i proszę, gdyby zabrakło drugiego „nie" na tym ostatnim transparencie, całkowicie zmieniłby się wydźwięk tej demonstracji. Wyszłoby, że to wiec poparcia dla rządu. Zresztą podejrzewam, że wielu korzystających z myśli politycznej Masaryka, nie tylko zresztą w Czechach, padło ofiarą błędu drukarskiego. Być może kiedyś, przez przypadek, poszła w świat wydrukowana bez drugiego „nie", czyli w formie: „Nie bać się i kraść", i wielu zaczęło ją stosować w praktyce.

Nawet ewangelista napisał: „Niech wasza mowa będzie: Tak, tak; nie, nie". Gdyby drugie „nie" nie miało takiego znaczenia, nie byłoby w tym fragmencie wyeksponowane, tak?

Znaczenie drugiego „nie" mogę wykazać również na przykładzie literatury. Weźmy *Niepewność* Adama Mickiewicza i usuńmy z treści wiersza co drugie „nie". Pierwsze jest w tytule – *Niepewność* – więc tutaj zostaje. Usuwamy następne, czyli pierwsze z samej treści:

Gdy cię widzę, nie wzdycham, płaczę,
Nie tracę zmysłów, kiedy cię zobaczę;
Jednakże gdy cię długo oglądam,
Czegoś mi braknie, kogoś widzieć żądam…

Diametralna zmiana przesłania utworu!

Uważam, że drugie „nie" powinno być w naszym kraju chronione prawem. Nawiązując do tekstu popularnej kiedyś piosenki, może i najtrudniejszy pierwszy krok, ale najważniejsze drugie „nie". Mimo pełnej wiary w to, co mówię, nie podejrzewam, że moja inicjatywa odbije się szerokim echem i że ktoś potraktuje mnie poważnie. Tylko dlatego że mam nadwagę!

14 maja 2012

Trzecie „tak"

No i grochem o ścianę, a potem głową w ten mur wymazany grochem! Apelowałem, żeby się odczepić od „pulchnych wesołków"? Nie minęło wiele czasu, a już trafiłem na kolejny przejaw zmasowanego i zaplanowanego ataku medialnego na nieortodoksyjnie szczupłych. Na głównej stronie pewnego portalu internetowego zamieszczono zdjęcie znanej piosenkarki, a pod nim podpis: „Wygląda szczupło i dziewczęco. Nie widać, że się rozwodzi". Czyli kiedy byłoby widać? Gdyby wyglądała grubo i męsko? Może by to uprościło identyfikację na ulicach: idzie kobieta szczupła i dziewczęca – nie podchodź! Szczęśliwa mężatka! Idzie pulchna z zarostem – w trakcie rozwodu, trzeba trochę poczekać. Wszystkie pozostałe do natychmiastowego wzięcia! Takim uproszczeniom mówimy stanowcze dwa razy „nie"!

W kontekście rozwodu znanej piosenkarki i moich rozważań na temat znaczenia drugiego „nie" zacząłem się zastanawiać nad wagą „tak". Jedno może być wypowiedziane w sposób nieprzemyślany, drugie może być wyrazem wahania. Właściwie moc prawną powinno mieć dopiero trzecie „tak". Posłużmy się przykładem.

– Wyjdziesz za mnie?

– Tak.

– E... No... Ale serio?

– No chyba tak...

– No to jak?

– Nie.

– E... No... Ale serio?

– No tak!

I wszystko jasne. Czy nie?

Albo już w czasie uroczystości ślubnych, kiedy pada sakramentalne pytanie:

– Czy ty, Tadeuszu, bierzesz sobie tę oto tu obecną Karolinę za żonę i ślubujesz jej miłość, wierność i uczciwość małżeńską oraz że jej nie opuścisz aż do śmierci?

– Tak.

– Ale że co?

– No że biorę, ślubuję i nie opuszczę.

– Ale na pewno?

– No... Tak...

– Ogłaszam przerwę w uroczystości do przyszłego tygodnia. Zastanowisz się i odpowiesz czy tak, tak?

Gdyby podczas ślubu wymagane było trzy razy „tak", na pewno byłoby znacznie mniej rozwodów i więcej kobiet wyglądałoby szczupło i dziewczęco. Wiem, że hasło: „Trzy razy TAK" nie kojarzy się nam dobrze, z lekcji historii pamiętamy sfałszowane wyniki referendum z 1946 roku, ale to już inne czasy, nikt odpowiedziami wolnych ludzi nie będzie manipulował. Chociaż... Kto wie, czy kiedyś nie znajdzie się jakiś cwaniaczek, który wprowadzi przepis, że dla ważności małżeństwa konieczne jest trzykrotne wypowiedzenie słowa „tak". I będzie to brzmiało tak:

– Czy bierzesz sobie tę oto tu obecną Halinę za żonę?

– Tak.

– I ślubujesz jej miłość, wierność i uczciwość małżeńską i że jej nie opuścisz aż do śmierci?

– Tak.

– Czy jesteś za zniesieniem Senatu i podniesieniem wieku emerytalnego mężczyzn do 73 lat, a kobiet do 74?

21 maja 2012

Test kota

Ludzie odzierają się z resztek intymności. Albo z własnej woli, albo prowokowani przez innych. To, że opowiadają publicznie o swoich romansach, doznaniach seksualnych i kłopotach małżeńskich, przestało mnie już dziwić, ale kiedy na billboardach w centrum Warszawy zobaczyłem zdjęcie popularnej aktorki, a pod nim (pod zdjęciem) informację, że: „Tylko u nas opowiada o miłości do roweru", stwierdziłem, że pewne granice zostały przekroczone. Sprawdziłem – jak zwykle „tylko u nas" oznacza, że popularna aktorka opowiedziała o tym w sześciu portalach, czterech gazetach kolorowych i trzech śniadaniowych programach telewizyjnych. Ale najbardziej oburzające jest to, że już nawet tak intymnych przeżyć, jak uczucia do przerzutki, ramy, dynama czy dzwonka... Dobrze, wiem, że ten tekst mogą czytać również tacy, którzy lubią żart dosadny, więc docisnę poprzednie zdanie: Ale najbardziej oburzające jest to, że już nawet tak intymnych przeżyć, jak uczucia do przerzutki, ramy, dynama, dzwonka czy pedałów, człowiek nie zachowuje tylko dla siebie!

Trafiłem też na szczere wyznania zakochanych w sobie po uszy aktorki i aktora. W kolorowym piśmie (zapewne też „tylko u nich", ale już nie chciało mi się sprawdzać) opowiadają o swoim szczęściu. Poziom cukru w tej rozmowie jest tak wysoki, że dla zachowania stanu równowagi organizmu powinno się to czytać, zagryzając na przykład cykorią. Zacytuję fragment: „Mówimy jednocześnie to samo i używając tych samych słów. No i wzdychamy w identyczny sposób". Ale najbardziej ruszyło mnie, kiedy przeczytałem, że w poprzednich związkach oboje mieli koty i że: „Nasze koty się pokochały. I to też jakiś znak". Od razu pomyślałem, że powinno się zacząć popularyzować „test kota". Kot może być w nim traktowany umownie. Przed podjęciem decyzji o zakochaniu się w kimś należałoby doprowadzić do spotkania zwierząt, które się miało w poprzednich związkach. Jeśli pokochają się kot z kotem, pies z psem, pies z kotem, kot z gołębiem, chomik z nutrią, rybka z wężem, to „też jakiś znak". Jeżeli się nie pokochają, należy natychmiast delikatne łodyżki tej miłości wyrwać z korzeniami i wyrzucić na cuchnące śmietnisko nieszczęścia (chyba musiałem to gdzieś przeczytać, niemożliwe, żebym sam coś takiego wymyślił). Jeśli ktoś nie ma zwierząt – kojarzyć należy ludzi. Jeśli pokochają się moja matka z jej matką, jej matka z moim ojcem… Jak ktoś nie ma rodziców – sprawdzić, czy nie pokochają się jego była żona z jej byłym mężem. Albo jego kot z jej dziadkiem. Bo to „też jakiś znak". Nie jestem pewien powodzenia tego testu, niepokój wywołuje we mnie słowo „jakiś". Bo przecież to, że pokochały się ich koty, może być tylko takim znakiem, że jeden kot był samicą, drugi samcem, a zakochana aktorska para zamieszkała ze sobą w marcu.

Jednak najbardziej wstrząsającym dowodem odzierania ludzi z ich intymności jest coś, co usłyszałem podczas słusznych protestów „Solidarności" pod Sejmem. Szef związku powiedział w radiu: „Ja poprosiłem posłów SLD, posłów Prawa i Sprawiedliwości i Solidarnej Polski, żeby stanęli przed policją i wyciągnęli swoje immunitety…".

Każde słowo komentarza do zacytowanej wypowiedzi może mnie tylko pogrążyć, bo i tak nikogo nie przekonam, że nie miałem żadnego nieprzyzwoitego skojarzenia. A naprawdę nie miałem. I nawet do głowy mi nie wpadło, że ktoś inny może mieć.

Od niezręcznego tematu uciekną w kolejną zdobycz z cyklu: „Znajdziecie w Internecie". Dopiero co zachwycałem się podpisem pod zdjęciem znanej piosenkarki: „Wygląda szczupło i dziewczęco. Nie widać, że się rozwodzi", a już mam coś równie miłego. Na zdjęciu inna piosenkarka, pod zdjęciem podpis: „Wyglądała świetnie. Nie poznaliśmy jej!".

29 maja 2012

Gwarantem położna

Dwa najważniejsze pytania, jakie pojawiają się, kiedy człowiek zabiera się do pisania, to:

1. O czym to ma być?
2. Jaki to ma mieć tytuł?

Kiedy już się wymyśli, że będzie to na przykład mrożąca krew w żyłach historia psychopatycznego mordercy, zostawiającego na miejscu każdej kolejnej zbrodni pluszowego Misia Uszatka, bohatera starej dobranocki, który do klapniętego uszka ma przypiętą kartkę z napisem: „Ciocia Chrum-Chrum nie żyje!", reszta już pójdzie łatwo. I trzysta stron się napisze. Kłopot zacznie się znowu podczas wymyślania tytułu. Można użyć cytatu, ale „Ciocia Chrum-Chrum nie żyje!" w zestawieniu z pseudonimem autora: Stephen Warrior, może na okładce nie brzmieć zbyt poważnie.

Przypadkowo odkryłem skarbnicę pomysłów i tytułów, z której mógłbym korzystać latami, nie dzieląc się z nikim. Ale niech tam! Dla dobra literatury odkryciem dzielę się ze wszystkimi, którzy przeczytają ten tekst. Otóż wystarczy przejrzeć tytuły konferencji medycznych odbywających się przez cały rok w wielu miejscach naszego kraju. Na pomysł wpadłem, kiedy dowiedziałem się, że jedna z nich nosiła tytuł „SEPSA w Zamku Książ".

Przecież to rarytas! Może być kryminał, może być thriller, a nawet skoczna piosenka kabaretowa:

Przedstawiciele szwedzkiego dworu
Mają tysiące przeróżnych chorób,
A u nas tylko, a u nas wciąż
SEPSA w Zamku Książ.

Albo przyśpiewka ludowa:

Miałam ci ja męża,
A tu ci mój mąż
Latami miał SEPSĘ,
I to w Zamku Książ.

Wyobrażam sobie, że taki utwór spokojnie mógłby znaleźć się w repertuarze Zespołu Pieśni i Tańca „Dochtór Dokoluśka", złożonego z personelu medycznego któregoś z dolnośląskich szpitali powiatowych. I, co może zaskakujące – „sepsa" w tym wypadku wcale nie musi być pojęciem medycznym. W takiej konwencji można wmówić słuchaczowi, że „sepsa" to gwarowe określenie kochanki, używane przez mieszkańców wsi w okolicach Wałbrzycha do końca pierwszej połowy XIX wieku.

Sprawdziłem w Internecie i znalazłem jeszcze kilka ciekawostek. W Katowicach odbywa się konferencja „Dekada Kości i Stawów". Też by się wymyśliło jakiś horror. Drugi tom nosiłby tytuł *Milenium więzadeł*. A w Poznaniu można uczestniczyć w sympozjum pod tytułem „Maski Otyłości". Zaklepuję sobie! Już mam pomysł na powieść, której akcja rozegra się podczas karnawału w Wenecji i będzie studium nieumiarkowanego konsumpcjonizmu współczesnych Europejczyków.

Myślę, że ten tekst może się stać początkiem ścisłej współpracy środowiska literatów i lekarzy. Bo w drugą stronę to też działa – przygotowując konferencję medyczną, można spojrzeć na tytuły książek dostępnych na rynku i również czerpać pełnymi garściami. Przykłady? Zajrzałem na listę bestsellerów księgarni internetowej. I oto moje propozycje (wiem, że bez sensu, ale jakiś fachowiec na pewno to dopasuje, ja podaję wyłącznie mechanizm korzystania z tytułu): Mariusz Szczygieł, *Laska Nebeska*, czyli czeski przemysł opatrunkowy, Jodi Picoult, *Głos serca* (kardiologia wczoraj i dziś), George R.R. Martin, *Nawałnica mieczy*, tom 2: *Krew i złoto* (10 lat Narodowego Funduszu Zdrowia).

Żarty żartami, ale za bardzo zamykamy się we własnych światach, a za mało korzystamy z inspiracji płynących z tych, nie tak przecież odległych, rejonów. Staram się to zmieniać. Kiedyś występowałem dla uczestników (a raczej uczestniczek) konferencji „Położna Gwarantem Sprawnej Opieki Położniczej i Ginekologicznej". Było to bezpośrednio po nieprzyjemnych wydarzeniach, kiedy podczas Święta Niepodległości starli się ze sobą uczestnicy dwóch demonstracji. Mogłem po prostu napisać jakieś przesłanie, typu:

Stójcie! Ani kroku dalej!
Na rogu Kruczej i Alej
Z różą w zębach stoi Hania,
Żywy symbol pojednania.

Ale pomyślałem, że nie mogę nie brać pod uwagę miejsca i czasu, w którym się znalazłem. Dlatego powstało coś takiego:

Może gdyby ksiądz z monstrancją?
A za księdzem szłyby chóry?

Może byłyby gwarancją
Społecznej kultury?

Może sąd z prokuratorem
Sprawią, że bezpieczniej będzie?

Pan prezydent dziś wieczorem
Wygłosił orędzie:
„Ludzie! Przecież tak nie można!
Zwalczmy nasze wady liczne…
Całe szczęście, że »Położna
Gwarantem Sprawnej Opieki Położniczej i Ginekologicznej«".

Czerwiec 2012 („Gazeta Lekarska")

W co się bawić?

To pytanie, wielokrotnie powtarzane w słynnej piosence Wojciecha Młynarskiego, jest tylko punktem wyjścia do rozważań na temat zabawy. Bo przecież jak już będziemy wiedzieć „w co", należy skoncentrować się na odpowiedziach: „gdzie się bawić?", „z kim się bawić?". Mój (nieprzesadnie rozrywkowy) temperament podpowiada jeszcze dwa pytania: „czy się bawić?" i „po co się bawić?". Równie istotne wydaje się poszukiwanie odpowiedzi na: „jak się bawić?". Z tym że na to ostatnie odpowiedź już poznałem. Za sprawą mojej koleżanki…

Tutaj powinienem zrobić krótką przerwę w tekście, którą Czytelnik mógłby sobie zagospodarować na domysły wyrażane komentarzami typu: „No, no, wiadomo… Koleżanka to wie, jak się bawić…". Nic podobnego. Koleżanka po prostu opowiedziała mi coś, co usłyszała, przechodząc obok piaskownicy, w której bawiło się dziecko. Nieopodal stał lekko zniecierpliwiony tatuś, który popędzał swoją pociechę słowami: „Baw się szybciej!". Niestety, nie dopytałem, jaki był efekt popędzania, czy może dziecko zaczęło szybciej przebierać łopatką i stawiać babki z piasku w liczbie dwunastu na minutę?

Z haseł wygłaszanych w okolicach piaskownicy jeszcze kilka zasługuje na uwagę. Dziecko nie najlepiej się zachowujące przywoływane jest do porządku krótkim: „Bo pójdziesz do domu!".

Ta komenda pojawia się również w życiu ludzi dorosłych, tyle że w nieco krótszej formie. Na przykład o trzeciej nad ranem żona odnajduje męża w lokalu gastronomicznym, z kolegami (powinna się cieszyć, bo przecież gorzej by było, gdyby siedział tam z jej koleżankami), podchodzi i mówi: „Do domu!". W obu przypadkach – na poziomie „piaskownica" i „lokal gastronomiczny" – dom kojarzy się z miejscem przymusowego, niezbyt przyjemnego pobytu. Tak wypowiedziane „Bo pójdziesz do domu!" jest zwiastunem przerwania czegoś miłego w najmniej oczekiwanym momencie. Choć już wiele razy zdarzyło mi się w życiu tęsknić za taką groźbą. Nieraz w pracy. Jestem gdzieś daleko, przede mną jeszcze dużo zajęć, coś mi nie wychodzi, a tu podchodzi reżyser i mówi: „Bo pójdziesz do domu!". Poszedłbym, natychmiast! Podejrzewam, że nie najgorsze uczucia taki zwrot może też wywoływać u kogoś, kto ma przed sobą perspektywę odsiedzenia kilkuletniego wyroku, a tu przychodzi naczelnik zakładu karnego i straszy: „Bo pójdziesz do domu!".

Albo: „Tak się nie bawię!". Gdybyż dorośli zapożyczyli sobie z poziomu „piaskownica" tak pojemne sformułowanie, urywające wszystko i natychmiast, bez potrzeby jakiegokolwiek tłumaczenia, podawania powodów! To „tak" wyjaśnia wszystko. Dlatego się nie bawię, bo jest „tak", a nie inaczej. Poważne polityczne negocjacje, rozmowy biznesowe, związek uczuciowy – wszystko da się zakończyć definitywnym: „Tak się nie bawię!".

Teraz najważniejsze. Zapamiętajcie Państwo i weźcie sobie do serca hasło: „Baw się szybciej!". Ono naprawdę ma sens! Gdybym był osobiście świadkiem zdarzenia, o którym opowiedziała mi koleżanka, natychmiast podszedłbym do zniecierpliwionego tatusia i sprawdził, czy przypadkiem nie ma on na imię Horacy. I czy w oryginale „Baw się szybciej!" nie brzmiało aby *Carpe diem*.

5 czerwca 2012

Eurowymówka

Na Euro 2012 trzeba mieć: szalik, chorągiewkę, czapkę, trąbkę albo... wymówkę.

Mogło się zdarzyć, że nie oglądaliśmy meczu otwarcia mistrzostw Europy. Mieliśmy pilniejsze zajęcia. Na przykład dokładnie wtedy musieliśmy koniecznie przeczytać osiemdziesiąt stron biografii Antoniego Słonimskiego albo wyhaftować podobiznę bobra na koszulce wnuka (wersja dla miłośników humoru abstrakcyjnego: musieliśmy wyhaftować podobiznę wnuka na koszulce bobra). Mieliśmy prawo, żyjemy w wolnym kraju. Ale co dalej? Wieczorem tego samego dnia, a już na pewno rankiem następnego, w sklepie, przy śmietniku, na komendzie, w kościele, w aptece, usłyszymy krótkie: „Oglądałeś?". Przyznać się, że po prostu nie, bo mnie nie interesowało, nie można, bo to tak jakby stwierdzić, że mojemu praprapradziadowi obojętne było, czy będą rozbiory, czy nie. Kłamać też nie ma sensu, bo zaraz padnie pytanie dodatkowe typu: „No i kto twoim zdaniem był najlepszy?". Albo jeszcze bardziej pogrążające: „A kto wygrał?". Ewentualnie unicestwiające: „A ty wiesz przynajmniej, kto grał?". I już po nas. Jedynym wyjściem z tej kłopotliwej sytuacji jest znalezienie jakiejś wymówki. Ale ostrzegam – banalne: „Miałem wypadek samochodowy i akurat mnie reanimowano" odpada. W karetkach reanimacyjnych są radia i można było przynajmniej słuchać. A w każdym szpitalu jest konstytucyjnie gwarantowany dostęp do telewizora i można się było jakoś doturlać z respiratorem do dyżurki pielęgniarek. Więc co? Nie wiem. A w sytuacji kiedy nie wiem, proszę o pomoc tych, którzy wiedzą, czyli słuchaczy mojej audycji. Zapytałem o wymówki, których sami by użyli w sytuacji towarzyskiego zagrożenia. Poniżej cytuję kilka, pomijając jawne prowokacje (jak na przykład zaproponowane przez pana Michała: „Nie oglądałem, ponieważ akurat się zakrztusiłem", czy Sławka: „Królik mi przegryzł kable").

Krzysztof: „Nie widziałem meczu, bo w banku był napad i musiałem leżeć na ziemi".

Grzegorz: „Nie oglądałem, bo malowałem pasy na autostradzie A4".

Rysiek: „Nie oglądałem, bo byłem na boisku".

Tomasz: „Nie oglądałem, bo stałem na granicy polsko-ukraińskiej. Kiedyś spędziłem tam czternaście godzin, więc wymówka jak najbardziej realna".

Elżbieta: „Najlepiej sprawdzą się wymówki szkolne: zaspałam, mama mnie nie obudziła, budzik nie zadzwonił…".

Z podanych wyżej poważnie można traktować tylko tę zaproponowaną przez pana Ryśka. Usprawiedliwieniem nieoglądania meczu może być wyłącznie osobiste w nim uczestnictwo. Czyli panowie Smuda, Błaszczykowski, Lewandowski i ich koledzy z reprezentacji byli zwolnieni z obowiązku oglądania meczu z Grecją w telewizji.

Jeszcze jedną, może skuteczną, ale nie wiem, czy nie nazbyt odważną wymówkę zaproponowała goszcząca w audycji Joanna Kołaczkowska, artystka kabaretu Hrabi. Otóż stwierdziła, że na pytanie: „Dlaczego nie oglądałaś?" zawsze może odpowiedzieć: „Bo durna jestem".

Ale najlepiej kupić szalik, chorągiewkę, czapkę, trąbkę i się przemóc. Oglądając, można na przykład zastanawiać się, czy Słonimski byłby dobry na prawym ataku, przyglądać się, czy przypadkiem któryś z piłkarzy nie przypomina trochę bobra? I kibicować! Bo nieczęsto coś takiego nam się zdarza. O ile się nie mylę, przynajmniej przez cztery najbliższe lata nie będzie kolejnego Euro w Polsce i na Ukrainie. Korzystajmy!

PS. Zauważyłem, że ostatnio w telewizji coraz częściej pojawia się napis: „Audycja zawierała lokowanie produktu". Korzystając z tego pomysłu, wiedząc, że są tacy, którzy wszystko traktują bardzo poważnie, i uprzedzając ataki tych, którzy będą twierdzili, że albo się nie znam, albo szargam, chciałbym stwierdzić, że: „Tekst zawierał lokowanie próby żartu".

11 czerwca 2012

Idą. Jadą. Autostradą

A już tak ładnie, pod melodię ballady podwórzowej, samo mi się pisało po warsiawsku:

Krzyczały dzieci, płakały mamki,
W góre sie uniósł Belweder,
Jak Błaszczykowski do ruskiej bramki
Posłał po prostu torpede...
Uniósł sie w góre zamek królewski,
Brawo sie niosło daleko
I tylko jeden Jan Tomaszewski
Nawet nie mrugnął powiekom...
A Błaszczykowski napił sie mleka
I już gotuje sie w nim krew,
Bo we Wrocławiu na niego czeka
Bardzo bojowy czeski lew...

Ale to na dzisiaj wszystko, jeśli chodzi o moje futbolowe pasje, które sam ze zdziwieniem odkrywam. Przecież dotychczas w ogóle mnie to nie interesowało – nie oglądałem, nie słuchałem, nie znałem nazwisk piłkarzy i nazw klubów. Nawet w dzieciństwie nie bardzo garnąłem się do gry w piłkę. Pamiętam tylko, że w podwórkowych rozgrywkach tych prawie najgorszych, niezbyt ruchliwych zawodników dawało się na bramkę (teraz już wiem, że w prawdziwej piłce bramkarz jest bardzo ważny). A mnie koledzy obsadzali jeszcze stopień niżej – byłem sędzią. I dziwne to było sędziowanie – ja sobie gwizdałem, na prawo i lewo pokazywałem kartki, własnoręcznie malowane wcześniej kredkami świecowymi, a oni i tak grali, jak chcieli, kompletnie mnie ignorując.

Dość o piłce.

Weekend spędziłem na Słowacji. I byłoby bardzo miło, gdyby nie wiadomość pokazywana w tamtejszej telewizji. Sam nie widziałem, ale z uśmiechem na twarzy i protekcjonalnym poklepywaniem po ramieniu przekazywał mi ją każdy, kto się dowiadywał, że jestem Polakiem. W sumie około trzydziestu osób. Otóż na autostradzie koło Popradu słowacka policja zatrzymała polską furmankę. Nie za prędkość, którą rozwinął koń, nie za brak winiety na chomącie. Po prostu Słowacy byli zdziwieni, że furmanka mogła jechać autostradą! Za okoliczność łagodzącą nie uznali nawet liczby promili alkoholu we krwi furmana, która wskazywała na fakt, że albo pił już na wozie, albo ktoś go musiał do niego wrzucić, bo sam na pewno by się nie wgramolił. Podobno mówił, że nie pamięta, jak trafił na drogę ani jak długo jechał. Winę zaczął zrzucać na samowolę komunikacyjną konia. Na jego miejscu przyjąłbym taką linię obrony: „Koń niezwyczajny. W Polsce jeszcze autostrady nie widział, to zgłupiał i wlazł". Albo zasugerowałbym działalność istot pozaziemskich, które doprowadziły do teleportacji furmanki. A tak poważnie to – moim zdaniem – kluczową rolę w rozwikłaniu tej zagadki może rzeczywiście odegrać koń. Poklepujący mnie po ramieniu i uśmiechnięci Słowacy nie podali bowiem informacji, jakiej był płci. Podejrzewam, że ogier wykorzystał niedyspozycję furmana i poszedł za uczuciem. Jak w parafrazie pewnej piosenki:

A ja mam kobyłkę po słowackiej stronie,
Furman mi się upił, to pójdę ja do niej.
Nieraz nocą słyszę mojej duszy płacz,
Po słowackiej stronie czeka na mnie klacz...

Myślałem, że od tematu uwolnię się, wracając do ojczyzny. Ale gdzież tam! W poniedziałek po weekendzie słucham radia, a tam zdenerwowany kierowca ciężarówki informuje, że po autostradzie A6, po pasie awaryjnym... idą sobie wędkarze.

To może z tym nie walczyć? Tylko zrobić z tego narodową specjalność? Na każdej autostradzie wydzielić dwa pasy dla furmanek, wędkarzy, procesji, pielgrzymek, manifestacji, sprzedawców owoców i zbieraczy złomu oraz jeden pas dla samochodów. Ale opłaty pobierać! I zebrane pieniądze przeznaczyć potem na coś fajnego. Na przykład na kolejne mistrzostwa w piłce nożnej.

Napisałem kiedyś piosenkę o Angliku podróżującym po Polsce. Szła tak:

Jechał sobie Anglik Jerry
Autostradą A4.
Kierownicę ujął w dłonie
I już autostrady koniec.

Niedawno sam jechałem tą autostradą i w związku z pewnymi zmianami wprowadziłem poprawki do tekstu:

Jechał sobie Anglik Jerry
Autostradą A4.

Silnik wszedł mu na obroty
I już siedemnaście złoty.

Wiem, że powinno być „złotych", ale Anglik mógł nie wiedzieć.

18 czerwca 2012

SPAM

W *Chlip-Hopie*, spektaklu Magdy Umer i Andrzeja Ponie-dzielskiego, pojawia się fragment, który wyjaśnił mi znaczenie tego powszechnie dziś używanego pojęcia. Otóż kiedy pada na scenie słowo „SPAM", ktoś z artystów wyjaśnia, że nie mówi się „spam", tylko „śpię". W tym momencie zrozumiałem, że „SPAM" to jest coś takiego, co pojawia się w mojej skrzynce mejlowej wtedy, kiedy ja śpię. Ja „spam", a tam, w wirtualnej przestrzeni, pracuje ktoś, żeby wysłać mi jak najwięcej różnych propozycji do rozważenia, kiedy się obudzę. Był czas, kiedy mnie to iryto-wało, odczytywanie listów mejlowych zaczynałem od usuwania niechcianych wiadomości, powtarzając w myślach różne słowa, z których „dziady" to najłagodniejsze. Potem przestałem się przej-mować. Ale parę dni temu postanowiłem sobie zażartować z wir-tualnym światem. Pomyślałem, że skoro gdzieś tam daleko ktoś trudzi się, żeby zaproponować mi nowe mieszkanie, samochód, ubranie, jedzenie, wakacje, wypadałoby przynajmniej grzecz-nie odpowiedzieć. I tak oto na listy, które znalazłem w skrzynce przedwczoraj rano, odpowiedziałem. Krótko, ale serdecznie. To zapis mojej korespondencji:

Oni: „Rodzina na swoim w cenie 5900 zł/m²...". Ja: „Ale za czyje?".

Oni: „Radość z jazdy teraz bliżej niż myślisz...". Ja: „Jeszcze bliżej? Słyszę tę radość przez całą dobę pod swoimi oknami".

Oni: „Druga koszula 50% taniej...". Ja: „To dobrze, bo pierwszą już mam".

Oni: „Zamieszkaj w Turcji. Nieruchomości na każdą kieszeń...". Ja: „Za daleko miałbym do pracy".

Oni: „Nowe bmw serii 3...". Ja: „Oj, to chyba jeszcze nie w tym miesiącu!".

Oni: „Emerytura wyższa nawet o 1827 złotych...". Ja: „No chyba że tak. To jednak pomyślę o bmw i drugiej koszuli".

Żeby jeszcze bardziej dać znać, że te odpowiedzi to tylko wyraz sympatii, postanowiłem nie podpisywać ich sztampowym: „Z wyrazami szacunku, mgr Artur Andrus", ale użyłem formy: „Całusy dla cioci Basi, Wasz Miś". Skąd wiem, że mają ciocię Basię? A skąd oni wiedzą, że ja potrzebuję „radości z jazdy bliżej, niż myślę"?

Niestety, efekt był odwrotny do zamierzonego. Następnego dnia w skrzynce mejlowej znalazłem już cztery listy dotyczące „rodziny na swoim". Kiedy znowu dowcipnie odpowiedziałem, że mam tylko jedną rodzinę, a znaczna jej część woli być na cudzym niż na swoim, przyszło dwanaście „rodzin na swoim". Zmieniłem adres mejlowy. Pierwsza wiadomość, jaka dotarła, to:

„Witaj, Artur, cieszymy się, że dołączyłeś do nas". Druga była już „rodzina na swoim". Namierzyli mnie!

Być może jedynym wyjściem jest wyjazd z kraju? Może właśnie do Turcji? Zacząłem od sprawdzenia programu tureckiego radia publicznego Türkiye Radyo Televizyon Kurumu. Ich Trójka o 14.00 nadaje audycję „Günümüzü Dinlemek", co Internet tłumaczy jako „Słuchanie Obecnej". Ale tłumacz internetowy popełnia dużo błędów, może więc „Günümüzü Dinlemek" to też „Powtórka z rozrywki"?

I to jest kolejny dowód, że z wirtualnym światem nie ma żartów. Wiem, że są programy antyspamowe, że można mieć płatną pocztę, która gwarantuje ochronę przed spamem, ale rodzina powiedziała mi, że pieniądze będę mógł sobie wyrzucać w błoto, dopiero jak będę na swoim.

25 czerwca 2012

O dyskrecji

W Opolu, „stolicy polskiej piosenki", jest apteka. Niejedna jest, ale jedna zwróciła moją szczególną uwagę. Otóż po wejściu mija się gazetkę ścienną z hasłem: „Naszą aptekę odwiedzili…". Niżej następują zdjęcia oraz pisane pozdrowienia od gwiazd polskiej piosenki, które przybyły na festiwal, ale musiały się udać do apteki. Przyjrzałem się uważnie, bo po pierwsze zobaczyłem kilku znajomych, po drugie – byłem ciekaw, czy pod zdjęciami będą informacje, co kupowali i na jakie dolegliwości. Albo czy przed śpiewaniem, czy po? Czy wzięli dużo, czy mało, czy refundowane, czy na pełną odpłatność? Nie było takich informacji, ale to kwestia czasu. Jestem pewien, że teraz, kiedy spopularyzowałem ten pomysł, znajdzie się kilku ambitnych, którzy pójdą krok dalej. I na przykład przy niektórych oddziałach szpitalnych pojawią się gazetki pełne zdjęć znanych osób, z hasłem: „Leżeli u nas", być może nawet z podziałem na dwie strony: „Udało się" i „Niestety". Żeby nie było wątpliwości – nie mam nic przeciwko wyrazom sympatii przekazywanym sobie w aptekach, przychodniach, szpitalach… Sam w takich aktach uczestniczę – moja znajoma wspomina, że jeden z niewielu obrazków, które pamięta ze swojego pobytu na OIOM-ie, to ten, kiedy stoję pochylony nad kartką papieru i wpisuję dedykację jednej z pielęgniarek: „Lusi, która nic nie musi". Jestem jak najbardziej za, ale raczej do celów prywatnych, jakoś tak dyskretniej.

Od jakiegoś czasu regularnie widuję w telewizji reklamę leku, który określany jest jako „dyskretny i skuteczny środek na wzdęcia". Co do skuteczności – pełna jasność. Ale dyskrecja? Na czym polega dyskrecja leku na wzdęcia? Mam taką zasadę, że jak czegoś nie rozumiem, patrzę w prawo, a tam stoi słownik. „Dyskretny: a) umiejący zachować tajemnicę, milczenie, niewtrącający się do cudzych spraw; taktowny". To chyba nie o leku. Chociaż „skuteczny i niewtrącający się do cudzych spraw środek na wzdęcia" brzmi intrygująco. To może: „b) nierzucający się w oczy; delikatny, cichy"? O! To pasuje! Teraz rozumiem. Przychodzę do apteki i dostaję coś, co nie rzuca się w oczy, bo nie wygląda jak lek na wzdęcia. Czyli na przykład lizak w kształcie serca, z napisem „Pamiątka z Mielna". Nikt się nie domyśli co to i na co to. No i dyskrecja polega również na tym, że działa cicho, czyli nikt z przechodniów nie wie, co temu z lizakiem dolega.

Należy jeszcze tylko wymyślić jakiś bezpieczny sposób zakupu. Bo co po dyskrecji samego środka, jak wszyscy w aptece usłyszą: „Poproszę skuteczny i dyskretny lek na wzdęcia". Dziesięć minut później nagranie gwiazdy show-biznesu dokonującej takiego zakupu będzie już na wszystkich portalach plotkarskich. Już sobie wyobrażam tę scenę – pan magister widzi znanego aktora wchodzącego do apteki, szybko sprzed obiektywu ukrytej kamery usuwa pilota do telewizora, żeby dobrze było widać, kto i co kupuje...

Jedynym sposobem pozwalającym na zatajenie przed przypadkowymi świadkami faktu zakupu takiego środka jest wymyślenie kodu czytelnego wyłącznie dla klienta i aptekarza. Na przykład wchodzę do apteki i mówię:

– Dzień dobry, poszła Karolinka do Gogolina.

A aptekarz podaje mi środek na wzdęcia. No ale nie ma gwarancji, że takie nagranie nie pojawi się po chwili w Internecie z tytułem: „Andrus zwariował!".

I jeszcze jedno. Jeśli reklamowane są „skuteczne i dyskretne", to można się domyślić, że na rynku są dostępne również „skuteczne i niedyskretne", „nieskuteczne i dyskretne" oraz „nieskuteczne i niedyskretne" środki na wzdęcia.

Uważajcie na siebie!

Lipiec 2012 („Gazeta Lekarska")

Sielanka

Oj, ucieszyłaby się moja polonistka, gdyby usłyszała, że zaczynam zdanie od słów: „Cieszy mnie renesans...". Już by sobie wyobrażała, że w domu powiesiłem na ścianach podobizny Kochanowskiego, Reja, Modrzewskiego. Uznałaby to za swój wielki sukces pedagogiczny, że jej uczeń podrywa w dyskotekach na *Sielanki* Szymonowica. Że z drinkiem „gorąca krew buzująca na dzikiej plaży" w dłoni podchodzi do upatrzonej ofiary i recytuje niskim głosem:

> *Marna rzecz całowanie, ale z tej marności,*
> *Są też swoje przysmaki, są swoje słodkości...*

Oj, zmartwiłaby się moja polonistka, gdyby usłyszała, że to zdanie brzmi w całości: „Cieszy mnie renesans muzyki disco polo". A naprawdę mnie cieszy. Ludzie się bawią, są szczęśliwi. A ja się cieszę, kiedy ludzie są szczęśliwi. Zauważyłem, że we mnie ten typ muzyki również wywołuje zachwyt, ale organizm jakoś inaczej ten zachwyt okazuje. Większość zachwyconych tym nurtem twórczości po prostu rusza w tany, a ja popadam w stan hibernacji. Znacznie spowalniają moje procesy życiowe. Z takiego stanu mogą mnie wyrwać wyłącznie czynniki zewnętrzne: awaria prądu, ingerencja rodziny (typu: „Rusz się wreszcie, bo cię rzucę"), wybuch bomby atomowej. Sam z siebie nie jestem w stanie oderwać się od telewizora. Dowodem na to, że to jest hibernacja, czyli spowolnienie, a nie całkowity zanik procesów życiowych, jest fakt, że jednak wracam do świadomości, a po tym powrocie zazwyczaj coś pamiętam. I ten zachwyt mi zostaje.

Ktoś może sobie pomyśleć, że żartuję, że wyśmiewam. Otóż nie! Cieszy mnie renesans muzyki disco polo, bo dawno nie natrafiłem na coś tak inspirującego i zagadkowego. W jednym z programów na przykład zobaczyłem gwiazdę tej muzyki, która była mężczyzną od stóp do głów (można było rozpoznać po wyglądzie, stroju, głosie, ruchu). Gwiazda wychwalała zalety życia w stanie kawalerskim, śpiewając piosenkę, w której refrenie padają następujące słowa:

Póki jestem młody, po co mi te schody?
Co przede mną – moje, nawet sam się boję.
Kawalerskie życie, górą wciąż na szczycie,
Mocna artyleria – nadchodzi kawaleria!

I już trzeci dzień nie śpię... Co prawda śpię w nocy, ale przedtem miałem też zwyczaj drzemki popołudniowej, a od trzech dni nie mogę. Męczę się nawet nie z tym „co poeta miał na myśli?", tylko „jak on na to wpadł?". Choćby sprawa tych schodów. Przecież dopóki jest młody, schody nie powinny mu sprawiać żadnego problemu? Powinno być: „Póki jestem młody, po co mi ta winda?". Wiem, że się nie rymuje, ale prawdziwe. Albo druga linijka: „Co przede mną – moje...". A co za nim – czyje? A to: „nawet sam się boję"? Czyli można domniemywać, że skoro nawet sam się boi, to co dopiero w parę osób! A może by tak nie czepiać się poszczególnych fragmentów, tylko spróbować odpowiedzieć w imieniu mężczyzn, którzy chwalą sobie bycie mężem?

A na stawy chore przyda mi się poręcz,
Co przed nami – nasze, nawet żonę straszę…
Życie przy rodzinie, dołem wciąż w dolinie,
Rozbrojony granacik – nadchodzą żonaci!

Nie dam rady. Chyba jednak wrócę do Szymonowica.

Lwica za wilkiem bieży, za kozą wilczyca,
Koza za wrzosem, i mnie do ciebie tęsknica;
Każdego swoja lubość, swoja żądza pędzi,
Każdego swój mól gryzie, swoja nędza swędzi.

Przecież to o tym samym! I prawie tak samo napisane! I jak tu człowieka ma nie cieszyć renesans?

3 lipca 2012

Machanie do piłkarzy

Dotychczas nie bardzo wiedziałem, jak odpowiedzieć na pytanie o mojego ulubionego piłkarza. Fakt, rzadko mi je zadawano, bo większość znajomych wie, że sportem interesuję się na poziomie „którzy to nasi?", ale czasem zdarzy się jakiś niezorientowany dziennikarz i znienacka zapyta. Są też tacy, którzy pytają złośliwie. Wiedzą, że z trudem wymienię kilka nazwisk reprezentantów Polski, to znęcą się jeszcze, dociskając: „No dobrze, a z zagranicznych?".

Teraz już sobie poradzę. A wszystko za sprawą czekolady, którą właśnie kupiłem. Otwieram, patrzę, a w środku trzy naklejki ze zdjęciami piłkarzy! A jako że jestem człowiekiem wierzącym w przeznaczenie i uważam, że nic nie dzieje się przypadkiem – uznałem, że właśnie to są moi ulubieni piłkarze. Fanis Gekas, Cesc Fàbregas i Mario Balotelli. Już samo wymienienie przeze mnie tych nazwisk powinno raz na zawsze zamknąć usta złośliwcom, ale nie można wykluczyć, że któryś z nich się przełamie i dorzuci: „A może coś więcej?". I tu też sobie poradzę! Na naklejkach dołączonych do czekolady są wydrukowane informacje o moich ulubionych piłkarzach! Zdumionemu dziennikarzowi mogę odpowiedzieć tak: „Moimi ulubionymi piłkarzami są:

urodzony 12 sierpnia 1990 zawodnik Manchesteru City Mario Balotelli, który ma 1,91 m wzrostu i waży 88 kg, grający w FC Barcelona, starszy od niego o trzy lata, mierzący 1,80 m i ważący 75 kg Cesc Fàbregas oraz niższy o centymetr od Fàbregasa, ale za to lżejszy od Balotellego o 12 kg i starszy od obu, bo urodzony 23 maja 1980, związany z tureckim Sansunsporem Fanis Gekas". Tu już złośliwemu musi szczena opaść. A zanim mu się podniesie, dorzucę od niechcenia: „A wie pan, że dokładnie w tym samym dniu, w którym urodził się Fàbregas, czyli 4 maja 1987 roku, w Palma de Mallorca przyszedł na świat Jorge Lorenzo Guerrero, świetny hiszpański motocyklista?". Po czymś takim już się nie obędzie bez interwencji chirurga szczękowego. Oczywiście ta ostatnia informacja nie była umieszczona na zdjęciach dołączonych do czekolady, ale mam w domu prąd, komputer i Internet, to sobie znalazłem.

Za organizację Euro wszyscy nas chwalą. Chociaż gdy się tym pochwałom uważnie przysłucha osoba szukająca dziury w całym, czyli na przykład ja – zawsze coś znajdzie. Słyszałem w radiu wypowiedź kogoś ważnego z jednej z zagranicznych reprezentacji. Mówił, że wszystko było perfekcyjnie przygotowane, w hotelu czuli się świetnie, a „…jak jeździliśmy na rowerach po okolicy – ludzie się do nas uśmiechali i machali do nas". No tak, ale ktoś ważny z zagranicznej reprezentacji nie powiedział, a dziennikarzowi zabrakło zawodowej dociekliwości i nie dopytał o to, czym do przejeżdżających piłkarzy machali okoliczni mieszkańcy. Bo jeśli widłami? Albo kosą? Należałoby uświadomić gościom z zagranicy, że nawet jeżeli się przy tym uśmiechamy, machanie nie zawsze musi być przejawem sympatii. Może w ich kulturach wystarczy pomachać byle czym, ale u nas, w kraju, w którym wielokrotnie machaliśmy w różnych sprawach, każde machanie ma wymiar symboliczny.

Już wystarczy, bo zaraz ktoś mi zarzuci, że chcę popsuć nasze dobre samopoczucie, że już się zaczęło narzekanie. To tylko żarty. Tak poważnie, to sam cierpię na syndrom odstawienia. Tęsknię za Gekasem, Fàbregasem i Balotellim. Z tej tęsknoty napisałem krótki

Wiersz o tym, czym się zasmucił biały orzeł.

Zasmucił się biały orzeł, że
Euro, Euro i po Eurze.

To jest nowy rodzaj poezji niełatwej. Wymaga współpracy autora i Czytelnika. Autor musiał się natrudzić, żeby wymyślić rym, Czytelnik musi się namęczyć, żeby ten rym odnaleźć. Dla ułatwienia powiem, że lepiej się czyta, jeśli usunie się przecinek z pierwszej linijki wiersza i „orzełże" potraktuje jak jeden wyraz.

11 lipca 2012

Somosierra pod Stoczkiem

Rozwój cywilizacyjny wymusza na ludziach coraz węższą specjalizację. Są zawody, w których ten proces nastąpił już wiele lat temu (chociażby lekarze czy spawacze), są takie, które jeszcze się bronią, ale będą się musiały poddać. Przypuszczam, że za jakiś czas manikiurzystki będą się dzieliły na te od prawej lub lewej ręki; może nawet powstaną „specjalistyczne gabinety manikiuru palca środkowego i kciuka".

Moja specjalizacja zaczęła się rozwijać samoistnie. Pisałem kilka lat temu, jakie wrażenie zrobiło na mnie zaproszenie do występu z recitalem w ramach „Nocy muzeów". Poszło dalej. Niedawno w Dzierżoniowie wystąpiłem z okazji rewitalizacji murów obronnych (o czym dowiedziałem się z zapowiedzi konferansjerskiej), a w Szczytnie, w miejscowej gazecie, mój występ zapowiadał artykuł pod tytułem: *Andrus poruszy ruiny* (dla jasności – śpiewałem piosenki w ruinach krzyżackiego zamku).

Tych kilka przypadków pomogło mi w podjęciu ostatecznych decyzji dotyczących drogi dalszego rozwoju. W Internecie zamówiłem dwie zbroje w rozmiarze XXL – skórzaną do konferansjerki i kolczugę do recitali. Do kolczugi dokupiłem hełm garnczkowy, który tworzy własny pogłos, i podczas śpiewania nie muszę już prosić akustyka o sztuczne dodawanie efektów na aparaturze nagłaśniającej. Wysłałem prośbę o objęcie mojej działalności artystycznej honorowym patronatem Generalnego Konserwatora Zabytków i już planuję trasę promującą płytę *Myśliwiecka*. Skoro zaś zacząłem w Szczytnie, to chyba dokończę najpierw szlak zamków krzyżackich? Jak się rozwinę w tych działaniach, mogę się dochrapać tytułu „komtura polskiej piosenki".

Jadąc samochodem, usłyszałem w radiu zaproszenie do obejrzenia „rekonstrukcji obrony Warszawy w Żmigrodzie". Sprawdziłem, gdzie jestem – koło Wrocławia. Pogubiłem się w tych danych geograficzno-historycznych. Zatrzymałem się, zajrzałem do mapy. Żmigród leży w województwie dolnośląskim. Wychodzi z człowieka niedouczenie – nie miałem pojęcia, że w 1939 roku w Żmigrodzie odbywała się obrona Warszawy. Chociaż z drugiej strony, skoro wtedy wydawało nam się, że obrona Warszawy zacznie się w Paryżu i w Londynie, to dlaczego nie w Żmigrodzie? Po powrocie do domu poczytałem w Internecie i wszystko mi się wyjaśniło – po prostu rekonstrukcja czy inscenizacja wcale nie muszą się odbywać w miejscach prawdziwych wydarzeń. To nawet lepszy pomysł. Nie wszyscy mogą sobie swobodnie podróżować i uczestniczyć w różnych imprezach. Dlatego proponowałbym uruchomienie akcji: „Nie przyjedziesz na rekonstrukcję – rekonstrukcja przyjedzie do ciebie". Może nie uda się już w tym roku, ale podaję plan na przyszły:

13 stycznia – Zabrze – bitwa pod Cedynią
15 lutego – Grunwald – lądowanie w Normandii
8 marca – Suwałki – bitwa pod Gorlicami połączona z obchodami Dnia Kobiet
15 lipca – Sochaczew – bitwa pod Oliwą nad Bzurą
12 listopada – Gdańsk – bitwa nad Bzurą pod Oliwą

Osoby, które miałyby zamiar marudzić, że daty się nie zgadzają, niech wezmą pod uwagę fakt, że jedna inscenizacja będzie się odbywała kilka razy w różnych miejscach kraju, więc nie da się dopasować dokładnie dat rekonstrukcji do dat historycznych. Na przykład trwają rozmowy, żeby inscenizację bitwy pod Grunwaldem zorganizować 10 stycznia w Zakopanem, jako inaugurację Pucharu Świata w skokach narciarskich.

O kolejnych inicjatywach będziemy Państwa informować na stronie www.komturpolskiejpiosenki.gov.pl.

17 lipca 2012

Panna cotta

Z wakacji przywożę sobie nowe nazwy. Ludzi, zwierząt, rzeczy, zjawisk, potraw. I wciąż coś mnie zaskakuje.

Na którymś wyjeździe spytałem po obiedzie w restauracji o desery. Jakie są. Pan kelner powiedział, że:

– Jabłecznik, sernik albo… panakokta.

Nie byłem pewien, czy to ostatnie to to samo, co jadłem we Włoszech pod nazwą *panna cotta*, czy to, na co już kiedyś trafiłem w Polsce, czyli „panacota". Więc na wszelki wypadek sprytnie zamówiłem:

– To ostatnie proszę.

Pan kelner odszedł, ale kiedy wrócił i przyniósł mi coś, co na pierwszy rzut oka wyglądało na to, co jadłem we Włoszech, trochę się przestraszyłem. Bo powiedział:

– Panakoka, bardzo proszę.

Na plecach poczułem uważne spojrzenia współbiesiadników. Dla rozładowania atmosfery miałem nawet podnieść talerzyk z deserem i zbliżyć go do nosa. Że niby chcę wciągnąć, ha, ha, ha… Ale zrezygnowałem z żartu, szybko zjadłem (tak, to było to – przypominało trochę budyń waniliowy) i wychodząc, z uśmiechem na twarzy, rzuciłem w stronę pana kelnera:

– Bardzo dobra pannakokota. Na pewno jeszcze tu kiedyś wrócę. I polecę kolegom. Może pan nie wie, ale to był ulubiony deser jednego z bohaterów włoskiego westernu erotycznego *Pan ma colta…*

Nie wyglądał na kogoś, kto się przejął tym, co mówię. Ciekaw jestem, co zaproponował kolejnemu klientowi.

Z wakacji przywożę jeszcze wiersze, które wpisane do kalendarza, będą mi kiedyś przypominały miłe chwile spędzone w różnych miejscach świata. Byłem na przykład w Zakopanem. Zobaczyłem na Krupówkach smutną dziewczynę sprzedającą oscypki. Nie miałem na tyle śmiałości, żeby podejść i zapytać, dlaczego jest smutna. Ale miałem tyle odwagi, żeby sobie powody tego smutku wyobrazić. A że wyobraźnię mam niebanalną, wyszło mi, że ona tęskni za chłopakiem, który rzucił ją z miłości… Zaraz! Nie dokończyłem zdania! Nie rzucił dlatego, że ją kocha, ale rzucił ją z miłości do piłki nożnej. I teraz ona tak sobie siedzi na Krupówkach, i patrząc w promienie słońca, tęsknie nuci nową wersję pewnej znanej piosenki.

Tyle słońca w całym mieście,
Nie widziałeś tego jeszcze,
Popatrz! O… Popatrz!
Ja oscypki mam we wiadrze,
A ty chcesz w niemieckiej kadrze
Kopać? O… Kopać!

W Zakopanem prowadziłem niezwykły koncert. Młodzi artyści, podopieczni fundacji Andrzeja Brandstattera „Pro Artis", śpiewali góralskie (albo inspirowane góralskim folklorem) piosenki zespołu Skaldowie. Było pięknie, ale przy jednym utworze musiałem ostro zareagować twórczo. Piosenka nosiła tytuł *Juhas zmarł*, a koncert miał być pogodny, radosny. To jak to tak? Tak ostatecznie? Że zmarł nieodwołalnie? Żeby chociaż odrobina nadziei! Napisałem:

Tatry całe aż zadrżały,
Juhas zmarł, ale nie cały,
Baca chycił go za syje,
Juhas zmarł, a syja zyje.

A ta nazwa włoskiego deseru chyba mnie prześladuje. Po powrocie do domu w skrzynce pocztowej znalazłem awizo. Odebrałem na poczcie urzędowe pismo kończące się formułką: „Należność potrącimy z Pana konta".

3 sierpnia 2012

Camp Nou

Wszystko, co się teraz napisze na temat polskiego sportu, od razu będzie odczytywane jako złośliwość. Szczególnie draźliwym tematem jest gra polskiej reprezentacji futbolowej. Tymczasem ja, z prawdziwej sympatii i tęsknoty, zacząłem już przerabiać starą piosenkę:

> Trzej przyjaciele z boiska
> Wrócą tu w jednej sekundzie,
> Zostawią swoje dziewczyny
> W ciepłych mieszkaniach w Dortmundzie.
> I będą wreszcie strzelali
> W bramki zaklęte okienko,
> Trener Waldemar Fornalik
> Przywita ich tą piosenką:
> „Nic się nie stało! Chłopaki, nic się nie stało…".

Teraz, po ostatnim meczu towarzyskim, już chociażby z przekory nie wygaszę wiary w możliwość naszych sukcesów na tym polu i będę kibicował! Mam w garażu biało-czerwoną chorągiewkę, którą dumnie woziłem w czasie Euro 2012, wywieszę ją ponownie! Może na razie ostrożnie… Będę ją woził wewnątrz samochodu, przytwierdzę do tylnego siedzenia za przyciemnianą szybą, bo nie chcę się jeszcze obnosić z moją miłością do piłki. Ale przyjdzie czas chwały!

Poczułem w sobie nawet misję pobudzania do wiary w polską piłkę tych, którzy zwątpili bardziej niż ja. Kolegom z pracy, do niedawna zagorzałym kibicom piłkarskim, przywiozłem z wakacji prezent – puzzle 3D Camp Nou. Żeby w chwilach smutku mogli sobie układać stadion FC Barcelona. Do prezentu dołączyłem wierszyk:

> Kiedy świat osnuty mgłou,
> Złóż sobie Camp Nou!
> Kiedy jakieś smutki sou,
> Złóż sobie Camp Nou!
> Kiedy Cię komary tnou,
> Złóż sobie Camp Nou!
> Trafisz na kobietę złou,
> Złóż sobie Camp Nou!
> Wisła się pokryje krou,
> Złóż sobie Camp Nou!
> A jak wpadniesz w totalne g…
>   (czyt. totalnegic)
> Odłóż to i idź na Legie!
>   (celowo nie „Legię", ma być po warsiawsku)

Mam nadzieję, że prawidłowo odczytają przesłanie tego wiersza. Że mogą się zachwycać grą Hiszpanów, ale niech pamiętają, że najważniejsze stadiony są tutaj, pośród tych pól malowanych zbożem rozmaitem i pomiędzy wierzbami słusznie płaczącymi! Końcówkę każdy kibic może sobie dopasować do nazwy swojego ukochanego klubu. Na przykład:

A jak wpadniesz w monotonię,
Wstań i idź na Jagiellonię...

Jak dopadnie cię deprecha,
Wstań i idź na stadion Lecha...

Jeśli już nadzieje prysły,
Wstań i idź na stadion Wisły... i tak dalej.

I na koniec poważniej. Nie pierwszy raz się do tego przyznaję. Wzruszam się coraz łatwiej. Ale to zjawisko zaczyna przybierać niebezpieczne rozmiary. Żeby wzruszyć się dwa razy w ciągu jednego miesiąca? Czy to nie przesada?

Pierwszy raz dopadł mnie we Francji. Z grupą przyjaciół, podczas kolacji, poznaliśmy przemiłą dziewczynę. Podróżującą po Europie nauczycielkę angielskiego z Niemiec. Okazało się, że dziadkowie Judith pochodzą z Łodzi. Ona już prawie nie mówi po polsku. Prawie, bo pamięta jedno zdanie: „Mamo, daj mi chleba, ale z masłem". Mnie to wzrusza.

A drugie wzruszenie dopadło mnie w czasie lektury książki o Antonim Słonimskim. Otóż żona poety, Janina Konarska, w kalendarzyku na rok 1969, w rubryce: „Kogo powiadomić w razie wypadku", wpisała: „Antoniego Słonimskiego. Ostrożnie, chory na serce".

Że pierwsza część tekstu ma się nijak do drugiej? Owszem. Jakoś będą Państwo musieli z tym żyć. Właśnie odnalezionych dowodów na istnienie miłości i czułości nie zepsuję naciąganym albo absurdalnym „aproposem" (że na przykład nasi piłkarze zawsze powinni mieć przy sobie kalendarzyk na rok 1969 i wpisać tam, że w razie kolejnej przegranej należy powiadomić Antoniego Słonimskiego). Nie napiszę tak, bo to głupie.

20 sierpnia 2012

Pod różne pokrycia dachowe

Wmonotonnym życiu tak zwanego twórcy są chwile prawdziwej radości. Właśnie takie przeżywam. Docierają do mnie sygnały autentycznego zainteresowania moją twórczością. A nie ma nic przyjemniejszego od świadomości, że coś, co się napisało, trafiło pod strzechy, papy, dachówki ceramiczne i cementowe, blachodachówki, gonty drewniane albo bitumiczne, wióry osikowe czy łupki mineralne... Dość! To nie ma być tekst edukacyjny o rodzajach pokryć dachowych. Nie ma nic przyjemniejszego od świadomości, że trafiło się do ludzi, do ich domów.

Koledzy z telewizji uszczęśliwili mnie dowodem na to, że moja twórczość dotarła nie tylko do ludzi stacjonarnie przebywających w domach, ale również do tych poruszających się. Ktoś nagrał grupę pielgrzymkową, która idzie i śpiewa moją piosenkę *Piłem w Spale, spałem w Pile*. To znaczy – śpiewa przeróbkę tej piosenki. Bez zmian pozostały: melodia i słowa „heeej, o heeej". Tekst zwrotek i reszta refrenu musiały być zmodyfikowane, bo przesłanie oryginału nie bardzo pasowało do przesłania treści prezentowanych w trakcie pielgrzymek. Niestety, nagranie jest kiepskiej jakości technicznej, nie odszyfrowałem słów zwrotek, ale chętnie sam popracuję nad czymś *à propos*. Może na początek tak:

Idą sobie polną drogą
Tacy, którzy dużo mogą,
Dużo mogą znieść.
Idą chude, idą grube,
A na końcu ksiądz przez tubę
Śpiewa taką pieśń:
Nie dam rady już iść dłużej,
Dzisiaj śpię na Jasnej Górze,
Hej, o hej,
Panie Marku, pani Gieniu,
Jutro państwo śpią w Licheniu,
Hej, o hej...

Wersja pielgrzymkowa *Piłem w Spale* przypomniała mi również o inteligenckich zabawach podróżniczych. I tutaj kolejna radość – to nadal działa! Dostałem list od pani Dominiki z informacją, że jadąc pekaesem („Jestem żywym dowodem na to, że podróżowanie autobusami szkodzi zdrowiu psychicznemu..."), rozsyłała znajomym wiersze informujące o kolejnych etapach podróży, na przykład:

„Mówiąc, że się nudzę, jednak bym skłamała,
W lewo było Chyżne, w prawo Bielsko-Biała".

Pani Dominika kończy dramatycznym pytaniem: „Czy to aby nie jest jakaś jednostka chorobowa, to rymowanie? Bo na pewno jest zaraźliwe...". Pani Dominiko, mam dobre wiadomości: to jest jednostka chorobowa i tego się nie leczy.
Skoro dzisiejszy tekst przyjął formę reakcji na listy, odwołam się do jeszcze jednego. Pan Mariusz pisze, że jest wiernym czytelnikiem bloga i jeszcze wierniejszym kibicem Olimpii Grudziądz.

74

Nawiązując do tekstu, w którym zachęcałem do pisania wierszy podtrzymujących na duchu kibiców różnych drużyn, pan Mariusz stwierdza (cytuję fragmenty):

„Naturalną konsekwencją takiego stanu rzeczy była próba zmierzenia się z dwuwersem poświęconym ukochanemu klubowi. Lekko nie było, ale powstał taki potworek:
Kiedy serce cicho chlipie,
Wstań i idźże na Olimpię.
I wtedy coś we mnie wezbrało, pękło i popłynęło szeroką strugą (wszystkie poniższe kluby są autentyczne i z mojej okolicy):
Kiedy życie Tobie da w kość,
Idź na Noteciankę Pakość,
Kiedy smutku w Tobie pełno,
Wspieraj Cukrownika Mełno,
Nic Cię wkoło nie zachwyca,
Patrz, jak gra Sparta Brodnica….
Panie Arturze. Jest Pan odpowiedzialny za stworzenie nowego gatunku literackiego, coś jak »lepieje« i »odwódki« Noblistki. Proszę pomyśleć nad nazwą. Z wyrazami szacunku, Mariusz z Grudziądza".

Pierwsza nazwa, jaka wpadła mi do głowy, to oczywiście „orliki", ale po pierwsze już zarezerwowana, po drugie mogłaby przeszkadzać w międzynarodowej karierze gatunku. Sugeruje kibicowanie wyłącznie „orłom", czyli Polakom. A co, gdyby kibice z innych krajów chcieli wziąć w tym udział? Na przykład:

Życie drażni cię jak płachta,
Rzuć to wszystko, idź na Szachtar,
Kiedy życie cię przydussi,
Przyjdź na stadion do Borussii…

Nad nazwą gatunku jeszcze pomyślę, spróbuję również opracować jakieś formalne zasady. Ale wciągnęło mnie po uszy. Od paru dni próbuję wymyślić coś związanego z nazwami drużyn, o których kilka lat temu poinformował mnie inny Czytelnik. Chodzi o Swornicę Ciurex Czarnowąsy i Centralę Nasienną Proślice. Trudno jest. Rym się jeszcze znajdzie, ale rytm się gubi, jakoś niezgrabnie wychodzi.

Choć na ziemi straszne wstrząsy,
Chodź na Swornicę Ciurex Czarnowąsy.

Słabe! Siadam i piszę dalej. Trzeba być ambitnym. Zwłaszcza jak się już jest klasykiem pielgrzymek, a dla pana Mariusza „coś jak Noblistką". Szukam w Internecie jeszcze trudniejszych nazw i do roboty! Przy tej zacytowanej poniżej na chwilę straciłem przytomność.

Choćby wiatry w oczy wiały
Idź na Silesius Level One Kotórz Mały…

28 sierpnia 2012

Nie wiem, nie wiem, ciekawe, muszę przeczytać

Nie wiem, jak nazywa się to, co w miastach zajmuje się regulacją sygnalizacji świetlnej. Na potrzeby tego tekstu będę używał wymyślonego skrótu. TCWMZSRSŚ (To, Co W Miastach Zajmuje Się Regulacją Sygnalizacji Świetlnej) powinno mieć podpisaną umowę z Tym, Co Ma Pieniądze Na Ochronę Naszego Zdrowia (czyli NFZ-em). Zauważyłem, że sygnalizacja świetlna na przejściach dla pieszych w mojej okolicy jest wykorzystywana do przymusowej rehabilitacji osób starszych i tych z problemami ruchowymi. Po prostu zielone świeci tak krótko, że w ciągu jednego świecenia na drugą stronę ulicy jest w stanie przejść co najwyżej nastolatek na dopalaczach. Emeryt, rencista, ktoś, kogo boli biodro albo porusza się o kuli, nie ma szans. Ale w związku z tym, że nie ma innego wyjścia, bo nie ma innego przejścia – próbuje. Chwyta się kogoś sprawniejszego, zamyka oczy i biegnie. Po udanej próbie stoi długo po drugiej stronie jezdni i próbuje złapać oddech. Przymusowa rehabilitacja. A czasem nawet eliminacja, bo nie wszystkim się udaje.

Państwo szuka oszczędności? A ustawić w pobliżu przejść dla pieszych lotne komisje Tego, Co Ma Mi Kiedyś Wypłacać Emeryturę, Ale Już Ja To Widzę i odbierać uprawnienia:

– Dzień dobry, kontrola ZUS, komisarz Fergusson. Panie Kowalski, pan ma grupę inwalidzką przyznaną na podstawie rzekomych schorzeń układu ruchu, tymczasem przed chwilą stwierdziliśmy dużą sprawność w przebieganiu przez przejście dla pieszych. W związku z zaistniałą sytuacją zawieszamy panu rentę i nakładamy grzywnę w wysokości 500 złotych za symulanctwo. Zamiast skierowania do Ciechocinka otrzymuje pan „nakaz rehabilitacji miejskiej" i codziennie w godzinach szczytu będzie pan zawożony przez kuratora na skrzyżowanie Kruczej i Hożej, po którym będzie się pan poruszał chyżo. Oficjalną decyzję otrzyma pan pocztą na ozdobnym druku ze zdjęciem ministra zdrowia i życzeniami zdrowia od ministra finansów.

Nie wiem, jak mierzy się sprawność seksualną mężczyzn. A zaintrygowało mnie to niedawno, kiedy w telewizji zobaczyłem reklamę jakiegoś leku: „Badania wykazują, że sprawność seksualna mężczyzn zażywających XYZ poprawia się trzykrotnie". Czyli że jak? Może trzy razy częściej? Trzy razy dłużej? Trzy razy ciekawiej niż dotychczas? Na pewno nie wszystko naraz, bo wtedy specjaliści od marketingu firmy produkującej ten lek triumfalnie obwieściliby, że sprawność seksualna mężczyzn poprawia się 27-krotnie (3 x 3 x 3).

Ciekawe, jak takie badania są prowadzone? Obawiam się, że w podobny sposób jak te, o których przeczytałem niedawno w gazecie: „Przeciętna długość stosunku seksualnego Polaków zmniejszyła się do 13,9 minuty – wykazały badania opublikowane w raporcie *Seksualność Polaków 2011*. Jeszcze 10 lat temu Polacy deklarowali, że kochają się średnio 18 minut". Zwracam uwagę na słowo „deklarowali". Być może „trzykrotna poprawa sprawności seksualnej mężczyzn" to też tylko deklaracja. Chyba że na pytanie o sprawność mężczyzn odpowiadały ich partnerki. Wtedy można wierzyć. A średni czas „kochania się" powinni mierzyć nie sami Polacy, tylko ci, którzy się z nimi kochali albo byli świadkami tego kochania. Na przykład Szwajcarzy. Bo dokładni. Takie wyniki mogą być wiarygodne, choć wciąż niezbyt wesołe. Tylko 13,9 minuty… Że użyję zgrabnego porównania: to już bób się dłużej gotuje. I jeszcze metafora: zielone coraz krócej świeci.

Muszę przeczytać cały raport *Seksualność Polaków 2011*, bo być może znajduje się w nim nie tylko deklarowana odpowiedź na pytanie „jak długo?", ale również szczera na „dlaczego tak krótko?". A powód może być banalny. Ot na przykład: „Bo mąż niedługo wraca".

Wrzesień 2012 („Gazeta Lekarska")

Infolinia

Jak sama nazwa wskazuje, jest to linia służąca do zdobywania informacji. Czy nie? Z jedną taką utrzymuję jednostronny kontakt od kilku tygodni. Są mi winni dwieście złotych za bilet na lot do Szczecina samolotem linii lotniczych, których już nie ma i w związku z tym lotu w listopadzie też już raczej nie będzie. Kontakt jest jednostronny, bo za każdym razem kiedy zadzwonię pod podany numer, dowiaduję się, że wszyscy konsultanci są zajęci i mogę oczekiwać na połączenie albo zadzwonić później. Najpierw czekam, potem dzwonię później, ale wszyscy konsultanci nadal są zajęci. Rozumiem – przecież samych takich, którzy kupili bilet na lot do Szczecina w listopadzie, jest paru. A nie można wykluczyć, że ktoś jeszcze kupił na październik do Rzeszowa. Będę cierpliwie próbował trafić na moment, kiedy nie wszyscy konsultanci będą zajęci.

Zaskakuje mnie mnogość różnych infolinii. Sposób porozumiewania się z infolinią (wciskanie odpowiednich klawiszy, podawanie informacji itp.) omówili już w skeczach i monologach artyści kabaretowi, ja opowiem o swoim świeżym doświadczeniu. Otóż zaintrygował mnie numer infolinii na butelce wody mineralnej. Linie lotnicze – rozumiem, sieć telefonii komórkowej

– też, bank – wiadomo. Ale do zdobywania jakich informacji może służyć infolinia wody mineralnej? Zadzwoniłem. Była trzecia w nocy, ale jak infolinia, to infolinia! Chyba całodobowa? Przecież istotne wiadomości może człowiek chcieć zdobyć o każdej porze dnia i nocy. Zwłaszcza że już wiele razy znalazłem się w sytuacji, że nad ranem chciało mi się strasznie pić. A nie chciałbym pić czegoś, o czym nic nie wiem. Niestety. Miły żeński głos poinformował mnie, że infolinia jest czynna od 8.00 do 22.00. Na szczęście w domu była butelka wody produkowanej przez konkurencję. I jest numer infolinii! Trzecia dwanaście. Dzwonię.

– Na państwa pytania czekamy od poniedziałku do piątku, między 8.00 a 17.00.

Trudno. Budzik na ósmą i trzeba poczekać.

Zaspałem! Już 8.47! Dzwonię natychmiast. Pierwsza infolinia mówi, że w tej chwili wszyscy konsultanci są zajęci i żebym zadzwonił później. Spóźniłem się! Przecież na pewno wielu takich jak ja już od siódmej pięćdziesiąt czyhało z palcem na klawiaturze telefonu, żeby tylko zdobyć jakieś informacje o wodzie. Chyba że to są ci sami konsultanci, którzy mają mi oddać dwieście złotych za lot do Szczecina w listopadzie? I oni zawsze są zajęci? Być może jest jakaś firma, która rekrutuje tylko zajętych konsultantów? I jeszcze denerwuje mnie, że infolinia nigdy nie ujawnia, czym są zajęci konsultanci. Gdyby pojawiał się komunikat: „Przepraszamy, ale w tej chwili wszyscy nasi konsultanci zajęci są obieraniem ziemniaków", może nie byłbym zachwycony, ale przynajmniej poinformowany.

Jest ósma pięćdziesiąt. Konkurencja też już czeka na moje pytania. Dzwonię do niej. Jest sygnał. Miły głos informuje, że rozmowa będzie nagrywana, i po chwili odzywa się sympatyczna pani. Tylko… O co ja mam zapytać?

– O… Czy… Bo… Ja… (Jak nie wiem, co mam powiedzieć, zawsze tak zaczynam. Dlatego złośliwi nazywają mnie „oczy Boya") Chciałbym się dowiedzieć… (Rzut oka na etykietę na butelce. Tuż obok numeru infolinii jest wydrukowana zawartość składników mineralnych) O… Czy… Bo… Ja-ka jest zawartość anionów wodorowęglanowych w litrze waszej wody mineralnej?

– Proszę chwileczkę poczekać.

Pani na chwilę zamilkła, a ja wykorzystałem ten czas na przygotowanie jakiegoś innego pytania.

– Dziękuję za oczekiwanie. Anionów wodorowęglanowych jest 186,70 miligrama na litr – odpowiedziała miła pani.

– Dziękuję. A proszę pani, czy jest może jakaś legenda związana ze źródłem, z którego pobieracie wodę?

– O… Czy… Bo… Ja… (Ciekawe jak nazywają tę panią?) Ja… Nie słyszałam, ale ja pracuję od niedawna.

– No jasne. Przecież legendy działy się dawno, dawno temu. Ale moglibyście takie rzeczy wiedzieć. Od czego ta infolinia? Myślałem, że na przykład wasza woda gazowana wytrysnęła w miejscu, w którym spadł z konia Władysław Jagiełło, albo coś…

– O… Czy…

Nie zaczekałem na „Bo… Ja…". Podziękowałem grzecznie za rozmowę i rozłączyłem się. Bo jakoś mi się żal zrobiło pani i doszedłem do wniosku, że znęcam się nad bliźnią.

Chociaż nadal mnie korci. Mam przed sobą batonik, na którym wydrukowany jest numer infolinii batonikowej. Zadzwonię. I zapytam, czy jak się utyłam czekoladą, to łatwiej się to zmywa wodą gazowaną, czy niegazowaną?

5 września 2012

Ale wtopa!

Nie wiem, czy to jeszcze obowiązuje, bo mody na takie określenia szybko się zmieniają, ale zaintrygował mnie zwrot: „Ale wtopa!". Pojawiał się często w Internecie, jako zapowiedź szczególnie bulwersujących wiadomości. Na przykład że aktorka na bankiecie miała za małe buty albo gwiazda programu telewizyjnego przyszła z plecakiem na premierę do teatru. Ktoś, kto ma w domu papierowy *Słownik języka polskiego*… Proszę, jak się zmieniły czasy! Jeszcze niedawno z podobnym niedowierzaniem pisało się o kimś, kto ma w domu komputer, a potem Internet! Zatem ktoś, kto ma w domu papierowy, drukowany *Słownik języka polskiego*, zdejmie z półki tom czwarty (T-Ż) i dowie się, że: „wtopić – wtapiać – 1. *techn.* »osadzić (osadzać), umocować (umocowywać), oprawić (oprawiać) coś w jakiejś topliwej substancji przed jej zastygnięciem, stwardnieniem«. Wtopić końce przewodów. Wtopić płytki w cementową zaprawę. 2. *książk. przen.* »połączyć (łączyć) w harmonijną całość; wkomponować (wkomponowywać)«. Wtapiać cytaty w tekst. Losy bohaterów wtopione w historię. Domki wtopione w zieleń".

A guzik! Oto kolejny dowód, że druk jest zbędnym wynalazkiem. Trzeba było od razu wynaleźć Internet. „Domki wtopione w zieleń". Śmieszne! Nie obserwuję ostatnio, ale gdyby Państwo zauważyli jakieś ciekawe zastosowania „ale wtopy!", proszę dać znać. Może na przykład pojawiają się już wiadomości: „Amerykański milioner utopił się w swoim basenie. Ale wtopa!".

Żałuję, że w czasach mojego dzieciństwa nie było Internetu. Wyobrażam sobie, że na stronie „Trybuny Ludu", nad zdjęciem I sekretarza KC PZPR oglądającego spust surówki w Hucie Katowice, mógłby się pojawić napis: „Ale wtopa! Gierek na wytopie!".

W radiowej skrzynce mejlowej znalazłem list z nagłówkiem: „Czarny humor". Korespondentka z Bogatyni poleca mi obejrzenie zestawu wiadomości z działu „Rozrywka" jednego z większych portali informacyjnych (sprawdziłem, autentyk!):

1. Wypadek gwiazd polskiej imprezy. Autokar spadł z wiaduktu.
2. Kontrowersyjny prezenter TVP wraca na antenę.
3. Muzyk walczy o życie śmiertelnie chorego synka. Zobacz.
4. Wraca po urodzeniu dziecka. Wygląda znakomicie.
5. Była dziecięca gwiazda w poważnych tarapatach.
6. Pobił wszystkie możliwe rekordy. Zmarł w niejasnych okolicznościach.

Korespondentka kończy list stwierdzeniem: „Mam wrażenie, że pozycje 1., 3. i 6. są szczególnie »rozrywkowe«".

Owszem, ale najtragiczniejszą wiadomością dla wielu czytelników działu „Rozrywka" może się po latach okazać ta z punktu drugiego.

Powinienem się już przyzwyczaić, ale nadal czuję się nieswojo, kiedy obok informacji o śmiertelnym zatruciu zupą grzybową widzę napis: „Lubię to", a przy informacji o katastrofie lotniczej Internet zachęca: „Poleć".

Czy to nie dowód na jakąś ogólnoludzką „ale wtopę!"? Czy przypadkiem nie następuje właśnie proces osadzania naszych zwojów mózgowych „w jakiejś substancji przed jej zastygnięciem, stwardnieniem"? I co to za substancja? Jedną taką ohydną mam na myśli, ale nie napiszę, która to, bo zaraz ktoś obok umieści napis: „Lubię to".

Żeby już nie zrzędzić, ale utrzymać się w klimacie czarnego humoru, opowiem o kolejnej zdobyczy z wymienionego działu „Rozrywki". Znajomi, którzy wiedzą, że zbieram takie perełki, podsyłają mi, kiedy tylko na coś takiego trafią. Kilka tygodni temu dostałem od kolegi wiadomość, że właśnie mija restaurację, przed którą wisi plansza z napisem: „Stypy na każdą kieszeń – restauracja Lucynka". Podpowiadam pomysł na promocję: „Dla wdowy budyń gratis".

11 września 2012

Wojskowy kalendarz

Przekonania, że każde ludzkie działanie ma jakiś sens, powinienem się pozbyć we wczesnym dzieciństwie. Na przykład podczas wakacji u babci, po kilkugodzinnym eksperymencie, w czasie którego chciałem sitkiem przelać wodę z jednego wiadra do drugiego. Ale, zdaje się, już wtedy miałem za dużo wytrwałości w poszukiwaniu sensu i gdybym nie zgłodniał, do dzisiaj siedziałbym i próbował. Bo przecież jeśli są dwa wiadra (w tym jedno pełne), jest sitko i jest dziecko, które nie ma co ze sobą zrobić, to na pewno musi być w tym jakiś cel. Inaczej po co to wszystko znajdowałoby się w tym samym czasie i miejscu?

Już czwartą godzinę oglądam kalendarz na przyszły rok. Dostałem. Za darmo. Ładny. I ciekawy. Wprawdzie mówi się, że darowanemu kalendarzowi w kartki się nie zagląda, ale ja zajrzałem. Na każdy dzień jest jakaś złota myśl, sentencja, cytat z kogoś mądrego. I właśnie przeglądanie tych myśli zajmuje mi pół dnia. Bo przecież nie może być przypadku w tym, że taka, a nie inna sentencja pojawia się akurat pod tą datą. Wszystko, co zacytuję poniżej, to najprawdziwsza prawda!

Zacznijmy od początku:

1 stycznia: „Na wojnie nie ma nagrody za drugie miejsce"
(Omar Bradley).

To zrozumiałe – kalendarz wydała Wojskowa Agencja Mieszkaniowa, musiało być coś o wojnie. Miło tak wstać po sylwe-
strowych szaleństwach i coś takiego przeczytać. Ciekawe, czy
2 stycznia jest coś o tym, że na wojnie nie ma nagrody za trzecie
miejsce?

Nie. Jest cytat z Wisławy Szymborskiej: „Nie znam roli, którą
gram, wiem tylko, że jest moja, niewymierna". No... To zrozumiałe... Znaczy że... Ten... Może ma to jakiś związek z imieninami
Izydora i Makarego? Na przykład, że... Ten...

Przejdźmy do Dnia Babci, 21 stycznia: „We wszystkim musi
być umiar" (Pitagoras).

Przecież gdybym takie życzenia złożył babci w roku jej dziewięćdziesiątych piątych urodzin, śmiertelnie by się obraziła! Ale
na walentynki już na pewno musi być coś *à propos*. Od razu
widać, że kalendarz wojskowy, bo jest coś o honorze. W nawiasie
jest, zaraz po sentencji.

14 lutego: „Wspomnienia upiększają życie, ale tylko zdolność
zapominania czyni je znośnymi" (Honoré de Balzac).

Złota myśl jak najbardziej na miejscu: „Kochanie, zapomnijmy
o sobie, będziemy mieć znośne wspomnienia i piękne życie".

Na Dzień Kobiet kalendarz przypomina, że: „Jedyna władza,
na jakiej powinno nam zależeć, to panowanie nad samym sobą"
(Elie Wiesel).

I to kobiety powinny sobie raz na zawsze zapamiętać! Zaś
nauczyciele w dniu swojego święta (14 października) powinni
sobie przypomnieć, że: „Przyszłość należy do lwów, które umieją
się śmiać" (Zaratustra), a górnicy (4 grudnia), że: „Polityka to
najważniejsza sprawa w życiu gazety" (Henryk Ibsen).

No dobrze, ktoś może odnieść wrażenie, że wyśmiewam, bo moim zdaniem te wszystkie sentencje są od czapy. Choć nie wszystkie. Na przykład 26 grudnia kalendarz poucza: „Milczenie jest często najmądrzejszą rzeczą, jaką możesz powiedzieć" (Anonim), co może być idealnym przesłaniem na drugi dzień wizyt rodzinnych w czasie Bożego Narodzenia. Ale prawdziwą puentę tych wszystkich rozważań można znaleźć na kartce, którą się otworzy 1 stycznia roku następnego po nadchodzącym. Oczywiście złośliwcy pomyśleli, że kalendarz poszedł na łatwiznę i znowu przypomniał, że: „Na wojnie nie ma nagrody za drugie miejsce". Otóż nie! Otwierając zmęczone oczy po sylwestrze za rok, dowiesz się, człowieku, że: „Geniusz ma granice, ale głupota nie jest tak upośledzona" (Elbert Hubbart).

I nie mogło to być wydrukowane na każdej z 365 stron kalendarza?

Przyznaję ze wstydem, że niektóre z nazwisk autorów sentencji były mi nieznane. Postanowiłem wykorzystać okazję i się dokształcić. Ale w encyklopedii nie znalazłem hasła „Elbert Hubbart". Owszem, jest amerykański pisarz Elbert Hubbard, ale Hubbarta nie ma. Trudno, przeczytam coś tego, który jest. I tu wpadłem w zachwyt! Otóż jego dzieła znalazłem tylko w jednej księgarni i w dodatku żadne nie jest przetłumaczone na polski! Natomiast w Internecie pełno jest skarbców, ksiąg i encyklopedii cytatów, w których Elbert Hubbard vel Hubbart występuje prawie tak samo często, jak Winston Churchill vel George Bernard Shaw (wiem, że to dwaj różni ludzie, ale jestem pewien, że w wirtualnym zamieszaniu już nie raz wypowiedź jednego przypisano drugiemu). A skąd mój zachwyt? Bo przecież nie podejrzewam, żeby kalendarz drukował sentencje z Internetu. Czyli że specjalnie dla mnie, swojego czytelnika, tłumaczyli z oryginału! Zaratustrę pewnie też.

Przejrzę jeszcze raz, dokładnie. Może coś pominąłem, czegoś nie zrozumiałem? Albo… Mam pomysł! Do każdej z tych wydrukowanych dopiszę sobie jeszcze jedną złotą myśl, losowo znalezioną w Internecie. Tamta wydrukowana będzie na rano, a ta z Internetu na popołudnie. Na przykład na tłusty czwartek kalendarz proponuje: „Jeśli chcesz być szczęśliwy – bądź nim" (Kuźma Prutkow), a ja dopisuję cytat z Margaret Thatcher: „Zostanę dopóty, dopóki się nie zmęczę…".

Kończę. Zgłodniałem.

18 września 2012

Straciłem zasięg

Rozmawiam z kimś przez telefon komórkowy, pojawiają się kłopoty techniczne, rozmowa się urywa. Najciekawsze jest to, co się mówi po ponownym połączeniu. Najczęściej słyszy się coś takiego:

1. Straciłem zasięg.
2. Coś nam przerwało/Coś nas rozłączyło.

Te sformułowania na stałe weszły do języka, ale przez to, że uważamy je za zbyt błahe, nie zwracamy uwagi na zawarty w nich ładunek symboliczny.

Najprostszym skojarzeniem z „utratą zasięgu" będzie stan nazywany do niedawna „zerwaniem filmu". Swoją drogą ciekawe, jak taki stan nazywano przed wynalezieniem kina? Jeśli miałoby to mieć związek z rozrywkami społeczeństwa przedfilmowego, to może „loża mi pociemniała" (dla chodzących do opery), „słoń mi zniknął" (dla bawiących w zoo lub w cyrku), a sięgając jeszcze bardziej w głąb historii: „Rydwan mi sieknął"? W każdym razie „utrata zasięgu" powinna zastępować „zerwanie filmu", bo to drugie zjawisko jest coraz rzadsze we współczesnych kinach i wkrótce nikt nie będzie wiedział, o co chodzi.

Jeszcze bardziej intrygujące jest „coś nam przerwało". Sugeruje, że istnieje „coś", co bezpośrednio ingeruje w nasze życie. Chociażby w ten sposób, że decyduje, jak długo możemy porozmawiać. Ale co to takiego to „coś"?

Dla jednych będzie to oczywisty dowód na inwigilację. A przerwanie rozmowy w momencie: „To kup dwa kilo ziemnia..." uznają tylko za potwierdzenie prawdziwości swoich podejrzeń, bo to „coś", co ich podsłuchuje, wie, że zawsze po słowie „ziemniaki" rozmówcy omawiają aktualną sytuację polityczną w kraju.

Inni być może pomyślą o absolucie, który przerywając rozmowy telefoniczne, przypomina o swoim istnieniu? Znajdzie się co prawda kilku „ekspertów", którzy wytłumaczą to względami technicznymi, ale przecież wiadomo, że oni są na usługach tego „czegoś".

À propos ekspertów. W swoich zawodowych podróżach po raz kolejny trafiłem między ludzi znających się na czymś, o czym ja nie mam zielonego pojęcia. To była konferencja informatyków. Zacząłem sobie notować fragmenty wypowiedzi i z tych cytatów tworzyć wiersz. Uczono mnie w szkole, że należy czytać ze zrozumieniem, ale nikt mi nie zabraniał pisać bez zrozumienia. Wyszło tak:

Ty mi się śnisz, lecz nie potrafię
Wyjaśnić znaczeń tego snu:
Siedzisz w inteligentnej szafie
O wysokości 1U.
Śnisz mi się pięknie, pytasz: – Ej ty,
Powiedz mi, powiedz, do cholery,
Skąd pobrać jeszcze nowsze apgrejty
I jakie będą fiuczery?

Kilkanaście lat temu napisałem wiersz o chłopakach z Biesz-czad, którzy przyjeżdżają do Warszawy i coraz bardziej w niej zostają. Jest tam taki fragment:

Chłopaków z Bieszczad w stołecznym mieście
Trzyma rzekomo tylko praca.
Wy im dziewczyny z Bieszczad nie wierzcie,
Z miasta w Bieszczady się nie wraca.
Miasto chłopaków nie rozpieszcza,
Lecz może się pewnego razu
Zdarzyć, że grupa chłopców z Bieszczad
Spotka wycieczkę dziewczyn z Mazur.
I wtedy do was zadzwonią,
Trochę w mowie się plącząc,
Powiedzą, że to już koniec…
Impulsy im się kończą…

Kto dzisiaj wie, co to jest „koniec impulsów"? Kto widział auto-mat telefoniczny na żetony albo na karty? Trzeba zmienić. Może tak?

I wtedy, po długim czasie,
Zadzwonią z Nowego Sącza,
Powiedzą, że tracą zasięg
I że was coś rozłącza…

Na pytanie dociekliwych: „Dlaczego mieszkające w Warszawie chłopaki z Bieszczad dzwonią do swoich dziewczyn akurat z No-wego Sącza?" odpowiem: „Bo były tam (chłopaki) na konferencji informatyków".

25 września 2012

Doktor Yes

Nie tak dawno minęło pięćdziesiąt lat od premiery pierwszego odcinka słynnej filmowej serii o agencie Bondzie. W niektórych tekstach wspomnieniowych znalazł się wątek plakatu z Japonii. Otóż podobno tytuł owego pierwszego odcinka, *Doktor No*, został źle zrozumiany przez japońskiego tłumacza i na afiszach pojawił się w wersji *Nie chcemy doktora* (według innych źródeł: *Nie ma potrzeby wzywać lekarza*). Podobno błąd został szybko zauważony i podobno poprawiony. Dlaczego tak często używam słowa „podobno"? Nie było mnie w 1962 roku w Japonii. Jeszcze nigdzie mnie nie było. A nawet gdybym był, to moja znajomość japońskiego ogranicza się do siedmiu słów: karate, Tokyo, Suzuki, Toyota, sushi, seppuku, harakiri. Seppuku i harakiri to coś takiego, co chciałem sobie zrobić po zjedzeniu nieświeżego sushi.

Historia wygląda na prawdopodobną, natomiast nie wydaje mi się, żeby była efektem pomyłki. Po prostu japoński tłumacz doszedł do wniosku, że to niemożliwe, żeby w filmie nie było wątku medycznego. Przecież większość takie posiada. No dobrze, nie większość, ale dużo. Przynajmniej te lepsze filmy. A już na pewno od czasów telewizyjnych. Seriale. Wymieniam z pamięci: *Doktor Ewa*, *Klinika w Szwarcwaldzie* (będąca kapitalistyczną

odpowiedzią na osiągający oszałamiające sukcesy medyczne soc-
jalistyczny *Szpital na peryferiach* (*Nemocnice na kraji města*)),
Dr House, Profesor Wilczur, Ostry dyżur. To tylko te mówiące
wprost o trudnej pracy lekarza, pielęgniarki i personelu technicz-
nego, wspomaganych menedżerskim talentem dyrektora szpitala
i otoczonych troską urzędów odpowiadających za świetlany rozwój służby zdrowia. A ile takich wątków zostało ukrytych? Kto
wie, czy Zorro potajemnie nie studiował medycyny (w końcu
tak wiele rzeczy robił w ukryciu)? Superman idealnie pasuje
do wizerunku współczesnego ratownika medycznego. Albo czy
sfilmowani przez braci Lumière robotnicy wychodzący z fabryki
w Lyonie nie udają się prosto na badania okresowe? Czy przypadkiem *Oblany ogrodnik* nie umarłby na zapalenie płuc, gdyby nie
lekarz widoczny wśród wysiadających z pociągu, który wjechał
na stację w Ciotat?

Nie śledzę na bieżąco. Yhy, każdy tak mówi, a potem się okazuje, że wie dokładnie, który lekarz w którym odcinku zakochał
się w której pacjentce. Nie śledzę na bieżąco, ale z tego co przypadkiem zauważyłem, nie ma sprawiedliwości w tych filmach
i serialach. Najczęściej bohaterami bywają chirurdzy albo lekarze pierwszego kontaktu. Czasem przemknie jakiś anestezjolog.
W amerykańskich produkcjach, gdzie wszystko musi być największe, trafi się epidemiolog. A reszta? Gdzie hipertensjolog
i foniatra? Dlaczego nie ma żadnego porządnego serialu o den-
tystach? Że trudno napisać dialog na lekarza i pacjenta w fotelu?
To żaden argument! Wiem z doświadczenia, że każdy dentysta
sam potrafi sobie odpowiedzieć na pytanie zadane przed chwilą
pacjentowi. To chyba jedyna część ludzkości, która z nieartyku-
łowanych dźwięków typu „yyyhyhuaauuuahyhyyy" jest w stanie
bezbłędnie odtworzyć numer PESEL pacjenta. A poza tym czy
dentysta musi rozmawiać wyłącznie z pacjentem? Oto próbka:

Zębina miłości, odcinek 2346: *Bruksizm szczęścia*.

Andrzejki. Doktor Marcel i Sandra, która nie wiadomo gdzie pracuje, wróżą sobie.

Doktor Marcel (patrząc na zdjęcie RTG szczęki pacjenta Nowaczyka, podświetlone od tyłu świeczką):

– Popatrz na tę górną prawą trójkę. Wygląda jak gołąb zrywający się do lotu nad rynkiem małego galicyjskiego miasteczka.

Sandra:

– To zły znak. Wróć do mnie, ja cię kocham.

Doktor Marcel:

– Dobrze.

Niedawno wystąpiłem na kongresie urologów. Jako artysta. W części galowej, „powykładowej". Przed występem musiałem jeszcze poprowadzić audycję w radiu i szybko przemieścić się do innego miasta. Podczas audycji dotarł do mnie „mejl sprawdzający", czy w radiu jestem na żywo i czy to możliwe, że zdążę na występ. Odpowiedziałem, że zdążę, bo mam już duży kawał autostrady do dyspozycji. Pani Ania (autorka „mejla sprawdzającego") odetchnęła z ulgą i zapewniła mnie, że: „Urolodzy czekają". Uważam, że to świetny tytuł filmu.

Może na przykład następnego odcinka przygód Jamesa Bonda?

Październik 2012 („Gazeta Lekarska")

Warszawska (i nie tylko) Jesień

Znowu poniosło mnie w rejony folkloru warszawskiego. Wyobraziłem sobie mieszkankę Czerniakowa, która dowiedziała się, że w kościele ewangelicko-reformowanym, w ramach Międzynarodowego Festiwalu Muzyki Współczesnej „Warszawska Jesień", Camerata Silesia wykona *Preludium, psalm i medytację na chór, organy i tam-tam* Krzysztofa Baculewskiego. Oczywiście poniosło mnie w formę warszawskiej ballady podwórzowej.

Na Czerniakoskiej, przy Gagarina,
Halina w siatce coś niesie,
Sądząc po stroju, to ta Halina
Idzie na Warsiawską Jesień.

Halina w siatce niesie banany,
Spieszy się tak, że ich nie zje,
Idzie pod kościół reformowany
Na Cameratę Silesię.

Patrzy Halina na stada sójek,
Halina ma to po mamie,

Że najprzyjemniej się medytuje
Przy chórze i przy tam-tamie.

Halina jakoś tak smutno idzie,
Przyglądając się bananu,
Gdyż jej małżonek już drugi tydzień
Nie wraca z Sacrum Profanum.

Zabrałem się również do rozszerzania zasięgu folkloru. Nie
tylko warszawskiego. Uważam, że kultura ludowa może się zacząć naprawdę rozwijać dopiero wtedy, kiedy będzie przekracza-
ła granice regionów, z których się wywodzi. Co stoi na przeszkodzie, żeby piosenki typu:

Leciała ptaszyna,
Leciała dzień cały,
Doleciała do Szczecina
Na Chrobrego Wały

śpiewał góral z Żywca? Dlaczego niby nie stworzyć nowego
folkloru żywiecko-zachodniopomorskiego? Albo podhalańsko-
-podlaskiego?

Ide sobie, fajke pale,
A po pewnym casie
Patse – tos to nie Podhale,
Tos to jus Podlasie.

Piosnka mi się sama nuci,
Fajka mi się dali pali,
Dokąd to ja miałem wrócić?

Do lasu cy hali?

Albo zamojsko-kongijsko-dolnośląskiego:

Pod Zwierzyńcem sobie gram,
Patrzę, a tu od Dąbrowy
Z góry toczy się tam-tam,
Czyli bęben szczelinowy.

Zamojskie dziewice
Przydybały policjanta,
Który był pseudokibicem
Wratislavia Cantans.

3 października 2012

Neuer Wein

Chodzimy po Heidelbergu. Chętnie chodzimy, chociaż nie-spiesznie, bo jesteśmy już po paru szklaneczkach „nowego wina". Takiego, które jeszcze musuje. To znaczy: do niedawna musowało w karafce, teraz musuje w nas. Stary Most nad rzeką, a przed mostem rzeźba.

– A co ma symbolizować ten kot?

– Bo jest taka legenda, że koty uratowały Heidelberg.

Jak na stan po kilku szklaneczkach „nowego wina" jest to informacja zupełnie wystarczająca. Nie interesuje mnie, przed kim i kiedy uratowały. Jeśli koty, to na pewno w marcu ratowa-ły. A jak? Alarmując wrzaskiem śpiących rycerzy. Wiele razy słyszałem, jak ratują Mokotów. Zwłaszcza pod moimi oknami. Złożę do rady miasta wniosek o wybudowanie pomnika kota. Na przykład gdzieś w pobliżu Elektrociepłowni Siekierki. Ją na pewno też ratowały.

Mam pomysł na napisanie przewodnika turystycznego: szla-kiem miast uratowanych przez zwierzęta. Oczywiście zaczyna-łoby się od gęsi w Rzymie. A potem miasto uratowane przez psa, owcę, konia, byka, świnkę. I w każdym pomnik bohaterskiego zwierzęcia. Na pewno mnóstwo takich jest na świecie, muszę tylko na nie trafić. A wśród miast pozbawionych takich legend ogłosiłbym przetarg. Legendy da się stworzyć. Na przykład:

„Dawno temu w Bartoszycach, w czasach wojen i niepokojów, kiedy do murów zamku zbliżał się nieprzyjaciel, a rycerze spali zmęczeni po wieczornej uczcie, z wieży na nitce zjechał pająk. Najpierw szybko cały zamek oplótł pajęczyną, tak żeby zmylić wroga. A kiedy wróg się nie dał zmylić, pająk zaczął krzyczeć:

– Alarm! Krzyżacy!

Krzyżacy (bo Bartoszyce to był ich zamek) natychmiast wstali i odparli atak wojsk nieprzyjacielskich, a biedny pająk mało się ze wstydu nie spalił, kiedy się dowiedział, kogo przez pomyłkę uratował...".

Przewodnik po miastach uratowanych przez zwierzęta kończyłby się w Warszawie, uratowanej trochę przez zwierzę, trochę przez kobietę. A drugi tom poświęcony byłby ludziom, którzy uratowali miasta. Na przykład elbląskiemu piekarczykowi, który jako jedyny w mieście nie spał, bo akurat piekł chleb, i wyszedł zaczerpnąć świeżego powietrza (bo przecież nie zapalić, dopiero co od pieca odszedł). Zobaczył nadciągające wojska krzyżackie (być może nasłane pomyłkowo przez pająka z Bartoszyc), łopatą do pieczenia chleba przeciął liny od bramy broniącej dostępu do miasta i w ten sposób wróg nie wygrał.

Chodzimy po Baden-Baden. Oczywiście, aż się ciśnie słaby żart, że nie „chodzimy po Baden-Baden", tylko „chodzimy--chodzimy po Baden-Baden". Ale nie posunę się do tak słabych żartów. Tutaj też sprzedają *neuer wein*. I też są legendy. Nie tylko takie z winem związane. Na przykład, że facet, który przegrał wszystko, w akcie zemsty wjechał do kasyna jeepem. To marna przeróbka legendy o Wieniawie, który podobno miał wjeżdżać konno do Adrii. Żeby mi się tylko nie wyrwał kolejny słaby żart. Że ten facet z Baden-Baden to taki *neuer* Wieniawa, ha, ha, ha.

Można napisać i trzeci tom przewodnika turystycznego. O lokalach, do których ktoś czymś albo na czymś wjechał. Na przykład o biurze poselskim, do którego wjechał piekarczyk, który uratował Elbląg, na byku, który uratował Starachowice.

A *neuer wein* już nigdy więcej! Po powrocie do domu zajrzałem do prawdziwych przewodników, żeby dowiedzieć się czegoś więcej o legendzie z Heidelbergu. Z podpisu pod zdjęciem okazało się, że to nie kot, tylko pawian.

10 października 2012

Gruby, Mały, Rudy, Czarny...

Skąd się wzięli – można się domyślić. Chociaż... Znam Czarnego, który jest najjaśniejszym z blondynów, i Małego, który ma ponad 195 cm wzrostu. Znałem też Sprytną, która była, delikatnie mówiąc, nieortodoksyjnie sprytna. Ksywy, pseudonimy, przezwiska mogą być wprost komentarzem wyglądu albo cechy charakteru, mogą być też ich zaprzeczeniem. No i, oczywiście, są te od nazwiska. Wiadomo, że jak się ktoś nazywa Andrus, to będzie Andrutem albo Waflem.

Czy na pewno wiadomo? Zapytałem słuchaczy mojej audycji o to, skąd się wzięły ksywy, pseudonimy, przydomki, które sami noszą, albo te, z którymi się spotkali. Dla następnych pokoleń należy to wszystko zebrać i opublikować. Żeby wiedziały, jaką fantazję w tej kwestii mieli ich dziadkowie. Oto początek badań – fragmenty listów od moich słuchaczy. Wszystko autentyczne!

Robert:
„Piłkarz o nazwisku Niedzielan ma przewrotnie ksywę Wtorek. (...) Kiedy moja córka była mała, chodziłem z nią do piaskownicy. Wśród dzieci była dziewczynka o ksywce Kurnik. Była bardzo podobna do rosyjskiej tenisistki Anny Kurnikowej”.

Majka:

„A w pracy koleżanka nie chciała przysłonić okna, chociaż świeciło mi po oczach słońce, i zyskała przydomek Kotlet, który przylgnął do niej mooocno i jest przylgnięty do teraz. Koleżanka ma na imię Żaneta".

Alina:

„Schodziliśmy drogą prowadzącą od wodospadu Kamieńczyk. Była późna jesień, droga oblodzona, każdy szukał sposobu, jak tu sprytnie schodzić i się nie przewrócić. Kolega krzyknął:
– Kocie kroki! To trzeba kocimi krokami… – I w tym momencie zaliczył glebę. Oczywiście został Kocie Kroki".

Artur:

„W młodości trenowałem boks. Kiedy przystąpiłem do pierwszej walki i wszedłem na ring, z trybun dotarł do mnie głos jakiegoś kibica:
– O k…a, on wygląda jak ruski czołg.
Mnie ten głos podniósł na duchu, a rywala zdeprymował i wygrałem tę walkę. Potem przez jakiś czas koledzy mówili na mnie T-34".

Agnieszka:

„Znajomi bawili się z dzieckiem w drugą wojnę światową. Od tej pory mówią do mnie Rosja. Bo zimna, daleka i wszyscy mają w niej wroga. Muszę teraz z tym żyć. Ruskie pozdrowienia. Agnieszka (ciotka Rosja)".

Radek:

„Mój syn od drugiej klasy podstawówki ma w domu ksywkę Copperfield. Wrócił do domu z uwagą, że bezczelnie ignoruje nauczyciela. Kiedy spytałem go, co konkretnie zrobił, odpowiedział, że patrzył znudzony w okno, kiedy pani biegała wokół świeczki i tłumaczyła o Copperfieldzie. Jak się okazało, tłumaczyła o Koperniku i demonstrowała Układ Słoneczny".

Ewa:
„Na mojego znajomego wszyscy wołali Kostek. Pytam go kiedyś:
– To ty masz na imię Konstanty?
– Nie – mówi. – To od nazwiska.
– Aha, nazywasz się Kostecki?
– Nie. Żebrowski".

Zbyszek – „Zibi", „Zibuś" – z Bydgoszczy:
„Miałem na studiach kolegę, który zwykł się witać słowami: »Cześć, cześć, co słychać, co słychać?«. Miał ksywę »Andrzej dwa razy«".

Arek:
„Dwóch moich kolegów poznało się na imprezie mocno zakrapianej, ledwie rozumiejąc już, co mówią do siebie. Jeden z nich wyskoczył:
– Moja ksywa to KAT!
Drugi na to, po chwili namysłu, wyciągając połamanego papierosa spod siebie:
– Moje też jest ksywa…".

Michał:
„Geneza ksywy jest ciekawsza niż samo przezwisko. Moja koleżanka od czasów studiów zwana jest przez męża RYSIU. Zazdrosna matka spokojniej znosiła fakt, że jej syn ma kolegę Ryszarda, z którym bardzo często się spotyka. Dodam, że po studiach są już ze 20 lat i mają dwójkę dzieci".

Olga:

„Mój mąż ma przezwisko Elvis. Grać na gitarze nie umie, ale jak jeździliśmy na obozy, to siadał z gitarą (pożyczoną), brzdąkał w struny (tak tylko delikatnie), smutno patrzył na ręce i mówił:
– Palce już nie te.
I odkładał gitarę. W ten prosty sposób stał się bożyszczem nastolatek i uzyskał ksywkę Elvis, która przetrwała już 25 lat...".

Zaintrygowała mnie ta „metoda Elvisa". Sprawdziłem, bożyszczem nastolatek zostać nie mam szans. Przynajmniej na obozach, bo już nie jeżdżę. A poza tym nie chcę się ograniczać tylko do tej jednej grupy. Chętnie zostanę bożyszczem kilku pokoleń i obu płci.

Wprowadziłem pewne modyfikacje. Przysiadałem się do różnych ludzi w autobusie albo w tramwaju, smutno patrzyłem na ręce. I mówiłem:
– Palce już nie te...
Ale nie zostałem bożyszczem, nikt nie nazwał mnie Elvisem, chociaż parę pseudonimów usłyszałem. Najdelikatniejszy z nich to Gońsię. Może za bardzo uprościłem „metodę Elvisa"? Może jednak przynajmniej powinienem brać ze sobą gitarę?

Mam nadzieję, że prawdziwe przeżycia ludzi będą inspirujące dla innych. Że nikogo nie będzie dziwiło, kiedy Zygmunt powie, że ma dwoje dzieci z Rysiem, a każdy, kto nie chce koleżance przysłonić okna, będzie od dziś nazywany Kotletem.

Co jakiś czas pojawia się ktoś, kto rzuca w kierunku całego narodu hasło: „Kochajmy się!". Jakoś nam z tą powszechną miłością nie wychodzi. To może zacząć od czegoś zabawniejszego i łatwiejszego do zrealizowania?

Przezywajmy się!

18 października 2012

Umiarkowany optymizm

Zazdroszczę pewnemu politykowi, który w czasie konferencji prasowej, opisując proste zjawisko, na przykład katar albo awarię kanalizacji, potrafi jak z rękawa sypnąć pięcioma cytatami – w tym trzy to wypowiedzi wybitnych naukowców i literatów, a dwa to przysłowia z orientalnych krajów. Zazdroszczę, bo uświadamiam sobie, jak mało przeczytałem, jak niewiele wiem. Wyłażą ze mnie kompleksy. Ale żeby się nie rozlazły po mieście, żeby się całkowicie nie pogrążyć w depresji, wymyśliłem sobie mechanizm obronny.

Kiedy słyszę, że ten polityk rzuca w świat kolejną wypowiedź Che Guevary, ja odpowiadam cytatem z Winstona Churchilla („Dach nie zawsze jest po to, żeby go używać, najważniejsza jest świadomość samego posiadania dachu"), kiedy posyła w świat przysłowie katalońskie, ja dorzucam boliwijskie („Kto ma ziarnko, temu kura z ręki dziobie"). Różnica jest tylko taka, że te moje są nieprawdziwe. Ale wrażenie identyczne i skutki wypowiedzi podobne, czyli żadne.

Internet przyjmuje wszystko bezkrytycznie, postanowiłem więc prowadzić swoją prywatną wojnę z Internetem, wpuszczając do niego jak najwięcej wymyślonych przeze mnie wypowiedzi

Winstona Churchilla. Jestem pewien, że za kilka lat niektóre z nich znajdą się w poważnych pracach naukowych.

Churchill powiedział: „Człowiek musi zrozumieć, że to, co rozumie dzisiaj tak, jutro może być rozumiane zupełnie inaczej. Zwłaszcza w Polsce". Przypomniałem sobie to stwierdzenie przed słynnym deszczowym meczem naszej reprezentacji z Anglią. Chodzi o ten mecz, w którym, na skutek niezamknięcia dachu, murawa Stadionu Narodowego w Warszawie zamieniła się właściwie w dużych rozmiarów basen.

Dygresja – uważam to za błąd, że na mecze eliminacji do mistrzostw świata piłkarze przyjeżdżają bez swoich kobiet. Gdyby, tak jak na Euro 2012, Anglicy przywieźli ze sobą dziewczyny, narzeczone i żony („synowe Albionu", jak mawiał o nich Churchill), wiele by to zmieniło. Nie wiem co, ale czuję, że wiele.

A wracając do wątku innego rozumienia czegoś, co się kiedyś inaczej rozumiało. Od teraz zupełnie inaczej będę odbierał określenie „umiarkowany optymizm". Pojawiało się ono we wszystkich mediach jako komentarz do nastroju Polaków przed tym wydarzeniem sportowym. „Umiarkowany optymizm" panował wśród naszych kibiców, komentatorów sportowych, polityków. I wtedy w radiu usłyszałem, że dotychczas z Anglią graliśmy siedemnaście razy, w tym dziesięć pojedynków przegraliśmy, tylko raz odnieśliśmy zwycięstwo. Muszę powiedzieć, że zachwycił mnie poziom „umiarkowania" optymizmu naszego narodu! Od razu wyobraziłem sobie galicyjskiego chłopa z początków dwudziestego wieku, który jak co tydzień wychodzi do karczmy. Zazwyczaj wraca z niej poturbowany, ale stojąc w drzwiach, zawsze to samo powtarza zmartwionej kobiecie:

– Maryś, idę do gospody z umiarkowanym optymizmem. Przygotuj miednicę z wodą i bandaże.

Zresztą, jak się okazało, „umiarkowany optymizm" popłaca. Przecież z wyniku meczu jesteśmy bardzo zadowoleni. Proszę – optymizm umiarkowany, zadowolenie duże, czyli czysty zysk. Ciekaw tylko jestem, gdzie jest granica „umiarkowania"? A może nie ma? Może to kwestia ducha narodowego? Albo klimatu? Jaki klimat, taki optymizm? Oby to nie była prawda, bo mądre źródła informują, że klimat w Polsce jest nie tylko umiarkowany, ale i przejściowy. A przecież, jak mówi boliwijskie przysłowie: „Umiarkowanie do umiarkowania, a zbierze się ziarnko. A kto ma ziarnko, temu kura z ręki dziobie".

24 października 2012

Akcja „Znicz"

Mignęły mi telewizyjne reklamy miast. Kilka mi mignęło. Niektóre bardzo oryginalne – ktoś, kto wygląda na prezydenta albo burmistrza, z kimś, kto wygląda na fachowca od inwestycji (bo w ręku trzyma jakieś plany), pokazują kosmonaucie (kosmicie?) tereny inwestycyjne w swoim mieście. Zaintrygowało mnie, ale nie na tyle, żebym się domyślił, co to ma znaczyć. Zapytałem słuchaczy. Pani Magda wyjaśniła mi, że: „To jest kosmita! I on tak skrzypi, a na końcu jest, że Wodzisław Śląski znajdzie wspólny język ze wszystkimi. Mnie się ten pomysł nawet podoba. Szczęście, że moje miasto się nie reklamuje, bo musieliby zrobić odwrotnie – prezydent kosmita, a przylatuje człowiek i nijak nie mogą się dogadać". No to już wiem.

Ciekaw jestem, kto wymyśla nazwy różnych rządowych projektów? I kto decyduje, kiedy taką nazwę trzeba zmienić? Ostatnio zmieniono „Rodzinę na swoim" na „Mieszkanie dla młodych". Pewnie są jakieś różnice w programach, ale mnie najbardziej interesuje różnica nazw. Bo od razu dociekliwy (albo czepialski) będzie się doszukiwał ukrytych podtekstów. „Aaa, czyli teraz mieszkanie niekoniecznie będzie swoje? I dlaczego tylko dla młodych? To po co było budować orliki, jeśli teraz młodzi będą siedzieć w domach, zamiast grać w piłkę?".

W taki sposób można ośmieszyć każdą, nawet najbardziej trafioną nazwę. A ta jest trafiona. „Mieszkanie dla młodych" to w skrócie MDM. Ktoś, kto wymyślił, może nawet nie zdawał sobie sprawy, jakie możliwości propagandowe otwierają się przed tym programem! Przecież kilkadziesiąt lat temu powstawały piosenki o MDM-ie! Wtedy co prawda coś innego ten skrót oznaczał (Marszałkowska Dzielnica Mieszkaniowa), ale kto o tym pamięta?! Wszystkie są do ponownego wykorzystania. Można nadawać w radiu:

Na ulicy ruch szalony,
Rosną mury z każdej strony,
A na planie piękne domy,
Zadziwiają swym ogromem.

Obok domów zieleń, drzewa,
W drzewach ptaki będą śpiewać,
I już wiem, i już wiem,
To jest właśnie MDM.

Bo MDM, bo MDM
Rośnie w górę z każdym dniem.
Na dole piach, na dole gruz,
A tu piętro widać już.

Albo:

A stało to się w dzień lipcowy,
W środę, czy w piątek – mniejsza z tem,

Wychodzę sobie z Koszykowej,
I nagle patrzę – MDM!

To idealnie pasuje. Na Koszykowej w Warszawie jest biblioteka. Wychodzi para studentów, widzą napis „Mieszkanie dla młodych" i on śpiewa:

Będziemy mieszkać na MDM,
Posłuchaj dobrze, już wszystko wiem...
Będziemy marzyć na MDM
Z księżycem nocą, a słońcem w dzień...
Będziemy mieszkać na MDM,
To rzeczywistość, nie żaden sen,
Dziś tylko plany, przyszłości wzór,
A jutro cegieł zwarty mur.

Pasuje? Jak ulał! Przepraszam – jak wylał... Fundamenty pod nowy dom dla młodych. No, można zamiast „na MDM" używać „bo MDM". A żeby trochę uwspółcześnić, dorzuci się po zwrotce typu:

Ja ci bezgranicznie wierzę,
Mój deweloperze...
Tutaj karczma, tam oberża,
Zadzwonimy po konsjerża...

Jeśli chodzi o nazwy – jeszcze jedna jest teraz szczególnie często używana. „Akcja »Znicz«". W hipermarketach trwa sezonowo, policja prowadzi swoją. Ale zobaczyłem coś, co wprawiło mnie w zdumienie. Na słupach w Poznaniu porozwieszane były ogłoszenia: „Akcja »Znicz« – Chwilówka – pożyczka do 2000 złotych – dla pracowników, dla emerytów". Nie wiem, czy to się nie ociera o chamstwo. Chwilówka dla emerytów w ramach akcji „Znicz"? Będą też akcje pokrewne: akcja „Znacz Znicz", która jest odpowiedzią na mafijną akcję „Zniszcz Znicz". A harcerze będą prowadzili akcję „Znicz z Niczego", czyli odzyskiwanie surowców wtórnych do produkcji zniczy.

31 października 2012

Biodro ułana

„Tutaj bije serce polskiej piosenki", powiedział pan z telewizji, zapowiadając koncert festiwalu w Opolu. „Ten ośrodek powołaliśmy po to, żeby nasi podopieczni mogli wreszcie stanąć na dwóch nogach i zacząć oddychać dwoma płucami" – to z kolei wypowiedź pewnego księdza. Jest park nazywany „zielonymi płucami Warszawy". Mam znajomego, który nazywa tak swoją żonę. Ze względu na liczbę i mentolowość wypalanych przez nią papierosów.

Przygotowując się do programu telewizyjnego poświęconego dwudziestoleciu międzywojennemu, przejrzałem książkę, w której wymieniono tytuły piosenek wydanych w Polsce na płytach przed II wojną światową. Coś około ośmiu tysięcy utworów. I co? Po prostu rymowany *Atlas anatomii człowieka*. Setki piosenek o: nogach (*Gdybym ja miał cztery nogi*), rękach (*Tego nie wolno wziąć do ręki*), nosach (*Ach, co za nos*), oczach (*W twych oczach widzę siebie*), ustach (*Usta twe jak róży kwiat*). No i na pierwszym miejscu – serce (*Serce na oścież, Hawajskie serce i gitara*). Tytuły w nawiasach to zaledwie przykłady. Są wśród nich nawet takie, w których tytule pojawia się równocześnie kilka części człowieka: stopy i serce (*U stóp ci składam moje serce*), oczy i serce (*Oczy twe to Wiednia serce*), palec i buzia (*Wyjm ten palec z buzi*).

Ale tutaj, niestety, koniec. Kiedy już się cieszyłem na piosenki o innych częściach człowieka, okazało się, że takich nie ma. Przedwojenni poeci nie pisali tekstów typu: „Kocham Ciebie całym sobą, lecz najbardziej mą wątrobą", „Nawet kochanki tak się nie rzuca, ja tak wierzyłam w twoje płuca", „Życie pełne jest rozterek, przytul się do moich nerek". Że co? Że nie wypadało? Ale tylko dlatego, że sobie daliśmy wmówić, że serce jest najważniejsze! Widziałem w swoim życiu kilka festiwali, o których pan z telewizji powinien mówić: „Tutaj boli wątroba polskiej piosenki" albo: „Tutaj nie wyrabiają nerki polskiej piosenki". Dlaczego w tytule żadnej piosenki nie pojawia się mózg? Korzystając z zamiłowania przedwojennych twórców do rymowania z imionami (*Ada, to nie wypada*, *Czy tutaj mieszka panna Agnieszka?*, *Rafałek, jeszcze kawałek*, *Panna Fela oczkiem strzela*, *Pan ma profil jak Teofil*, *Tomasz, skąd ty to masz?* i mój numer jeden w kategorii „tytuły z imieniem" – *Hugo wszystko robi długo*), można przecież napisać piosenkę *Ula, gdzie druga półkula?* albo *Czy ty myślisz, Heniu, o Haliny rdzeniu?* czy *Dorota, Dorota to czarna jest istota, Barbara, Barbara to jest istota szara…*

Mam już cel twórczy – wprowadzić do poezji przynajmniej kilka części człowieka, niesłusznie pomijanych w piosenkach. Należy zdecydowanie przeciwstawić się wszechwładnemu lobby kardiologów! Dość piosenek o sercu!

Niesiony patriotycznym uczuciem, nawiązując do dwudziestolecia międzywojennego, sławiącego męstwo i urodę polskiego żołnierza, a zwłaszcza ułana, zaczynam tę akcję od piosenki

Nie śpiewali rewelersi
O kobiecej piersi.
Bo to wyuzdane zbyt.
I w ogóle wstyd.

Ale dzisiaj, ale dzisiaj
Nie wstydziłaby się Krysia
Nagą piersią szczodrą
O ułana biodro.

Ref:
Biodro ułana
Doświadczone, chociaż młode,
Biodro ułana
Najpiękniejsze z wszystkich bioder,
Ucałuj, ucałuj, dziewczyno kochana,
Pachnące pszenicą biodro ułana.
Tu gdzie Wisła, tu gdzie Odra,
Tylko w Polsce takie biodra,
Kiedy życie z marzeń odrze,
Możesz wesprzeć się na biodrze.

Posiwiały kare konie,
Trzęsą nam się dłonie.
Zardzewiała szabli stal,
Żal ułana, żal.
Ale bieda, ale bieda,
Dziś wojskowy ortopeda,
Przymierzając kule,
Zaśpiewa ci czule:

Ref:
Biodro ułana
Doświadczone i niemłode,
Biodro ułana
Najwytrwalsze z wszystkich bioder,

Niestety, niestety stwierdzono u pana
Tak zwane złamane biodro ułana.
Tu gdzie Wisła, tu gdzie Odra,
Bardzo często takie biodra,
Kiedy życie z marzeń odrze,
Już nie wesprzesz się na biodrze.

Listopad 2012 („Gazeta Lekarska")

Kumulacja

Lider cygańskiego zespołu muzycznego, razem ze swoją liczną rodziną, 1 i 2 listopada dyżurował na cmentarzu. Widziałem go w trzech różnych programach telewizyjnych, gdzie opowiadał o zwyczajach Romów związanych z wspominaniem zmarłych. Na przykład o tym, że po powrocie z cmentarza zbierają się wszyscy w domu, jedzą to, co lubili jeść zmarli, i śpiewają piosenki, które bliscy zmarli lubili śpiewać. Odważnie! Bo co, jeśli zmarli zmarli, bo lubili jeść coś takiego, co człowieka wpędza do grobu? Za rok może być więcej osób do wspominania. Z piosenkami też ciekawe. Zastanawiałem się, czy przypadkiem lider nie powie, że zmarli lubili śpiewać głównie piosenki z jego najnowszej płyty. Przecież jest okazja do promocji w telewizji. Nie powiedział. Może wyczuł, że na cmentarzu sformułowanie „najnowsza płyta" brzmi niejednoznacznie.

Prosto z cmentarzy ludzie pobiegli do kolektur. Żeby wygrywać pieniądze, które lubili wygrywać ich bliscy zmarli. Do wygrania były duże. A ja zastanawiam się, czy banalne rozdawanie pieniędzy nie odbiera przyjemności z gry? Czy nie lepiej byłoby, gdyby grający nie wiedzieli, co mogą wygrać? Żeby totalizator zaskakiwał. Raz jacht, raz mieszkanie, raz posada przewodniczącego rady nadzorczej dużej spółki Skarbu Państwa. I ogłaszał to dopiero po losowaniu. Albo losować równocześnie szczęśliwe numery i nagrodę, którą dzisiaj te szczęśliwe numery ze sobą niosą. Ktoś, kto wygra banalne pięćdziesiąt milionów, będzie miał z tym kłopot. Bo gdzie to ulokować? Który bank nie padnie? Wiadomo, że od razu trzeba się zwolnić z pracy, bo z taką kasą nie wypada blokować etatu. I co robić po tym zwolnieniu? A tak wygrywamy jacht. Albo lepiej – jest kumulacja czterdziestu ośmiu jachtów, padają wytypowane przez nas cyfry i wiadomo… No właśnie, kłopot nie jest mniejszy.

Zapytałem słuchaczy o najoryginalniejsze nagrody, jakie im się w życiu przytrafiły. Proszę:

Majka:
„W szkole zbieraliśmy makulaturę i butelki. W butelkach byłam na zaszczytnym pierwszym miejscu, a w nagrodę otrzymałam wielkanocnego kurczaczka z wyciora do fajki (taki żółty wiecheć). Koleżanka, która miała pierwsze miejsce w makulaturze, dostała kogutka. Też wiechcia. Od tamtej pory nosiłyśmy butelki i makulaturę bezpośrednio na skup".

Izabela:
„Przypomina mi się konkurs zorganizowany przez jeden ze studenckich serwisów internetowych. Należało napisać esej nt. wartości, jakimi może się współcześnie kierować młody Europejczyk, tak by realizować swoje zawodowe cele we własnym kraju i pomnażać swoją pracą narodowy potencjał, budując po prostu lepsze jutro dla kolejnych młodych. Otrzymałam wyróżnienie. Miło. Czekałam z niecierpliwością na przesyłkę z nagrodą. Prócz reklamowych gadżetów firm sponsorujących portal (obcojęzyczne marki) w paczce znalazłam m.in. multimedialny

kurs językowy (świetnie) oraz książkę pod tytułem *Jak żyć szczęśliwie w innym kraju* (na okładce opatrzoną podtytułem serii: *Niezbędnik emigranta*)".

Magdalena:

„Pod koniec podstawówki mieliśmy konkurs z biologii i nagrodami miały dla nas być aparaty fotograficzne (rozumie pan, jaki to był w tamtych czasach wypas!). Moja grupa wygrała i okazało się, że zmienili nagrodę – z aparatów na dwudziestokilometrowy spacer wokół zamku Książ".

I tak powinno być! Organizator loterii czy konkursu powinien mieć prawo dowolnej zamiany nagród. Na przykład zamiast pięćdziesięciu milionów złotych – pięćdziesiąt kilometrów spaceru wokół osiedla apartamentowców. Żeby zwycięzca mógł sobie zobaczyć, gdzie mógł mieszkać. A zamiast kwoty przynależnej do literackiego Nobla – książka, którą lubili czytać nieżyjący bliscy lidera kapeli ludowej: *Harnaś, Harnaś, zwinnyś jak Sarnaś.*

12 listopada 2012

Drastyczne dorastanie

Lekarze ostrzegają, że coraz większym problemem staje się otyłość dzieci. A ja się domyślam, skąd się ten problem bierze. Z bezradności dorosłych. Jeśli nie potrafią odpowiedzieć dziecku na jakieś kłopotliwe pytanie, ratują się poleceniem:

– Jedz, nie gadaj.

Wiem to po sobie. To bezradni rodzice wyrobili we mnie taki nawyk, że kiedy dzisiaj chcę rzucić światu jakieś ważne pytanie, typu: „Być albo nie być?", „Jak żyć?", „Po co żyć?", „Dokąd zmierza ludzkość?", „Czy istnieje życie po śmierci?", „Długo, do cholery, będzie pan jeszcze wiercił te dziury w ścianie?", w ostatniej chwili powstrzymuję się i idę do lodówki.

Zbliża się czas pozbawiania dzieci złudzeń. Kolejne setki tysięcy dowiedzą się, że ta siwa broda jest przyklejona i że tak naprawdę Święty Mikołaj nie istnieje. Że renifer nie występuje w tej strefie klimatycznej i że do Polski pierwsze informacje o tym zwierzęciu trafiły dopiero po upadku komunizmu. Maluchy uświadomią sobie, że przez kilka lat były wystawiane na pośmiewisko dorosłych, bo przecież oni wiedzieli, że to nie żaden Mikołaj czy Gwiazdor, tylko przebrany wujek Darek. Z pobłażaniem patrzyli na swoje pociechy, myśląc w duchu: „Jakie to naiwne. Jeszcze się kompromituje takim słabym wierszykiem. Cała babcia".

Te sprawy załatwia się w grudniu. Nie przypuszczam, żeby w lipcu, na plaży, podczas zabawy w usypywanie piramidy finansowej z piasku, ojciec nagle mówił dziecku:

– Wiesz, synku, wracając do grudnia. Prezenty kupowała mama, za Mikołaja przebrany był dziadek, a to na czterech łapach to nie był renifer, tylko wujek Bartek przykryty kapą. Tak naprawdę nie ma, synku, reniferów śpiewających piosenkę *Czy chciałaby pani Chińczyka?*

Grudzień powinien być ogłoszony Międzynarodowym Miesiącem Drastycznego Dorastania Dzieci.

Chociaż pewien postęp w otwartości na rozmowę z dzieckiem już widać. Coraz częściej maluchy dowiadują się, że to mama je urodziła. W czasach mojego dzieciństwa edukacja seksualna była na tak niskim poziomie, że nawet o tym, że dzieci przynosi bocian albo znajduje się je w kapuście, musiałem się dowiedzieć od kolegów w przedszkolnej szatni. Pamiętam to przyspieszone bicie serca, kiedy Grzesiek po kryjomu przyniósł do przedszkola rysunki bociana i kapusty. Zakazany ptak i zakazane warzywo. Kiedy próbowałem o to pytać rodziców, słyszałem:

– Jedz, nie interesuj się.

Pewnie się bali, że będę drążył temat i zadawał durne pytania typu: „A która dokładnie część bociana mnie przyniosła?". Bo co powiedzą? Że dziób? To za parę lat przyjdę i zapytam, czy to na pewno dziób bociana jest narysowany na ścianie naszej klatki schodowej obok nazwiska nielubianego dozorcy. A kapusty nie chciałem jeść przez kilka następnych lat. Ze strachu, że przez nieuwagę ugryzę jakieś obce dziecko...

Nieprawda, że od pokoleń dzieci mają podobne marzenia. Że chłopcy chcą być strażakami, pilotami albo piłkarzami. Ja na

przykład marzyłem, żeby, kiedy dorosnę, mieć na imię Marian
i ożenić się z jedną z Alibabek. Wydawało mi się nieprawdopo-
dobne, że dorosły mężczyzna może mieć na imię Artur. Wszyscy
wujkowie, ojcowie moich kolegów byli Marianami, Władkami,
Staszkami albo Józkami. A ta Alibabka wzięła mi się z oglądania telewizji, a zwłaszcza różnych festiwali. Było mi obojętne
która. Wszystkie mi się podobały. Przez myśl nie przemknęły
mi marzenia typu komputer czy quad. W czasach mojego dzieciństwa słowo „komputer" w ogóle nie występowało. W biurze
Wojewódzkiego Przedsiębiorstwa Turystycznego „Bieszczady"
był tylko „kalkulator". A „quad" występował wyłącznie w zda-
niach: „Staszek quad płytki w łazience" albo: „Władek naquad
Józkowi po mordzie".

I co? To samo od pokoleń? Ciekaw jestem, ilu jest dzisiaj kil-
kuletnich chłopców, którzy marzą, żeby być Marianami i ożenić
się z jedną z Alibabek? Może to tylko tęsknota za dzieciństwem
i apoteozowanie przeszłości, ale odnoszę wrażenie, że byliśmy
oryginalniejsi.

20 listopada 2012

Życie rzuca Żuczka

"Policyjny pies lepszy od wróżki".

Jak można nie przeczytać takiej wiadomości? Przeczytałem. Byłem pewien, że chodzi o psa, który przepowiada przyszłość. Na przykład z suchej karmy. Daje mu się do miski trochę chrupek i na podstawie kształtu, w jaki się układa to, czego nie zjadł, przepowiada się wysokość budżetu policji na przyszły rok. A jak się sucha karma ułoży w coś takiego, że jak się to podświetli od tyłu i rzuci na ścianę, to cień wygląda jak rycerz na koniu, znaczy że komendant się rozwiedzie.

Głupio byłem pewien. Chodziło o coś zupełnie innego. Oto obszerne fragmenty artykułu z pewnej lokalnej gazety (pisownia oryginalna):

"Wystarczyło kilkadziesiąt minut, by policyjny pies wytropił zaginionego byka. (...) Byk trzy tygodnie temu uciekł z jednego z gospodarstw w powiecie wysokomazowieckim. I do wczoraj ślad po nim zaginął. Zwierzęcia poszukiwał właściciel, jego rodzina i sąsiedzi. Po tygodniach bezskutecznych poszukiwań, rolnik w końcu o pomoc zwrócił się do policji, a ci do działań użyli psa. (...) Zaginione zwierzę zostało wytropione przez policyjnego czworonoga w pobliskim lesie. (...) Policjanci byka całego i zdrowego zwrócili właścicielowi. Rolnik nie krył radości i przyznał policjantom, że stracił już nadzieję na jego odnalezienie. Wyjawił, że w tej sprawie był nawet u wróżki, która powiedziała, że na pewno nie odnajdzie zwierzęcia".

Szczęśliwe zakończenie? Nie jestem pewien. Ani słowa o tym, czy byk, tak samo jak rolnik, „nie krył radości" z powrotu do gospodarstwa. A może jego ucieczka miała jakieś drugie dno? Konflikt z rolnikiem? Zawód miłosny? Kłopoty w szkole? No i okazuje się, że wróżka miała rację. Rolnik nie odnalazł. Odnalazła policja.

Bardzo podoba mi się określenie: „zwierzę zostało wytropione przez policyjnego czworonoga". Może sugerować, że „zwierzę wytropione" miało nóg mniej lub więcej niż cztery. Czyli byk po wypadku albo byk mutant. Wiem, że się czepiam. Przecież głupio brzmiałoby zdanie: „Zaginiony czworonóg został wytropiony przez policyjnego czworonoga, tresowanego przez policyjnego dwunoga". Głupio, ale precyzyjnie.

Dygresja. Widziałem w telewizyjnym serialu kryminalnym, jak policjanci sami o sobie mówili per psy. Czyli „policyjny czworonóg" tak naprawdę jest po prostu „psim psem".

Życie rzuca Żuczka... Czasem, jak się sam sobą wzruszę, bo taki biedny, zapracowany, niewyspany i w ogóle, mówię o sobie per Żuczek. No więc życie rzuca Żuczka (czyli mnie) w różne zakamarki naszej ojczyzny. Staram się obserwować. Na przykład w jednym z miast, przez które ostatnio jechałem, zauważyłem niepohamowaną chęć nazwania wszystkiego. Zaskoczyła mnie liczba tablic wysławiających, czczących, upamiętniających. Odnosi się wrażenie, że miasto specjalnie buduje nowe ronda, żeby móc je jeszcze komuś dedykować, że każdy wyjazd z ronda będzie poświęcony innej postaci, że ulice będą dzielone na „tam" i „z powrotem". Żeby pomieścić jeszcze więcej bohaterów. Ulica

„tam" do połowy – imienia Żwirki, od połowy – Wigury. Ulica „z powrotem" imienia Dywizjonu 303, wyjazd imienia Marii Rodziewiczówny z ronda imienia Heleny Modrzejewskiej, podjazd imienia Henryka Sienkiewicza pod Castoramę imienia Hugona Kołłątaja. Tak to mniej więcej wygląda.

Jak mam chwilkę, zaglądam do lokalnych gazet. Czytanie zaczynam od ogłoszeń drobnych. Bo z ogłoszeń drobnych można się najwięcej dowiedzieć. Na przykład jakie są nastroje społeczne w kraju. „Kontakty – Tygodnik Podlaski" w dziale „Kupię" – tylko jedno ogłoszenie: „Kupię szable…". Albo „Nowiny Jeleniogórskie", dział „Lokale", pierwsze ogłoszenie: „Kawalerka Kiepury do wynajęcia". I teraz szczerze – kto z Państwa wcześniej wiedział, że Kiepura miał kawalerkę w Jeleniej Górze?

PS. Zaraz ktoś będzie mi wmawiał, że chodzi o kawalerkę na ulicy Kiepury. Po pierwsze – napisałem dokładnie tak, jak było w ogłoszeniu. Nie było przecinka, nie było „ul.". Po drugie – być może rzeczywiście w Jeleniej Górze jest ulica Kiepury, ale kto może wykluczyć, że nie została tak nazwana właśnie dlatego, że Kiepura miał tam kiedyś kawalerkę?

29 listopada 2012

Z góry przepraszam za temat rozważań

Na pewno był już wielokrotnie komentowany, a może nawet pojawił się w analizach naukowych. I pominąłbym go milczeniem zażenowania, gdyby nie fakt, że zjawisko przybiera na sile.

Spędziłem kilka dni za granicą. W hotelu miałem dostęp do jednego polskiego programu telewizyjnego i kilkudziesięciu niepolskich. Po kilkudniowych pobieżnych obserwacjach stwierdzam, że obcokrajowiec, który na podstawie docierającego do niego programu naszej telewizji chciałby sobie wyrobić jakiś wstępny pogląd na temat współczesnych mieszkańców kraju nad Wisłą, uznałby, że jesteśmy narodem dziesiątkowanym przez wzdęcia i zaparcia. Reklamy leku na te przypadłości pojawiają się co chwila, na zmianę z reklamą firmy ubezpieczeniowej oferującej polisy na wypadek śmierci, żeby nie robić kłopotu bliskim. Że taki przeciętny Włoch czy Niemiec nie zna polskiego i nie zrozumie, że chodzi o lek na wzdęcia? Zrozumie. Bo oprócz inscenizacji nadymania się bohatera tej opowieści jest scenka rysunkowa, w której pokazane są: wzdęta część wnętrza tego pana i proces usuwania z niej (tej części wnętrza) gazów. I już. Wytłumacz potem takiemu Hiszpanowi czy Amerykaninowi, że Kopernik, Kościuszko, Skłodowska-Curie, Chopin być może i miewali takie przypadłości, ale nie były one ich główną zaletą, a na pewno nie poświęcili wzdęciom większości swojego życia. A Chopin nawet żadnego mazurka.

Wiem, że to czepianie się, że tak naprawdę to nic złego i nikt nie ma na to wpływu, bo telewizja bierze reklamy, jakie dają, a firma produkująca lek daje reklamy, żeby się sprzedawał. A przypadłość jak każda inna i nie ma się co wstydzić. Więcej – obrońcy tej reklamy stwierdzą, że ma ona również pozytywne przesłanie. Można z niej wyciągnąć wnioski, że jesteśmy narodem życzliwym i empatycznym, bo w końcowej scenie widać, jak wszyscy współpasażerowie z tramwaju szczerze się cieszą, że lek usunął wreszcie gazy z wzdętego wnętrza tego pana. Też fałsz! Potem taki Portugalczyk czy Irlandczyk przyjedzie do Warszawy i zdziwi się, że w tramwajach nie uśmiechamy się tak bardzo, jak pokazywała to telewizyjna reklama. No ale może to dlatego, że akurat tym razem „siódemką" wyjątkowo nie jechał nikt, kto w czasie kursu miał problem ze wzdęciem, ale sobie z nim na naszych oczach poradził. A my w tramwajach uśmiechamy się wyłącznie do takich.

I żeby była jasność – nie chodzi mi o unikanie tematu. Chodzi o proporcje i różnorodność. Może trafiłem na taki okres, może w takich chwilach włączałem telewizor. Ale w tych samych dniach włączałem telewizję niemiecką, włoską i francuską i tam takiego zjawiska nie zauważyłem. Chociaż... Włosi najczęściej reklamowali kawę i drożdżową babkę świąteczną. Nawet w swojej złośliwości powiedziałem w pewnej chwili do ekranu telewizora: „Jedzcie! Pijcie! Zobaczycie, co was potem dopadnie i jakiego leku będziecie potrzebowali!".

Dość! Poczekajmy do wiosny. Znowu wybieram się za granicę i wtedy porównam. Może w tym czasie przybędzie reklam kwiatków, bocianich gniazd i spływów kajakowych?

À propos spływów. Mam koleżankę lekarkę. Ze względu na karnację, kolor włosów i stroju roboczego nazywamy ją Białą Ewą. Biała Ewa przygotowuje się do wyjazdu na kilkuletni kontrakt za granicę. A ja zacząłem przygotowywać prezenty na pożegnanie. Jednym będzie mój autorski medyczny słownik polsko-niemiecki. Na razie mam tylko jedno hasło: „Wizyta domowa – Doktor Haus". Drugim prezentem będzie występ chóru przyjaciół, który na imprezie pożegnalnej zaśpiewa pieśń *Biała Ewo, lecz daleko stąd*. Obiecała, że wróci.

No chyba że się okaże, że tam częściej i bez kontekstu gastrycznego uśmiechają się do niej w tramwaju.

Grudzień 2012 („Gazeta Lekarska")

Życie znowu rzuca Żuczka

(czyli ciąg dalszy pamiętnika podróżnika)

A ja ciągle w drodze. Wjeżdżam do Rawicza. Pierwsze skojarzenie – więzienie. I rzeczywiście, po chwili mijam. Obok zakładu karnego dwa duże transparenty, na których Rawicz chwali się swoimi medalistkami olimpijskimi. I hasło promujące miasto. W zestawieniu z miejscem ustawienia banerów (tuż przy murze więziennym) slogan brzmi intrygująco: „Rawicz – zawsze otwarty".

Jedni zbierają pocztówki, plany miast, serwetki z restauracji, inni fotografują. Ja postanowiłem wpisywać do kalendarza wiersze o miastach, w których bywam. O częściach miast. Dokładnie – o wałach. Żeby było wzruszająco, każdy wiersz będzie się zaczynał tak jak pewna popularna piosenka.

W Szczecinie napisałem:
Miała matka syna,
Syna jedynego,
A syn miał dziewczynę
Jak Wały Chrobrego.

W Gdańsku:
Miała matka syna,

133

Syn miał zdrowie końskie
I syn miał dziewczynę...
Wały Jagiellońskie.

W Warszawie:
Miała matka syna,
Instynkt macierzyński,
A syn miał dziewczynę
Jak Wał Miedzeszyński.

Oczywiście muszę być gotów, że ktoś, kto usłyszy, że dziewczyna jest „jak Wał Miedzeszyński", zapyta głupio: „Ale dlaczego?". Wtedy odpowiem:
Ciągle by leżała,
Nigdzie się nie ruszy,
Matka ją restaurowała
Z unijnych funduszy.

Chyba wiem, z czego mi się tak porobiło. Z czytania. Zabrałem ze sobą w podróż i w hotelach czytam po nocach. Jak nie mogę zasnąć, biorę do ręki, czytam jeden tekst – i mam sen z głowy na pewno. Ktoś mi to kiedyś podarował. Szara okładka, tytuł: *Jakie ładne chłopaki*. Dzisiaj tak by się nazywał album aktu męskiego. Wtedy (rok wydania 1982) tak się nazywało śpiewniki z piosenkami o wojsku. Cieszą już same tytuły: *Żona polowa, Baśka wybuchowa, Ewo, przezwana Jodłą, Bunkier, las i ja, Ballada o butach z wysokim sztywnikiem*...
Ten tytuł niczego niezwykłego nie zapowiadał. *Nie ma rycerza bez pancerza*. Muszę zacytować. Chociaż fragment.

Nie ma rycerza bez pancerza
Ani marszałka bez żołnierza

I bez wężyka generała.
– Ewa wężowi owoc dała.
Nie ma natarcia bez odwrotu
Ani kochania bez kłopotów.
Nie ma manewrów bez grochówki,
Bez nieboszczyka – ciepłej wdówki.
Nie ma zwycięstwa bez przegranej
Ani zdradzonej bez kochanej.
Włos wpadł do kawy mimo filtru,
Nie ma dziewicy bez dwu flirtów…
Nie ma strzelania bez pocisków
Ani przepustki bez uścisków.
Bez zapalnika nie ma miny.
Jak się rozerwać bez dziewczyny?
Bez awangardy nie ma tyłów,
Więc jak poderwiesz, to już wyłów.
Nie ma kucharza bez warząchwi.
Jak nie obłapisz – każda wątpi…

Siedzę nad tym już trzeci dzień. Chociaż umysł staram się mieć otwarty jak Rawicz, nie rozumiem ni cholery.

No nic. Zbieram się do Białegostoku. Sprawdziłem w Internecie, czy są jakieś wały. Są.

Miała matka syna,
Dziecko było zdrowe.
A syn miał dziewczynę…
Wały napędowe.

5 grudnia 2012

Silnik, Bolesław,
Poradnik narciarza

W Żninie istnieje zakład, który poleca: „Całodobowe przezwajanie silników elektrycznych". Ciekawa propozycja. Wyobrażam sobie, że najwięcej chętnych do przezwajania silnika elektrycznego musi być między drugą a trzecią w nocy. Wyobrażam sobie, ale nie wiem dlaczego.

Silniki przezwajam sobie rzadko, ale nie miałbym nic przeciwko uruchomieniu całodobowych serwisów narciarskich i sklepów nocnych ze sprzętem. Takich, żeby można było wpaść o czwartej nad ranem i:

– Dzień dobry, poproszę gogle i kijki. I jeszcze chciałbym wyregulować wiązania...

Od pół roku wiedziałem, że jadę na narty, a i tak zabrakło czasu na konieczne poprawki i zakupy. Raz tylko udało się wpaść do sklepu dziennego i poprzymierzać buty narciarskie. To dość monotonna czynność, ale zleciało mi szybko, bo z uwagą przysłuchiwałem się barwnym opowieściom pana sprzedawcy. Że niby nie da się barwnie opowiadać o butach narciarskich? A proszę bardzo, oto cytat: „Ten model był produkowany, kiedy Bolesław

Śmiały był jeszcze Wstydliwy". Muszę to powiedzonko podrzucić mojej znajomej, która nieświadomie pięknie przekręca tego typu teksty. Nie zdziwiłbym się, gdybym po jakimś czasie usłyszał coś w stylu: „To było jeszcze wtedy, kiedy Bolesław Krzywousty był jeszcze Zygmuntem Starym".

Zacząłem spisywać *Poradnik narciarza*. Kiedy się wyjeżdża na stok, zawsze się słyszy te same rady. Dzień pierwszy: „Tylko ostrożnie! Ciało jeszcze nieprzygotowane, mięśnie nierozciągnięte. Najwięcej złamań jest w pierwszym dniu jazdy!". Dzień drugi: „Tylko bez szaleństwa! Bo to się człowiekowi wydaje, że już potrafi jeździć, że poznał trasy, a tu nogi zmęczone pierwszą jazdą. Najwięcej złamań jest w drugim dniu jazdy". Dzień trzeci: „Uwaga! Dzisiaj ci, co to sobie myślą, że mają świetną technikę, zaczynają szaleć na stoku. Najwięcej wypadków jest w trzecim dniu!". Dzień ostatni: „Pamiętajcie o syndromie dnia ostatniego! Już jest luzik i taka pewność, a tu się okazuje, że w ostatnim dniu jazdy jest najwięcej złamań i wypadków".

A ja tym razem byłem tylko cztery dni na nartach… Więc właściwie powinienem zakończyć na samej rozgrzewce, bez wpinania desek. Zresztą wiem z doświadczenia, że na kolejne dni też by się znalazły jakieś ostrzeżenia. Wychodzi na to, że najbezpieczniej na stoku jest mniej więcej w szóstym miesiącu pobytu. I to raczej w restauracji obok wyciągu. Pod warunkiem że się niczego nie pije, bo „najwięcej złamań jest skutkiem poślizgnięć po alkoholu, przy powrocie z restauracji do hotelu". Człowiek by zwariował, gdyby wszystkie ostrzeżenia traktował śmiertelnie poważnie. *À propos* „śmiertelnie" – stwierdzono, że statystycznie najczęściej człowiek umiera w dniu swojej śmierci.

Z drugiej strony marzy mi się jakaś drobna kara dla tych, którzy wyśmiewają ostrzeżenia i przepowiednie. Na przykład wszystkim, którzy żartowali sobie z końca świata przepowiedzianego na

21.12.2012 przez Majów, na początku maja powinien się zepsuć telewizor kupiony w ramach akcji „Wielkie obniżki na koniec świata!". Tak symbolicznie. Drobna nauczka uświadamiająca, że żarty powinny mieć swoje granice.

W ogóle życzę Państwu, żeby prawdziwy koniec świata ograniczył się do nagłego zepsucia telewizorów, żeby nic poważniejszego się nie wydarzyło. Żeby na nartach i przy powrocie z restauracji nikt sobie ani nikomu innemu żadnej krzywdy nie zrobił. I żeby każdy miał takiego Bolesława, jakiego chce – Śmiałego albo Wstydliwego (w tym przypadku Bolesław nie musi być imieniem wyłącznie męskim). I żeby Państwo byli wolnymi ludźmi. To znaczy, żeby na przykład każdy mógł sobie przezwijać silniki, kiedy mu się tylko spodoba. A poza tym tak normalnie: Wesołych Świąt.

21 grudnia 2012

BOK i przytłok

Gdyby ktoś z Państwa nie zauważył, przepowiedziany przez Majów koniec świata nie nastąpił. Gdyby nastąpił, dowiedzielibyśmy się o tym z „sieci". Natychmiast podniósłby się jazgot na różnych forach. *„No i co żartownisie? Jak wam teraz? Nie chciało się wierzyć w koniec świata! Macie za swoje!"*, wykrzykiwałaby jakaś *„apokalipsa_podlasia_brunetka_18_grajewo*. Znaczy... Pewnie wykrzykiwałaby inaczej – słowo „żartowniś" w odniesieniu do kogoś, kogo chce się obrazić, ostatni raz zostało użyte w Internecie przez Jana Kochanowskiego, który uznał, że „sowizdrzał" będzie zbyt mocne i może zostać usunięte przez moderatora. A właśnie – ciekawe, czy koniec realnego świata pociągnie za sobą również koniec tego wirtualnego? Prawdę mówiąc, wątpię. Ten wirtualny stał się dla wielu ludzi ważniejszy i prawdziwszy od realnego. Nie zdziwię się, jeśli za kilka lat ktoś zorganizuje akcję „Cała Polska klika dzieciom". Pedagodzy i psychologowie będą apelowali, żeby zachęcać dzieci do pobytu w Internecie przynajmniej przez dwadzieścia minut dziennie. Wirtualny świat się nie skończy. Musi być przecież miejsce, w którym można zamieścić zdjęcia z końca niewirtualnego świata i kliknąć: „Lubię to". Czy Majowie mówili coś o Internecie?

A może to kwestia nieprecyzyjnego odczytania zapisów? Może Majowie wróżyli nie „koniec świata", ale „koniec świąt"? I pomylili się o kilka dni?

Jestem za wprowadzeniem w przyszłym roku Bezwzględnego Obowiązku Kolędowania (w skrócie BOK). Żeby nie siedzieć w domu, żeby wyjść do ludzi. Człowiek, nagle przykuty do świątecznego stołu, zatrzymany siłą w jednym miejscu, traci radość, a nawet chęć życia. Trzeba wrócić do całorocznego trybu szwendania się, można mu tylko nadać świąteczny charakter. To znaczy chodzić w te same miejsca, ale w przebraniu turonia albo anioła.

Przy sobocie, przy niedzieli
I w piątki nie raz to
Ludzie, tak zwani Weseli,
Wychodzą na miasto.
Byle gdzie i byle komu
Komplementy prawią,
Wracają do domu,
Jak się już nabawią.
Stado tych Wesołych Ludzi
Cały rok się tak pałęta,
Aż tu nagle... Grudzień!
I znienacka... Święta!
I wtedy spod posępnych brwi
Spogląda smutne oko:
Czy da się wyważyć drzwi?
Albo: czy balkon wysoko?
I już po drugiej kolędzie
Poszliby sobie stąd,
Bo coś zaczyna ich swędzieć.
I to jest Wesołych Świąd.

Właściwie już po wigilii wiemy, że przesadziliśmy. Z jedzeniem, piciem, życzeniami. Na przykład – jak na nasze stosunki ze szwagrem Jackiem, życząc mu zdrowia, szczęścia i pomyślności, przesadziliśmy o przynajmniej dwa elementy. Niech tam sobie zdrowy będzie, ale szczęście i pomyślność należą się raczej komuś mniej wrednemu.

Człowieka może przytłoczyć natłok... Zaraz, natłok może chyba co najwyżej natłoczyć? No więc człowieka może przytłoczyć przytłok życzeń. Jeszcze sobie nie uporządkował tych świątecznych, a już spływają noworoczne.

Widziałem w telewizji program nadawany na żywo z ogrodu zoologicznego w Łodzi. Pretekstem były urodziny małej małpki. Pani prezenterka rozmawiała przez dłuższą chwilę z panią dyrektor zoo, po czym pożegnała ją słowami:

– Pani dyrektor, z okazji narodzin małpki życzę pani wszystkiego najlepszego.

No to i ja życzę Państwu, żeby ludzie zawsze szczerze Wam życzyli wszystkiego najlepszego, nawet jeśli nie do końca sobie na takie życzenia zasłużyliście. Bo na przykład nie jesteście osobiście ani małą małpką, ani mamą małej małpki.

27 grudnia 2012

Jak się przebrać?
Poradnik karnawałowy

To miał być specjalny występ. Prawdziwa wokalistka, ja i sześciu jazzmanów. Trzeba było jakoś elegancko się ubrać. I przypomnieć o tym pozostałym. Dzwonię do pierwszego muzyka:

– Cześć. Ustaliliśmy, że nie jakoś wieczorowo, nie fraki, smokingi, garnitury. Na luzie, ale elegancko. Marynarka, koszula. Tylko wszyscy na czarno-biało. Weź czarną marynarkę.

(Krótka chwila milczenia.)

– A może być szara?

– No dobrze, tylko koszulę weź białą…

(Milczenie.)

– A może być czarna?

Wolałem już nie zaczynać wątku spodni, bo wiem, że gdybym zaproponował: „Tylko spodnie długie", usłyszałbym w odpowiedzi: „A mogą być krótkie?".

Zresztą w końcu przyszedł w długich, ale za krótkich.

Zaczął się sezon zabaw. W tym również przebieranych. To dobra okazja do pokazania swojej oryginalności, pomysłowości i poczucia humoru. Pewna znana dziennikarka i pisarka wiele

lat temu wygrała konkurs na najoryginalniejszy strój karnawało-
wy, przebierając się za... wychodek. Taką wygódkę. Czy, jak kto
woli, sławojkę. Żeby poprosić ją do tańca, trzeba było zapukać
w drzwiczki z serduszkiem i wejść do środka.

Tylko ustalmy – każdy sam wybiera sobie strój. Nikogo do niczego nie zmuszamy. Dostałem kiedyś od słuchacza list z opisem
balu przebierańców z czasów studenckich. Zmusiła go dziewczyna. Po długich namowach dał się przekonać, choć idąc przez
miasto w dziwacznym przebraniu, czuł się idiotycznie. Jeszcze
gorzej poczuł się na miejscu. Okazało się, że dziewczyna zapomniała wspomnieć o drobnym szczególe. Zabawa nawiązywała
do lat sześćdziesiątych i siedemdziesiątych, konkretnie do dzieci
kwiatów. Jej chłopak był jedynym smokiem wśród hippisów.

I najważniejsze: uważajcie na dzieci! Może lepiej, żeby były,
jak ich koledzy i koleżanki: piratami, rycerzami, żołnierzami,
królewnami albo królewiczami. Zastanówcie się, czy poszuki-
waniem oryginalności nie zostawicie śladu w ich psychice na
całe życie. Córka mojej koleżanki uparła się, że na przedszkolnej
zabawie chce wystąpić przebrana za konia. Matka mogła zaprote-
stować, zwłaszcza że dziecko wyróżniało się wśród rówieśników
wzrostem. Nie zaprotestowała. I teraz do końca życia będzie ją
prześladowało zdjęcie konia giganta wśród królewiczów i kró-
lewien. Jeszcze gorsze wspomnienie z dzieciństwa zachowała
pewna znana aktorka. Nie mam upoważnienia do podawania
nazwiska, ale opowieść jest prawdziwa. Cały bal przedszkolny
przesiedziała w kącie, owinięta w coś obrzydliwego, brązowego
i pluszowego, przez co nie dawało się oddychać. A kolejnym
królewiczom, królewnom i piratom, podchodzącym i z ciekawie-
niem pytającym, za co jest przebrana, mówiła z płaczem to,
co powiedzieli jej rodzice:

– Za daktylka!

Mam tylko nadzieję, że w tym hamowaniu zbytniej oryginalności nie pójdziemy za daleko. I że na balach karnawałowych w tym sezonie nie pojawi się masa dzieci przebranych za jazzmanów. Czyli szara marynarka i czarna koszula. Bo to też zostawi ślad w psychice na całe życie. Najlepiej starać się łączyć szaleństwo z powściągliwością. Czyli, na przykład, jazzman w wygódce.

6 stycznia 2013

Pirogronian w mleczan

31 grudnia, rano. Pokój hotelowy, telewizor włączony, pilot w ręku. Bezmyślne przełączanie kanałów. Tak sobie patrzę. I właściwie nie słucham. Bo ani nie chcę się od byłego zapaśnika nauczyć gotować „fasolowego tiramisu", ani zobaczyć ciekawego człowieka, który chciałby najpierw zdobyć najwyższe szczyty świata, a potem poświęcić się gotowaniu w porannych programach telewizyjnych (tak jak były zapaśnik), ani usłyszeć nowej piosenki w wykonaniu starego zespołu, ani tym bardziej starej piosenki w wykonaniu nowego zespołu. I nagle… Napis na pasku u dołu ekranu: „Jak walczyć z noworocznym kacem? Porady lekarza". To TVN. Przełączam na TVP2, a tam na pasku: „Dziś sylwester, jutro kac? Tylko u nas Bohdan Łazuka". Oczywiście mogłem poczekać i obejrzeć, ale prawdę mówiąc, wolę się domyślać, niż wiedzieć. Czyli TVN postawił na teorię, a TVP na praktykę? Jedni na wiedzę, drudzy na doświadczenie? Niekoniecznie. Przecież doktor, który na temat kaca wypowiada się w TVN-ie, może to zjawisko znać z autopsji. A Bohdan Łazuka być może nigdy czegoś takiego nie przeżył, tylko został poproszony o przyniesienie do studia fragmentów światowej literatury napisanej na kacu. Żeby w ten sposób zniechęcić wszystkich widzów do nadużywania alkoholu w sylwestra. Szybko zacząłem przeszukiwać kanały w nadziei, że jeszcze trafię na napis na pasku: „Nowy Rok na kacu – refleksje laureatki Konkursu Chopinowskiego". Już sobie wyobrażałem opowieści o tym, które utwory zostały skomponowane pierwotnie w wersji largo i piano, a następnie przerobione przez kompozytora na szybsze i głośniejsze, kiedy już wrócił do fizycznej formy. Czyli około 5 stycznia.

Ja bym to łączył. Do studia zapraszałbym równocześnie lekarza i znanego artystę. I to nie dlatego, żeby wykorzystywać doświadczenie jednego i wiedzę drugiego. Ustaliliśmy – lekarz może sam przeżyć to, o czym mówi. Artysta miałby odwracać uwagę. A lekarz nienachalnie, na granicy działania na podświadomość, przemycałby najważniejsze informacje. Artysta śpiewa, lekarz wtrąca się w piosenkę co jakiś czas. Oto propozycja (A – artysta, L – lekarz):

A: W tym przecież nie ma niczyjej winy,
Że o uczuciu nie ma już mowy,
L: Winien jest tylko niedobór glutaminy
I może trochę aldehyd octowy.
A: Los mi samotność przeznaczył na siostrę
I ciszę straszną, jak po cięciu miecza,
L: Jeszcze apatię i jeszcze światłowstręt,
I przekształcony pirogronian w mleczan.

W poczekalniach u pediatrów czy w gabinetach stomatologów dziecięcych pełno jest zabawek, kolorowanek, kredek. Dlaczego nie dba się o to, żeby takie odwracające uwagę elementy znajdowały się również w miejscach, do których przychodzą dorośli pacjenci? Zwłaszcza mężczyźni, którzy, jak wiadomo, są delikatniejsi, mniej odporni na ból i stres, po prostu kruchsi.

Na przykład: gdyby przy badaniu każdego dorosłego mężczyzny asystowała pani pogodynka z telewizji? I opowiadała o tych frontach, wyżach, anomaliach... A nawet nic by nie musiała mówić. Żeby tylko stała i trzymała biednego pacjenta za rękę.

Gdyby ten tekst wydał się komuś jakiś nieskładny, wyjaśniam – piszę w Nowy Rok, w hotelowym pokoju, rano, o 17.00, telewizor wyłączony. Piszę largo, w ciemności trudno mi znaleźć odpowiednie litery na klawiaturze. Jak już znajduję, to po każdej robię krótką przerwę, bo klawiatura strasznie hałasuje.

Kurczę, a mogłem jeszcze chwilę poczekać i posłuchać lekarza. Albo Bohdana Łazuki.

Styczeń 2013 („Gazeta Lekarska")

Się nie pożycza

Telewizja pokazała pana, który od wielu lat naprawia pióra wieczne. Na koniec reportażu jego bohater powiedział:

– Trzech rzeczy się nie pożycza: szczoteczki do zębów, żony i pióra wiecznego.

Chodzi o to, że pióro jest tak przyzwyczajone do ręki jednego konkretnego człowieka, że może się uszkodzić albo nieodwracalnie zmienić swój charakter, kiedy użyje go ktoś inny. Zacytowane wyżej powiedzenie już gdzieś słyszałem, tylko w nieco innej wersji. Nie było mowy ani o piórze, ani o szczoteczce do zębów. Chodziło o niepożyczanie żony i samochodu. Ale chyba nie wszyscy stosują taką zasadę. Na przykład właściciele wypożyczalni samochodów.

Myśl zawierająca pióro i szczoteczkę musi być starsza. Sprawdziłem (od razu przyznaję, że w Internecie, więc zakładajmy pewien margines błędu), że coś na kształt pióra wiecznego odnaleziono w grobowcu Tutanchamona. I nie była to zguba archeologa, który odkrył miejsce pochówku faraona, tylko prototyp przyrządu do pisania, opracowany już w starożytnym Egipcie. A później stosowano pióro wieczne na dworze Ludwika XIV. Pierwszą szczoteczkę do zębów wyprodukowali podobno Chińczycy w roku 1498. Pierwsza żona to wynalazek jeszcze wcześniejszy.

Czasy się zmieniają, należałoby do tych zmian dostosować również powiedzenia. Są takie miejsca na świecie, w których dopuszczalne jest bycie w związku z kilkoma żonami równocześnie. I co wtedy? „Szczoteczki do zębów, pióra i żadnej żony się nie pożycza"? Czy wystarczy nie pożyczać na przykład dwóch skrajnych żon? Najniższej i najstarszej?

Mam kolegę, który ma już trzecią żonę. To w tym przypadku pewnie: „Szczoteczki do zębów, pióra i aktualnej żony się nie pożycza". A dlaczego w tym powiedzeniu nie ma słowa o mężu? Męża można? Brak męża od razu sugeruje, że to raczej nie kobiety wymyśliły tę sentencję.

Poza tym kto dzisiaj używa jeszcze pióra wiecznego? Łatwo nie pożyczać czegoś, czego się nie ma. Na tej zasadzie to ja mogę zadeklarować, że nie pożyczam jachtów i wzbogaconego uranu.

Mamy niezwykły dar ułatwiania sobie wszystkiego. To skrócenie cytowanej wyżej zasady wyłącznie do żony i samochodu jest tego najlepszym dowodem. A może by tak stawiać sobie coraz większe wymagania? I nie odpuszczać? „Szczoteczki do zębów, żony, pióra wiecznego i samochodu się nie pożycza". Nawet gdyby się nim nie umiało pisać, należy mieć pióro wieczne. Chociażby tylko po to, żeby trzymać się pewnych zasad i go nie pożyczać. Stare, wymyślone przez mądrych ludzi powiedzenia sugerują nam również, co można. Pieniądze można pożyczać. Żeby mieć na szczoteczkę, utrzymanie rodziny, samochód i atrament.

Zastanawiałem się, dlaczego coraz mniej ludzi pisze piórem wiecznym. Że drogie? Niepraktyczne? Łatwiej długopisem? Być może, ale jeszcze jeden powód znalazłem w instrukcji obsługi dołączonej do pióra, które dostałem w prezencie. Autentyk! Takiej dołączonej do odkurzacza czy telewizora nigdy bym nie przeczytał, ale zainteresowało mnie, co może zawierać instrukcja obsługi pióra wiecznego. Są zasady gwarancji, jest informacja, gdzie można wymienić stalówki, rysunek, jak napełniać tłoczek atramentem, i punkt: „Bezpieczne użytkowanie nasadki". Cytuję: „Uwaga! Nasadki nie wkładać do jamy ustnej, ponieważ może utrudniać oddychanie!". I już teraz nie ma wątpliwości, dlaczego nas, piszących piórem, jest coraz mniej. W bezlitosnym świecie użytkowników wiecznych piór obowiązują proste zasady. Przetrwają tylko ci, którzy czytają instrukcje albo instynktownie nie wkładają nasadki do jamy ustnej.

Przed dwoma ostatnimi zdaniami tego tekstu na chwilę diametralnie zmienię temat. Bo spojrzałem w prawo, na regał, i zauważyłem, że zaczyna mi się zapełniać półka z płytami, którym nadałem nazwę „O, kurioza!". Obok wydanej jeszcze w PRL-u, na zjazd związków zawodowych, z piosenkami typu: *Nie chcę żoną być chemika* czy *Chemia nasza ukochana*, i zdobytej kilka lat temu z siedemnastoma piosenkami o szafach (mój numer jeden: *Jaki prosty montaż*) stanęła właśnie najnowsza zdobycz. Płyta z kolędami śpiewanymi przez urologów.

Wpadły mi w ręce analizy rynku czytelniczego i sytuacji bibliotek w Polsce. Okazuje się, że: „Szczoteczki do zębów, samochodu, żony, pióra wiecznego i książek się nie pożycza".

15 stycznia 2013

Wywiad rzeka

Wysoki facet z szeroko otwartymi ustami, w tak zwanej pozycji glonojada, przyssany do szyby wystawowej księgarni. To ja parę razy w tygodniu. Lubię tak sobie stanąć i poobserwować, co się dzieje na rynku wydawniczym. A dzieje się ciekawie. W Bydgoszczy zobaczyłem na wystawie książkę *Jezus Chrystus. Biografia*, napisaną przez Petera Seewalda, „(...) autora bestsellerowego wywiadu z papieżem Benedyktem XVI". Byłem troszkę zaskoczony, bo myślałem, że dość szczegółową biografię Jezusa Chrystusa napisało już kiedyś czterech autorów. Może pojawiły się jakieś nowe materiały? Autor odnalazł nowych świadków? A może po prostu chce tę samą opowieść przedstawić w inny sposób, użyć innego języka? Pierwsze pytanie, które wpadło mi do głowy, kiedy na chwilę odessałem się od szyby księgarni w Bydgoszczy, to to, czy pojawi się również wywiad rzeka z Jezusem Chrystusem? Podejrzewam, że wydawca może na coś takiego nalegać.

Wywiad rzeka to ostatnio jeden z najpopularniejszych gatunków. Jeśli zostało już wymyślone takie określenie dla tego typu książek, może należałoby jeszcze dodać jakieś wskazówki dla czytelników? Rzeka, ale która? Na przykład sformułowanie „wywiad Odra" mogłoby sugerować, że:

– bohater rozmowy mieszka w Ostrawie, Opolu, Wrocławiu albo Szczecinie,

– urodził się w Sudetach Wschodnich (bo tam Odra bierze początek),

– książka ma ponad 850 stron (bo ponad 850 km długości ma Odra).

Wprowadzenie podobnych określeń ułatwiłoby poszukiwanie konkretnego tytułu w księgarni.

– Dzień dobry, poproszę „wywiad Tygrys, Wisła".

– Proszę. Czterdzieści siedem złotych.

– A ona jest Warta?

– No nie. Ona jest Narew i Dunajec, ma momenty Wierzycy, ale od Biebrzy bardzo się rozkręca.

Wiem, że na razie to prototyp rozmowy, więc już tłumaczę:

– Dzień dobry, poproszę rozmowę z Dariuszem Michalczewskim, który urodził się w Gdańsku.

– Proszę. Czterdzieści siedem złotych.

– A ona jest gruba? (Ponad 800 stron.)

– Nie. Ona ma 484 strony, ma kilka przełomów, miejscami przebieg meandrowaty, ale od 155 strony bardzo się rozkręca.

Muszę jeszcze popracować nad jasnością przekazu, ale myślę, że warto.

Odpowiedzią na kolejne pytania „jaka rzeka?" można wiele powiedzieć o samej książce i bohaterze wywiadu. Czy takie określenia, jak: „wywiad rzeka sporadycznie wysychająca" albo „wywiad rzeka efemeryczna", nie pobudzają wyobraźni? Można informować, czy ktoś ingerował w treść, czy też nie („wywiad rzeka regulowana"). Można czytelnikowi delikatnie dać

do zrozumienia, że to nawet nie jest cała rzeka, tylko jej część.
I wtedy wiadomo, jaki był cel napisania tej książki („wywiad
koryto").

23 stycznia 2013

Łapa niedźwiedzia

Zaczęło się od listu Katarzyny z Poznania.

„Istnieje w mojej rodzinie kategoria anegdot nazywanych przez nas »łapa niedźwiedzia«. Chodzi o sytuacje, gdy dopiero jako dorośli ludzie zweryfikowaliśmy jakąś absurdalną głupotę, w którą święcie wierzyliśmy przez lata. W moim przypadku jest to opowieść o tym, że niedźwiedzie przeżywają zimę tylko dzięki temu, że najadają się jesienią i ssą później przez sen swoje tłuste łapy!!! Byłam zbulwersowana, gdy dowiedziałam się, że jest inaczej. Mój mąż natomiast do niedawna wierzył, że gdy tworzy się tęcza, to każdy z jej końców znajduje się w jakimś zbiorniku wody".

Rzeczywiście! Przecież każdemu z nas wmówiono coś w dzieciństwie i z sadystyczną przyjemnością patrzono (piszę bezosobowo, chociaż to zazwyczaj matka, ojciec, brat albo siostra robili nam coś takiego), jakie to głupiutkie, jakie naiwne, że wierzy… Że wiatr robią drzewa, że jak się połknie pestkę czereśni, to w brzuchu wyrośnie człowiekowi drzewo i pędy wyjdą uszami.

Pomyślałem, że trzeba ludziom pomóc wyrzucić z siebie takie wspomnienia. Poprosiłem, żeby pisali do radia, żebyśmy stworzyli, w ramach zbiorowej terapii, *Wielką Księgę Naiwności*.

Ku pokrzepieniu serc następnych naiwnych i ostrzeżeniu tych, którzy lubią wpuszczać w maliny. Bo z wiary, którą się w sobie nosiło przez kilka, kilkanaście, a nawet kilkadziesiąt lat, nie otrząsa się człowiek łatwo.

Oto prawdziwe przeżycia prawdziwych ludzi.

Piotr:

„Jedną z prawd życiowych, jakie posiadła moja dziewczyna Ania przez swojego kochanego tatę, była ta, że cukier wydobywa się w kopalni. Bo niby skąd ma być? Jak sól też jest biała i sypka jak cukier…".

Lech:

„(…) Tak gdzieś koło przedszkola zapytałem ojca, czy koń umie pływać. Otrzymałem odpowiedź, że tak, tylko trzeba odpiąć podkowy, bo są z żelaza i koń może utonąć. Dopiero sceny z westernów uświadomiły mi, że to nie jest konieczne, aby koń znalazł się na drugim brzegu rzeki".

Marta:

„(…) Całe dzieciństwo oraz w wieku nastoletnim byłam święcie przekonana, że aby mieć duże piersi, trzeba jeść dużo piętek z chleba. Taki sposób znalazła moja mama na to, by w domu nie zostawały suche piętki. Ja i moje dwie siostry zjadałyśmy je na wyścigi. Muszę przyznać, że ja chyba wierzyłam w to najbardziej, bo u mnie się sprawdziło".

Lilka:

„Z tymi piętkami to jakaś bzdura, przecież wiadomo, że piersi rosną od marchewki. Matko, ile ja tego zjadłam!".

Jacek:

„Ja do dziś mam odruch karmienia kukułki w zegarku. Tak mnie dziadek wkręcił (że jak kuka długo, to trzeba jej dać jeść)".

Należy wyodrębnić typ „łapy niedźwiedzia", której nikt nam nie wmówił, a wymyśliliśmy sobie ją sami. Przykłady:

Joanna:

„(...) Będąc dzieckiem, byłam święcie przekonana, że kiedy jest się na wsi, to tam w powietrzu coś cały czas charakterystycznie gwiżdże. Wydawało mi się to jednocześnie bardzo dziwne, bo kiedy wysiadaliśmy z rodzicami przed domem cioci (do której właśnie na wieś często jeździliśmy), już tego gwizdu nie słyszałam. Kiedy mówiłam o tym rodzicom albo siostrze, patrzyli na mnie z niedowierzaniem i twierdzili, że mi się zdaje. Kiedy byłam nastolatką (jakieś 11–12 lat), zapytałam o to tatę. Nieomal pękł ze śmiechu. Otóż okazało się, że słyszałam wiatr, który delikatnie gwizdał przez nieszczelne szyby w starym maluchu (uszczelki były nie do zdobycia w latach osiemdziesiątych, więc nikt nawet nie próbował ich szukać i uszczelniać okna). W mieście to nigdy nie gwizdało, bo tata nie miał za bardzo gdzie się rozpędzać, natomiast jadąc te kilkadziesiąt kilometrów do cioci, miał już jakieś »osiągi«, więc zaczynało gwizdać".

Julia:

„Ja dopiero na studiach dowiedziałam się, że »PAWLACZ« (taka szafka pod sufitem) może mieć każdy. Do tamtej pory byłam przekonana, że to taka nasza wewnętrzna rodzinna nazwa, a trzeba dodać, że moje panieńskie nazwisko to PAWLAK".

Norbert:

„Gdy byłem dzieckiem, wierzyłem, że jeśli dziadek ma na imię Kazimierz, to babcia musi mieć na imię Kazimiera. Stanisław – Stanisława. Jakież było moje zdumienie, gdy się dowiedziałem, że moja babcia jest Jadwiga, chociaż dziadek Kazimierz".

Mariusz:

„Moja córcia Michasia, dziś dziewiętnastoletnia, przez wiele lat była przekonana, że ślimaki opuszczają swoje skorupki i szukają większych. O tym, że jest inaczej, dowiedziała się kilka miesięcy temu".

Konrad:

„Będąc dzieckiem, wierzyłem, że woda święcona to woda po kąpieli papieża".

Zastanawiam się, dlaczego dorośli robią coś takiego Bogu ducha winnym dzieciom? Dlaczego wmawiają im głupoty, a jak usłyszą jakąś samodzielnie wymyśloną przez dziecko bzdurę, przez wiele lat nie wyprowadzają go z błędu? Dla żartu? Satysfakcji, że są mądrzejsi?
Okazuje się, że czasem dla zachowania twarzy.

Ania:

„Jako dziecko wybrałam się z babcią do zoo w Warszawie. Gdy stałyśmy przy misiach, babci się wyrwało:
– Ale tu burdel!
Oczywiście natychmiast zadałam pytanie:
– Babciu, a co to jest burdel?
– Aaa… To mieszkanko misia.

Żyłam z taką wiedzą do momentu, gdy pani w szkole ze zmieszaną miną wytłumaczyła, że musiało mi się coś pomylić, bo mieszkanko misia to gawra".

A w gawrze wiadomo – leży niedźwiedź i przez sen ssie tłustą łapę.

31 stycznia 2013

Najczęściej w lecie

Radio, telewizja i Internet, a właściwie za ich pośrednictwem różni producenci albo sprzedawcy czegoś często pytają mnie „czy wiem, że... coś tam?". Pytanie powinno być sformułowane w czasie przeszłym, bo zazwyczaj radio, telewizja i Internet od razu mnie o tym czymś informują, zatem nawet jeśli dotychczas nie wiedziałem, to teraz już wiem. Niestety, po usłyszeniu odpowiedzi nie odczuwam zadowolenia charakterystycznego dla człowieka porządnie poinformowanego. Przeciwnie – zaczynam się zadręczać własnymi pytaniami.

Zwróciłem uwagę na reklamę pewnego „suplementu diety", który ma pomóc mężczyźnie być jeszcze bardziej mężczyzną. Spot ma kilka wersji. Nadawane są w radiu na zmianę, co kilka godzin. Zaciekawiły mnie dwie:

1. „Czy wiesz, że 93% mężczyzn w Polsce jest zadowolonych ze swojego życia seksualnego? Dołącz do nich!".
2. „Czy wiesz, że 15% mężczyzn w Polsce najczęściej współżyje w lecie, a tylko 3% w zimie? Popraw te statystyki!".

Zaraz! Po pierwsze nikt mi w radiu nie będzie składał propozycji, żebym dołączał do obcych mi mężczyzn! Zwłaszcza w takich sprawach!

Reklamy słyszałem na przełomie stycznia i lutego. Czyli w okresie, w którym najczęściej współżyje tylko 3% mężczyzn. Rozumiem, że to 93% z tych 3% jest zadowolonych ze swojego życia seksualnego? A może ci, którzy nie współżyją o tej porze roku, też są zadowoleni? Z faktu, że będą współżyli dopiero latem, a teraz najczęściej nie muszą i mogą odpocząć? Czy to są ci sami? W lecie i w zimie? Czyli zimą współżyje najczęściej 3% z tych 15%, którzy współżyją latem? A co w tym czasie najczęściej robi reszta mężczyzn, kiedy zaledwie kilka procent przedstawicieli ich płci najczęściej współżyje? Siedzi w Internecie, słucha radia albo ogląda telewizję i zajmuje się głupkowatymi rozważaniami na temat reklam „suplementów diety"? Co z wiosną i jesienią? Ile procent mężczyzn w Polsce jest zadowolonych z cudzego życia seksualnego? Jeżeli „...15% mężczyzn w Polsce najczęściej współżyje w lecie...", czy to oznacza, że reszta w lecie współżyje poza Polską? Czy ma to jakiś związek z rozwojem branży turystycznej? Czy może ze zjawiskiem emigracji? Niby dwa proste przekazy, a tyle wątpliwości.

Żeby nie było, że ja tylko o jednym, to teraz o drugim. Przeczytałem („Gazeta Wyborcza"), że Warszawa ma problem z niektórymi byłymi burmistrzami dzielnic. Ich bezterminowe umowy o pracę są tak skonstruowane, że – mimo iż kończy im się kadencja, że odchodzą radni, którzy ich wybierali – ratusz musi im zapłacić za odejście albo zatrudnić. Ale najsmutniejszy jest fakt, że są wśród nich i tacy (i to podobno niemało), którzy „...w nową kadencję samorządu wchodzą jako osoby przewlekle chore lub urlopowane". Powinno się ostrzegać kandydatów na takie stanowiska, że ich zajmowanie jest niebezpieczne dla zdrowia.

Należałoby informować o skutkach ubocznych pełnienia różnych funkcji. „Gazeta" przytacza konkretne przypadki nagłych zachorowań, które odchodzących gospodarzy dzielnic dopadły równo z końcem kadencji. I to bez względu na przynależność partyjną. Podupada na zdrowiu tak samo lewica, jak prawica i centrum. Jeden z burmistrzów „zaniemógł z powodu»naciągniętego mięśnia grzbietu«", zaś członek zarządu dostał „nawracającego ataku kolki nerkowej lewostronnej". Na szczęście dolegliwości z reguły mijają po wypłaceniu wynegocjowanej wcześniej odprawy. I podejrzewam, że 93% byłych burmistrzów Warszawy jest potem zadowolonych. Jedyna propozycja, jaka wpada mi do głowy, to: „Dołącz do nich!", bo: „Czy wiesz, że koledzy burmistrzów z Warszawy, którzy będą wprowadzali nowe przepisy prawne, zrobią wszystko, żeby poprawić te statystyki?".

Luty 2013 („Gazeta Lekarska")

Magiczna granica, że pożal się

Pan relacjonujący kursy akcji na giełdzie:
– Magiczna granica trzech złotych została przekroczona.
Piosenkarka o swoim wieku:
– Trzydzieści lat – właśnie przekroczyłam tę magiczną granicę.
Wrzuciłem to hasło do wyszukiwarki internetowej i pojawiły się fragmenty tekstów: „...magiczna granica szesnastu lat...", „Liczba turystów na świecie przekroczyła magiczną granicę..." (z dalszej części tekstu wynikało, że to miliard), „Magiczna granica 55 km/h..." (pisze o niej właściciel chińskiego skutera), „...magiczna granica 15% w wyborach samorządowych...", „...sprzedaż spadła poniżej magicznej granicy 20 tys. egzemplarzy".
Nie jestem zwolennikiem regulowania wszystkiego przez państwo, ale jakiś porządek przydałoby się wprowadzić. Przecież ta szesnastolatka za czternaście lat na pewno będzie mówiła o „magicznej granicy trzydziestu lat"! Czyli że co? Magiczna jest każda? Krajowa Rada Magii i Iluzji powinna publikować jakiś dokument, a w nim podawać, co i ile czego albo kogo jest w danym roku magiczną granicą. Takie akty prawne powinny być wydawane przynajmniej raz w roku, bo granice się przesuwają. Na przykład

magiczna granica chamstwa. Krajowa Rada Magii i Iluzji powinna mieć swoje zbrojne ramię – Magiczną Straż Graniczną, a ta powinna mieć prawo do instalowania fotoradarów. Zresztą u nas niedługo już nawet sanepid będzie stawiał fotoradary.

Dla mnie przez wiele lat magiczną była granica między Polską a Czechosłowacją, a zwłaszcza przejście w Barwinku. Jak się udało przejechać, to czuło się tak, jakby się królika z kapelusza wyciągnęło, a potem zamieniło go w gołębia. W drodze powrotnej trzeba było jeszcze jakoś przeniknąć przez kontrolę celną. Czasem niewiele brakowało, żeby czechosłowaccy celnicy przepiłowali człowieka na pół i przekłuli go specjalnymi szpadami w poszukiwaniu lentilek, butelki „becherovki" czy, nie daj Boże!, tenisówek. Ale w chwili grozy zazwyczaj wykonywało się taką sztuczkę, że do paszportu wkładało się parę dolarów i... trrr, trrr, bum, bum! Ta-dam! Paszport wracał, a dolary znikały. Tak przekraczało się magiczną granicę z zaprzyjaźnionym krajem socjalistycznym.

Nie wiem, czy to już przekroczenie magicznej granicy poprawności, czy wręcz przeciwnie – absurdalny strach przed oskarżeniem o świętokradztwo, ale słyszałem, jak pewna pani z telewizji kilka razy w ciągu jednego programu użyła sformułowania: „na litość!". Bez precyzowania czyją. Muszę uważnie się jej przysłuchać, bo może wprowadziła również do obiegu coś w stylu „bój się", „pożal się", „jak dopuści, to i z kija wypuści", „świeczkę i diabłu ogarek", „jak Kuba, tak Kubie". Może to z szacunku? Żeby Boga nie mieszać do błahych tematów, którymi pani się zazwyczaj zajmuje? Ciekawe, czy ta zasada (jeśli taka w ogóle jest, bo być może to tylko przypadek, że kilka razy pani użyła zwrotu „na litość") dotyczy wyłącznie najpopularniejszego w naszej kulturze Boga, czy też na przykład sięga antyku? Czy dawniej używane „wygląda jak młody bóg" teraz kończy się na

„wygląda jak młody"? Spokojnie! Przekroczy magiczną granicę czterdziestki i przestanie tak wyglądać! Wiem to po sobie. Dzisiaj rano, kiedy robiłem się na bós... Oj, przepraszam – po prostu robiłem się na, spojrzałem w lustro i aż mi się wyrwało: „Ty widzisz i nie grzmisz!".

7 lutego 2013

Prawo moczenia gąbki

Ulubionym zajęciem Wojciecha jest wymiana poglądów. Po wielu latach znajomości zauważyłem pewną prawidłowość i doszedłem do wniosku, że Wojciech wymienia poglądy na letnie i zimowe. Mniej więcej co pół roku dzwoni do mnie i paru innych znajomych, umawia się na spotkanie, a z rozmowy wynika, że myśli już całkiem inaczej niż parę miesięcy wcześniej. Owszem, czasem się zagapi i nie zważając na ostrzeżenia fachowców, że potem będą kolejki do wymiany, zamiast w listopadzie zmieni poglądy na zimowe dopiero przy stole wigilijnym, ale zrobi to na pewno. Z reguły koło kwietnia wraca do poprzednich. I tak przez trzy sezony. A potem stare poglądy wyrzuca… To znaczy: mam nadzieję, że dyskretnie oddaje do jakiegoś specjalistycznego zakładu, gdzie są gruntownie wulkanizowane, żeby ktoś jeszcze mógł z nich skorzystać. Bo poglądy Wojciecha są w sumie całkiem niegłupie i mało używane. Wymiana dotyczy wszystkich sfer życia – polityki, literatury, sztuki, historii, uczuć, wiary. Przy okazji takiej wymiany poglądów popada Wojciech w rozważania głęboko filozoficzne. Oto zapis jednego z ostatnich wywodów:

– Najszczęśliwsza chwila, jaką pamiętam ze szkoły, to ta, kiedy udało się wyjść z klasy, by zmoczyć gąbkę. Każdy o tym marzył. Żeby wyrwać się z tego dusznego pomieszczenia, pełnego różnych ograniczeń, tych „uważaj!", „proszę o ciszę!", „bo zaraz wyciągniecie karteczki!", wypełnionego niejednokrotnie wrogimi ludźmi, którzy potrafili bez cienia zażenowania powiedzieć: „Proszę pani, a on się bije!". Wyjście z gąbką do zmoczenia było jak wynurzenie się nad taflę wody po życiodajny wdech powietrza. Można było iść pustym szkolnym korytarzem, nadając krokom własny rytm. Samemu można było zdecydować, czy pójdzie się do łazienki na swoim piętrze, czy dla żartu zajrzy do toalet maluchów z klas od I do III, czy gąbkę zmoczy się ciepłą, czy zimną wodą. To ode mnie zależało, czy wykręcić ją potem tylko raz, czy kilka razy. Mogłem przedłużać tę chwilę, oglądając po drodze wcześniej zupełnie nieinteresujące gazetki, na przykład tę z życiorysem patrona szkoły – Władysława Broniewskiego. Mimo nieuchronności powrotu do obcych ludzi i wielu ograniczeń miało się uskrzydlające poczucie wolności. Zwłaszcza że była szansa, że to nie ostatnie wyjście, że jeszcze się kiedyś będzie dyżurnym. Albo na pytanie: „Kto pójdzie zmoczyć gąbkę?" uda się unieść dwa palce najwyżej, ponad głowy innych kolegów. Tata opowiadał, że w czasach jego dzieciństwa nie było tylu gąbek, że często szło się zmoczyć szmatę, co może nie brzmi już tak pięknie, ale sens tego zdarzenia i uczucia mu towarzyszące były takie same. Na chwilę wyrywałeś się na wolność i byłeś panem samego siebie. Dlatego uważam, że każdy obywatel Polski powinien mieć konstytucyjnie zagwarantowane prawo do wyjścia w celu zmoczenia gąbki. W pracy, w domu, w szkole, w urzędzie, w kościele, w teatrze... W sytuacji kryzysowej, kiedy ma się wszystkich i wszystkiego powyżej uszu, raz na jakiś czas każdy Polak musi mieć prawo zadania pytania: „Proszę pani, mogę wyjść zmoczyć gąbkę?", a rzeczona pani (zresztą bez względu na jej płeć) takiego prawa nie ma prawa mu odbierać.

Więcej, uważam, że dla budowania więzi międzyludzkich powinno się pozwalać na grupowe wychodzenie na maczanie gąbek. To naprawdę cudowne uczucie, kiedy widzisz takich jak ty, którzy co prawda wyszli z innej klasy, ale w tym samym celu. Już my sobie poradzimy z ustaleniem, przeciwko komu tym razem moczymy gąbkę...

Wojciech zamilkł. Spośród kilkunastu słuchaczy tego wywodu żaden nie miał odwagi nic powiedzieć. Niektórych ogarnęła zaduma, innych troska o stan zdrowia Wojciecha. Jego rodziców – prawdziwe wzruszenie. Po policzkach ojca spływały łzy matki. To znaczy: takie jak matki... Wszyscy w tej rodzinie mieli łzy jak matka. Po policzkach matki spływały jej własne łzy. Matka przerwała ciszę. Lekki szloch zrywał i tak już postrzępione zdania:

– Twojego ojca... Pierwszy raz... Pięćdziesiąt dwa lata temu... Szłam po kredę do sekretariatu... Ze szmatą w dłoni patrzył w portret Świerczewskiego... Wiedziałam, że kocham...

Szloch matki został przerwany szlochem ojca:

– Była zawstydzona... Potem się przyznała, że wtedy zapomniała stroju na wf... A wyglądała tak, jakby zawsze miała strój na wf... Do dzisiaj tak wygląda... Spojrzałem w jej oczy... A potem w jego... I jeszcze raz... Mieli takie same oczy... Twoja matka i Świerczewski... Wiedziałem, że lepiej, żebym raczej nie próbował nie kochać...

18 lutego 2013

W filharmonii...

Tutaj powinienem zrobić dłuższą przerwę, która pozwoliłaby ochłonąć po wrażeniu albo zdziwieniu, w jakie wprowadziłem Czytelnika. Boże, pan Andrus w filharmonii! No więc w filharmonii, na ścianie obok garderoby... (Eee, czyli był u jakiegoś znajomego muzyka albo jako wolontariusz pomagał malować ściany...) W filharmonii, na ścianie obok garderoby i w holu... (Czyli jednak może poszedł na koncert? Bo po co byłby w holu?) W filharmonii, na ścianie obok garderoby i w holu zobaczyłem wywieszkę informującą o sygnałach alarmowych, jakie powinny się pojawić w przypadku różnych zagrożeń. Taka tabelka podzielona na części: 1. Rodzaje alarmów, 2. Sposób ogłoszenia alarmów, 3. Sposób odwołania alarmów, 4. Zasady zachowania się po usłyszeniu sygnału alarmowego.

Przyjrzałem się uważnie. Wywieszka informowała, że mogą mnie ostrzegać przed tymi zagrożeniami środki masowego przekazu „powtarzaną trzykrotnie zapowiedzią słowną", ale mogę też usłyszeć sygnał wygenerowany przez „akustyczny system alarmowy". Zainteresowała mnie zwłaszcza ta druga metoda. Przeczytałem, że jeśli byłby to „alarm powietrzny", to usłyszę: „Następujące po sobie sekwencje długich dźwięków sygnałów dźwiękowych pojazdów, gwizdków, trąbek lub innych przyrządów na sprężone powietrze w stosunku 3:1; w przybliżeniu 3 sekundy dźwięku oraz 1 sekunda przerwy". A jeżeli miałby to być „alarm o skażeniach", będzie to: „Sekwencja krótkich sygnałów wydawanych sygnałem dźwiękowym pojazdu lub innym podobnym urządzeniem lub też uderzenia metalem czy też innym przedmiotem w stosunku 1:1; w przybliżeniu 1 sekunda wydawania dźwięku oraz 1 sekunda przerwy".

Wywieszanie tego typu komunikatów w filharmonii ma moim zdaniem głęboki sens, ponieważ tylko ludzie chodzący na koncerty muzyki klasycznej potrafią odróżnić dźwięki długie od krótkich. Tylko melomani mogą nas uratować w sytuacji zagrożenia niespodziewanym atakiem! Niewyedukowany muzycznie człowiek nie odróżni „alarmu powietrznego" od dźwięków wydawanych przez grupę kibiców wracających ze stadionu ani „alarmu o skażeniach" od Parady Równości. Albo pomyli. I zamiast „...zabrać ze sobą dokumenty, odzież, żywność..." (alarm powietrzny) będzie bez sensu starał się „...wyjść poza strefę skażeń prostopadle do kierunku wiatru..." (alarm o skażeniach).

Filharmonia może stać się centrum kryzysowym, z koncertu możemy wysłać esemesa o treści: „Magda! Rachmaninow świetny, ale uszczelnij pomieszczenia, nie spożywaj pokarmów na wolnej przestrzeni, omijaj kałuże i wykonuj ściśle polecenia władz".

Niestety, jest jeden kłopot. Koncerty muzyki współczesnej. Słyszałem niedawno... (Czyli jednak był w filharmonii!) Słyszałem niedawno, że najnowsze dzieło pewnego wybitnego kompozytora to trzy i pół godziny „następujących po sobie sekwencji długich dźwięków sygnałów dźwiękowych pojazdów, gwizdków, trąbek lub innych przyrządów na sprężone powietrze w stosunku 3:1; w przybliżeniu 3 sekundy dźwięku oraz 1 sekunda przerwy, na zmianę z sekwencją krótkich sygnałów wydawanych sygnałem dźwiękowym pojazdu lub innym podobnym urządzeniem, lub też uderzenia metalem czy też innym przedmiotem w stosunku 1:1; w przybliżeniu 1 sekunda wydawania dźwięku oraz 1 sekunda przerwy". Podobno kompozytor dostał za to Czarną Batutę na festiwalu w Kamp-Lintfort, honorową odznakę Międzynarodowej Organizacji Obrony Cywilnej i zakaz wjazdu do czternastu cywilizowanych krajów świata. W jednym z wywiadów przyznał, że dzieło powstało krótko po uderzeniach metalem czy też innym przedmiotem.

22 lutego 2013

Prawidłowo odmieniany kisiel fundamentem trwałości każdego związku

Wprowadziłem kolegę w błąd. Nie dość, że naraziłem go na zawirowania uczuciowe, to jeszcze podałem w wątpliwość jego dość solidne wykształcenie.

A było tak: kolega siedział z telefonem komórkowym w dłoni i wyraźnie się męczył. W końcu zapytał:

– Jaki jest rym do „myślę"?

Przecież mogłem powiedzieć coś w stylu: „Płynie sobie kra po Wiśle, a ja tu o tobie myślę" i byłoby wszystko w porządku. Nie! Musiało mi się wyrwać:

– Kupię ci dwa kiśle/Poleconym wyślę/Żebyś ty wiedziała, mała,/Jak o tobie myślę!

I teraz noszę na sobie ciężar odpowiedzialności za ewentualny rozpad ich związku. Bo jeśli sprawdziła w słowniku? Czy będzie chciała być z kimś, kto nie zna prawidłowej odmiany rzeczownika „kisiel" w liczbie mnogiej? Uważam zresztą, że takie sprawy powinny być między przyszłymi narzeczonymi

171

załatwiane na samym początku. Przed pierwszym „kocham", w trakcie namiętnego pocałunku, ona powinna od niego zażądać:

– Ale odmień kisiel przez przypadki...

– Co?!

– Przynajmniej w liczbie mnogiej...

– Kisiele, kisieli bądź kisielów, kisielom, kisiele, kisielami, kisielach, kisiele.

– Ja też cię kocham.

Wypadek, który zdarzył się podczas próby pomocy koledze, nie zniechęcił mnie do publicznego niesienia jej innym potrzebującym. Ogłosiłem w radiu, że otwieram zakład rymiarski dla zakochanych. „Zakład rymiarski imienia Eugeniusza". Oczywiście, że korciło mnie, żeby się nazywał „Zakład rymiarski imienia Gienia", ale pomyślałem, że to już za wiele, że rymu nie musi być przynajmniej w nazwie firmy. Ogłosiłem, że można pisać, a ja będę próbował znaleźć rym do kłopotliwego słowa. I od razu zauważyłem, że moje propozycje nie są traktowane zbyt poważnie. Natychmiast napisał jeden ze słuchaczy, z prośbą, żebym znalazł mu rym do słowa „żółć". Nie wiem, jakiego rodzaju uczucie kiełkuje między tym panem a kimś drugim, ale to w sumie nie moja sprawa. Zobowiązałem się tylko do szukania rymów, a nie do rozwiązywania intymnych problemów osób zakochanych. Wyszło mi chyba średnio:

Pół litery „ć" to „półć",
Niech cię nie zalewa żółć.

Po tym doświadczeniu natychmiast postanowiłem zamknąć „Zakład rymiarski imienia Eugeniusza". No, może jeszcze tylko będę musiał dokończyć wiersz dla kolegi, od którego to wszystko się zaczęło. Zwłaszcza że jego związek wisi na włosku i być może przyda się coś takiego:

A jak mi uczucie minie,
Kupię ci ze dwa budynie.

4 marca 2013

W czasie ciszy...

...Szosa sucha? Nie, nie chodzi o ćwiczenia logopedyczne. Chociaż w sumie można przy tej okazji popracować nad dykcją. Proszę teraz szybko kilka razy powtórzyć zdanie: „Czemu czasem w czasie ciszy Czesio czosnkiem czesze czaszkę?". Ale do rzeczy.

Ze słuchaczami mojej audycji rozmawiałem na temat krępującej ciszy. Każdy kiedyś znalazł się w takiej sytuacji, ciekaw byłem, jak sobie ludzie z nią radzą. Trwają? Poeta kiedyś powiedział, że „(...) gdy się milczy, milczy, milczy, to apetyt rośnie wilczy na poezję, co – być może – drzemie w nas". Ale przecież są też jakieś granice apetytu na poezję. Jak taką ciszę przerwać? Oto wyniki badań, prawdziwe przeżycia ludzi.

Shaq:
„Znajomy moich rodziców, kiedy zapada krępująca cisza, mówi: »No i tak to jest...«", z głębokim westchnieniem na końcu. Swego czasu mieliśmy z ojcem niezły ubaw z tego i wyczekiwaliśmy krępującej ciszy w czasie spotkań".

Maciek:

„W takiej chwili zwykłem mówić: »Tak więc tego«. To nie na długo pomagało, wtedy krótkie pytanie: »Pywko?« nigdy mnie nie zawiodło...".

XXX:

„Ja zawsze mówię: – Porozmawiajmy o rewaloryzacji rent i emerytur".

Kasia:

„Moja przyjaciółka, będąc w sytuacji »sam na sam« z kolegą, który wyraźnie był nią zainteresowany i właśnie w chwili krępującej dla niej ciszy zaczął to niewerbalnie okazywać, zapytała: »Chcesz parówkę?«. Spopularyzowałyśmy tę kwestię i stosujemy w sytuacji, gdy brakuje nam przez chwilę tematu do rozmowy (tak, kobietom też się to zdarza [sic!])".

Bartek:

„Po dłuższej ciszy należy to przerwać i powiedzieć: – A teraz ty coś powiedz".

Zdarza się, że krępującą ciszę załatwi nam ktoś, kto pozornie nas kocha.

Marcin:

„Żona umówiła się z koleżanką. Z jakiegoś powodu, nie pamiętam już jakiego, ale ma to w sumie drugorzędne znaczenie, mnie umówiła z mężem tejże koleżanki. Miał on wpaść do nas, czyli do mnie, i poczekać na swoją drugą połowę. Tymczasem ta jego połowa plotkowała z moją, a obie panie do plotkowania mają dar niebywały, nie wiem, czy wrodzony, czy studiowały techniki. W każdym razie przyszło mi siedzieć długo, bardzo długo z gościem, o którym po chwili wiedziałem przede wszystkim to, że w ogóle nie mam z nim o czym rozmawiać (a ja, w przeciwieństwie do żony, nie mam daru do mówienia o niczym konkretnym). Siedzieliśmy tak, siedzieliśmy, każdy z nas od czasu do czasu próbował jakiś temat wynaleźć, ale żaden się nie przyjął. Jedynym szczęściem w tej sytuacji był fakt, że w czasie kiedy nasze panie udały się na swoje spotkanie, nam przypadło opiekować się dziećmi. Mieliśmy maluchy w tym samym wieku, w owym czasie jeszcze niemowlęcym. Nigdy wcześniej ani nigdy później nie reagowałem tak ochoczo na każdy dźwięk wydany przez synka, nigdy z takim zaangażowaniem go nie bujałem w wózku, nie machałem mu przed nosem grzechotką. Bo przecież jakoś tak zręczniej było milczeć dlatego, że się jest czymś zajętym, niż milczeć po prostu niezręcznie...".

Oczywiście zawsze można poruszyć temat pogody, można też zagaić metodą mojego ulubionego prowadzącego pewien teleturniej. Widziałem taki odcinek, w którym gościł znanych polskich sportowców. Najpierw podszedł do Otylii Jędrzejczak i zapytał: „Otylia, jak to z tobą jest? Pływasz? Nie pływasz?". W następnej rundzie stanął przed młodym narciarzem i zaskoczył go pytaniem: „Jak to z tobą jest? Jeździsz? Nie jeździsz?". Można więc przerwać niezręczną ciszę jakimś: „Jak to z tą windą jest? Jeździ? Nie jeździ?".

A właśnie! Winda! To jest naturalne środowisko krępującej ciszy.

Bogumił:

„Ja w windzie nauczyłem się *Zasad użytkowania dźwigu osobowego.* »Pkt 1. – dopuszczalna ładowność 6 osób lub 500kg«.

Wynika z tego, że średnia masa podróżującego windą wynosi 83,3333kg".

Darek:
„Kiedyś z kolegami ulepiliśmy bałwana przed blokiem, ale w obawie przed zniszczeniem postanowiliśmy, że zabierzemy go ze sobą na 10. piętro i postawimy na balkonie. Jadąc windą, każdy z nas trzymał wielką kulę śnieżną. Kiedy do windy wszedł jakiś mężczyzna, to mimo że mieliśmy atrybuty, które mogły pomóc nawiązać rozmowę, miałem wrażenie, że atmosfera zagęszcza się z każdą chwilą, a cisza znacznie się pogłębia...".

Słuchacze zwrócili uwagę na fakt wierzeń związanych z krępującą ciszą:

Agata:
„Moja śp. ciocia, która przeżyła 101 lat, jak zapadała krępująca cisza, mawiała:»Głupi się rodzi«".

Piotr:
„(...) Na obszarze byłego ZSRR, w momencie gdy nagle zapadnie cisza, mówi się: *ment rodiłsa*, czyli »gliniarz (milicjant) się urodził«. Wiara w to, że przy każdej krępującej ciszy gdzieś rodzi się milicjant, skutecznie zwalcza to zjawisko".

Gdyby wszystkie z podanych wcześniej metod zawiodły, można spróbować jeszcze jednej, zaproponowanej przez Kaśkę: „Przedmiot przydatny do przerywania ciszy: słoik po majonezie wypełniony budyniem, który następnie wyjadamy łyżeczką. Chociaż nie, częściej powoduje niezręczną ciszę, ale przynajmniej się mieści w kieszeni".

Jeremi Przybora w jednej z piosenek zalecał „(...) w czasie deszczu nie mieć dzieci". W ramach podsumowania rozważań pozwolę sobie na parafrazę tego tekstu.

Więc tu trzeba by zalecić:
W czasie ciszy bawić dzieci.
I, broń Boże, proszę pana,
Windą w górę wieźć bałwana.

11 marca 2013

Co za czasy

Każdy publicysta, poeta, pisarz, polityk... Ciekawe, że wszyscy zaczynają się na „p". Chociaż – co w tym ciekawego? Zniweczę tę ciekawostkę. Każdy publicysta, poeta, pisarz, polityk, kabareciarz, kaznodzieja, dziennikarz, filozof, socjolog... O, teraz ciekawiej, bo można powiedzieć: każdy zaczynający się na „p", „k", „d", „f", „s" stara się znaleźć możliwie celne i krótkie określenia czasów, w których żyje. Komuś zaczynającemu się na „j", czyli mnie (wiem, że to skomplikowane – zaczynam się na „j", bo „ja"), zatem komuś zaczynającemu się na „j", czyli mnie, wpadły ostatnio do głowy następujące określenia:

„Przy okazji". Niewiele zostało już takich zajęć, które są głównymi i wykonuje się je „przede wszystkim". Większość robimy „przy okazji" innego działania. Widziałem w telewizji piosenkarkę, która przyprowadziła do studia kilka psów ze schroniska, a „przy okazji" mówiła o swojej nowej płycie. Pewnie to nie był jej pomysł, ale pokazuje pewien mechanizm. Słuchałem uważnie – jedno z drugim nie miało żadnego związku, to nie była płyta o psim życiu, piosenkarka nie prowadzi schroniska, z rozmowy nie wynikało, żeby zbyt często w tym schronisku bywała. Ot, konwencja programu telewizyjnego. Właściwie nie ma już takiej prostej możliwości, żeby zaprosić piosenkarkę na rozmowę o jej płycie, a oddzielnie zrobić materiał zachęcający do adopcji psów ze schronisk. Trzeba „przy okazji". Jeśli ktoś odniósł wrażenie, że piszę to tonem pretensji, to się myli. Sam tak żyję. „Przy okazji" coś napiszę, zaśpiewam, powiem.

„Efekt naturalnego podtrzymywania biustu". Podobno taki zapewnia reklamowany w telewizji stanik. Wydawało mi się, że „naturalnie" biust podtrzymuje się sam. I każdy inaczej. Ze sformułowania użytego w reklamie wynika, że może istnieć również „efekt nienaturalnego podtrzymywania biustu". Trzeba będzie to sprawdzić przy okazji.

„Działa nawet wtedy, kiedy oglądasz telewizję". To też z reklamy. Jakiegoś przyrządu do odchudzania. W domyśle – „ty sobie oglądasz telewizję, a to sobie działa". Czyli nie przeszkadza w oglądaniu. Ale można to również rozumieć inaczej: „Nawet telewizja nie jest ci w stanie zaszkodzić, bo to i tak działa". W ten sposób powinny się reklamować niektóre kierunki na wyższych uczelniach: „Filologia klasyczna – działa nawet wtedy, kiedy oglądasz telewizję".

19 marca 2013

Gdzie ten orczyk,
przy nim ten jacht?

Zauważyłem pewną niesprawiedliwość: żeglarze mają mnóstwo piosenek, narciarze prawie w ogóle. Wiem, że łatwiej śpiewać, siedząc z gitarą w ręku na kołyszącej się łajbie, kiedy wokół ciepło i miło. Trudniej chwytać struny zmarzniętymi palcami, kiedy do pudła sypie się śnieg. Rozumiem, że pieśni narciarskich nigdy nie powstanie aż tyle, ale może chociaż kilka? Albo może łączyć? Dlaczego nie mogą powstawać szanty narciarskie? Poziom emocji jest moim zdaniem podobny. Tyle że oni tęsknią za keją, my za orczykiem. Kiedy nasze (narciarzy) szczęście zanika na kilka miesięcy, ich (żeglarzy) nagle się pojawia. Ale przecież jest wielu takich, którzy łączą te pasje. Jedną komorę serca wypełnia im szum mazurskich jezior, a drugą chrzęst karkonoskiego śniegu, rozbijanego nartą wchodzącą w skręt. W jednej półkuli mózgowej mają miejsce na morskie opowieści, w drugiej... A właśnie! Narciarskich opowieści brakuje!

Niniejszym inauguruję działalność Zespołu Pieśni Żeglarsko-Narciarskich „Wrak Człowieka". Razem z moimi kolegami muzykami będę promował ideę łączenia pasji i wzajemnej wymiany

pozytywnych emocji. Zabrałem się już do tworzenia repertuaru.
Oto fragment pierwszej pieśni. Jest to zimowa odpowiedź na napisaną kiedyś przeze mnie piosenkę *Królowa nadbałtyckich raf.*

Nazywają go Marynarz,
Bo opaskę ma na oku,
Na każdym stoku dziewczyna,
Dziewczyna na każdym stoku.
Pochodzi spod Poznania,
Podobno umie wróżyć z kart,
Panny rwie na wiązania,
Mężatki na długość nart.

Ref:
Caryco mokrego śniegu,
Ratrakiem płynę do ciebie pod prąd,
Dobrze, że stoisz na brzegu,
Bo ja właśnie schodzę na ląd...

Ma na szyi rany kłute,
Bo szaleje, jak wypije,
Narciarza uderzył butem,
Narciarz odwinął mu kijem.
Zaciąga każdą dziewczynę
Do knajpy, gdzie potworny tłum,
Szasta frytkami i winem,
Do wina dolewa rum...

Ref:
co mokrego śniegu...

Nigdy się nie lękał biedy
I się nie przejmował jutrem,
A jego ratrak był kiedyś
Zwyczajnym rybackim kutrem.
I woził dorsze, i śledzie,
Latem i zimą, przez cały rok,
Teraz, jak nieraz przejedzie,
Rybami czuć cały stok.

Ref:
Caryco mokrego śniegu…

Wiem, że to dopiero początek. Muszę się jeszcze osłuchać, poszukać inspiracji. Ale jak się rozwiniemy z Wrakiem Człowieka, to już niedługo, tak jak kiedyś Liverpool, będzie się pieśniami żegnało Białkę Tatrzańską.

29 marca 2013

Anatomia codzienności

Sam się przestraszyłem tego tytułu. Wywołuje oczekiwania nie mniejsze niż *W poszukiwaniu straconego czasu*. Ale spokojnie, „taka powieść, jaki Proust – nie dziwi nic…", że zacytuję popularną niegdyś piosenkę.

Zauważyłem, że coraz częściej w codziennych sytuacjach, w reklamach, wypowiedziach różnych ludzi pojawiają się ciekawostki z zakresu anatomii człowieka. Przykłady? Pewien znany sportowiec reklamuje w telewizji opaski magnetyczne. Jak kolano boli, to się taką opaskę zakłada pod kolano i ono nie boli. Sportowiec opowiada, że miał kłopoty z grą w tenisa, ale kolega zaproponował mu to cudo i… „Rzeczywiście! Noga nie bolała, jak ręką odjął!" Prawda, że ciekawostka?

Albo reklama kremu dla mężczyzn. Bar, impreza towarzyska w toku. Bohater chce już iść, bo następnego dnia musi wcześnie wstać, ale widząc smutne miny przyjaciół, postanawia zostać. Rano twarz ma wypoczętą, bo użył tego cudownego kremu. A lektor zachęca: „Postaw swoją twarz na nogi!". Gdybym nie widział całego kontekstu, a usłyszał tylko hasło, pomyślałbym, że to forma jakiegoś makabrycznego hazardu. Można przegrać twarz, a wygrać nogi? Już sobie wyobrażam ruletkę, na której w miejscu cyfr są wyrysowane nogi, twarze, plecy, zęby, nosy, palce... Krupier woła: „*Rien ne va plus!*", a zgromadzeni wokół kaci (bo to kacie kasyno) na chwilę wstrzymują oddech. Gdyby było odwrotnie: „Postaw swoje nogi na twarz!", to już bardziej można by skojarzyć – a to z torturami przedstawianymi w filmach sensacyjnych, a to z klasyką kina erotycznego... Ale: „Postaw swoją twarz na nogi"? Poza tym autor tego sloganu jest nieprecyzyjny. Bo określił tylko czyją twarz, ale już na czyje nogi stawiać, tego nie mówi. „Postaw swoją twarz na cudze nogi"? Niby dlaczego nie? Trzeba być precyzyjnym w podobnych przekazach. Przypomina mi się wiersz Wojciecha Młynarskiego, recytowany w kabarecie Dudek przez Edwarda Dziewońskiego. Oto fragment:

Rzekł mi raz pewien tęgi, bardzo uczony profesor:
– Niektóre powiedzonka zbyt precyzyjne nie są.
A wśród tych nieprecyzyjnych, mętnych powiedzeń grupy
Wyróżnia się to zwłaszcza, że dana rzecz jest do...
Językoznawczej lupy tak tedy tutaj użyję:
Mówiąc, że coś jest do..., należy dodawać do czyjej!

A najbardziej intryguje mnie wszechobecne „z tyłu głowy". Pojawia się coraz częściej w zestawie „mieć coś z tyłu głowy". Chyba większość używa tego w rozumieniu „trzeba o tym pamiętać, wrócić do tego za jakiś czas". Ale czy to ma uzasadnienie naukowe? Jeśli przyjąć, że pod pojęciem głowy rozumiemy mózg, że przód głowy mamy tam, gdzie na przykład jest czoło, to tył wypada gdzieś w okolicach kory ciemieniowej? Czy móżdżku? Przeprowadziłem pobieżne badania, ale niczego mi nie wyjaśniły. Z tyłu jest na przykład ośrodek wzroku. Czyli „mieć coś z tyłu głowy" oznacza po prostu „widzieć"? A jeśli „z tyłu głowy" to w móżdżku? A móżdżek odpowiada za utrzymanie pionowej postawy. Czyli „mieć coś z tyłu głowy" znaczy tyle co „stać prosto"? Całe szczęście, że amerykański prezydent zapowiedział wsparcie badań nad mózgiem, bo może wreszcie coś się wyjaśni.

Poza tym uprzejmie proszę, żeby ktoś, kto się na tym zna, objaśnił mi, gdzie się kończy głowa. Bo jeżeli tył głowy to są plecy, czyli to, co się łączy z nogami, na które stawia się twarz i które nie bolą jak ręką odjął, to może się okazać, że kiedy się mówi, że coś ma się „z tyłu głowy", to znaczy że ma się w... tym, o czym pisał Wojciech Młynarski.

Od dziś zacznę promować takie znaczenie tego sformułowania. Na przykład: „Możesz mnie pocałować z tyłu głowy".

Kwiecień 2013 („Gazeta Lekarska")

Tanio jak u mamy

Z tęsknoty za wiosną ruszyłem na południe. Do Krakowa. A dokładniej: do Nowej Huty. Wypatrywać klucza bocianów. Bo chyba tędy będą leciały? Nawet wymyśliłem wiersz na powitanie wiosny.

Tu bociany tańczą w kluczu
– HutaNowa Choo-Choo.

Powinien powstać taki taniec. HutaNowa Choo-Choo (czyt. hutanowaczuczu) tańczyłoby się, naśladując lecącego bociana. Ramiona szeroko, nogi wzdłuż tułowia i kłapiemy dziobem. Tak mi się wydaje, bo nie jestem pewien, czy bocian, lecąc, kłapie dziobem. Może kłapanie przeszkadza w locie? HutaNowa Choo--Choo to powinien być taniec aerodynamiczny. W Nowej Hucie nie spotkałem żadnego bociana. Może trzeba wypatrywać bardziej od zachodu? Od Olszyny? Od Świecka? Ruszyłem. Przy wjeździe do Oławy kolejna intrygująca tablica. (Chyba trzeba się będzie zająć analizą haseł promujących polskie miasta.) Ciągle jestem pod wrażeniem banera na murze miejscowego więzienia, z napisem: „Rawicz – zawsze otwarty". Ale ta tablica przy wjeździe do Oławy też inspirująca. Wymyśliłem wierszyk, którego puentą jest napis na niej zamieszczony.

Przechodzę katusze
Jak papuga w klatce,
Jedno z dwojga uszu
Mam chyba po matce,
Pod oczami cienie,
Choć naskórek gładki,
Skóra, mam wrażenie,
Po kuzynie matki,
W barach jestem szerszy,
Dół mi się tak zwęża,
Nos po mamy mężu pierwszym,
Stopy po dwóch trzecich mężach
(Z tym że jeden to mąż mamy,
Drugi był z sąsiedniej bramy),
Po strażaku jedno ramię,
Na policzku myszka taka
(Prawie takie samo znamię
Ma pan Janusz z warzywniaka),
Co do palca serdecznego,
Jakiś ci on taki brzydki,
(Taki palec ma pan Grzegorz,
Który kiedyś kładł nam płytki).
Komu więc mam mówić „tato"?
Skąd ja się naprawdę wziąłem?
Mama odpowiada na to:
OŁAWA – MIASTO SPOŁEM.

I jeszcze jeden napis zobaczyłem na lokalu gastronomicznym w Oławie: „Jak u mamy – danie dnia 12 zł". Przygotowałem się przed wyjazdem na święta. Policzyłem, że na wszystkie dania dnia, które przygotowała mama, musiałbym wydać według tamtej stawki 216 złotych. Ale okazało się, że u mojej mamy jest znacznie taniej. Grosza nie wydałem. Widać różne matki różnie okazują uczucia. Chyba że... Kiedy byłem dzieckiem, to mama dawała mi 5 złotych za to, że coś zjadłem. Więc może w tej restauracji dostaje się 12 złotych za zjedzenie dania? Muszę sprawdzić przy okazji następnego poszukiwania bocianów. A zanosi się na dłuższe poszukiwania. I jeszcze jedno – biorąc pod uwagę moją wagę po świętach, będę się musiał umówić z mamą, że następnym razem będzie mi dawała 5 złotych, jak czegoś nie zjem. Wtedy wyjdzie na jaw, czy jestem bardziej pazerny, czy łakomy.

4 kwietnia 2013

Tata Dobra Rada

Zazdrościłem kolegom ojców chętnych do udzielania rad. Mój zazwyczaj mówił: „Rób, jak uważasz" i z dystansu (ale bezpiecznego, żeby mógł zareagować w każdej chwili) obserwował, co ja uważam. Pewnie to była jakaś forma wychowywania do samodzielności, ale myślałem wtedy, że łatwiej byłoby, gdyby tata podjął decyzję. Albo przynajmniej coś poradził. O, dobry temat do badań – rodzicielskie rady. Szybkie pytanie skierowane do słuchaczy mojej audycji i oto efekty:

Maciek:
„Mój syn w wieku 2 lat miał kłopoty z zasypianiem, bo zawsze chciał pić. Problem zniknął, kiedy zacząłem mu mówić: »Napijesz się, jak zaśniesz«".

Tomek:
„Ja: – Mamo, bardzo mnie boli ręka, jak nią ruszam.
Mama: – To nie ruszaj".

Monika:

„Moi rodzice, kiedy byłam nastolatką, dawali mi radę przed wyjściem ze znajomymi:

– Tylko się nie sponiewieraj.

Kiedy spotykałam się z chłopakiem, ojciec powiedział, bardziej do niego niż do mnie:

– Tylko rób tak, żeby dziecka nie było.

A kiedy zamieszkaliśmy razem, tata na to:

– Tylko rób tak, jak do tej pory.

Na marginesie – rady nie posłuchaliśmy, nasz syn ma 1,5 roku".

Baśka:

„Rada z serii kulinarnych, udzielona nastoletniej córce ćwiczącej się w sztuce gotowania:

– Jeżeli zupa jest wstrętna, to znaczy że trzeba ją posolić".

Lilka:

„Kiedy zapytałam mamę, czym się kierować, szukając dla siebie mężczyzny, poradziła, żeby wybrać takiego z »suchym tyłkiem«".

Marta:

„Mistrzem dobrych rad w domu był mój ojciec, za młodu człowiek dosyć nerwowy, niecierpliwy. Najlepsza rada, jaką kiedykolwiek usłyszałam, tyczyła się kaszlu. Dziecko chore, to kaszle. Ale to takie denerwujące, więc tata radzi:

– Dziecko, panuj nad tym!".

Ewa:

„Nasz tata mawiał do mnie i do mojego brata:

– Dzieci, pamiętajcie, nie wolno kraść! Jak będziecie czegoś potrzebowały, to wam tatuś z pracy przyniesie".

Ola:

„U mnie w domu tata, po poinformowaniu go, że: »Tato, ja już nie mogę…«, zawsze powtarzał jakże praktyczną poradę:

– To podnieś nogę…

I wtedy człowiek jakoś tak się w sobie zbierał i szedł dalej. Niedawno zauważyłam, że poradą tą dzielę się ze swoim sześcioletnim synkiem".

Opowieść Oli otwiera nam kolejną kategorię – wsparcie dobrym słowem. Rodzice potrafią.

Kasia:

„Na wiele miesięcy przed moim ślubem mama codziennie zaklinała rzeczywistość:

– Żeby tylko pogoda była piękna, bo jaka pogoda, takie i życie.

W dzień ślubu, rzecz jasna, nastąpił pogodowy kataklizm, z całodziennym oberwaniem chmury na czele. Rankiem mama wparowała z uśmiechem do pokoju i od progu obwieściła:

– Kochanie, niczym się nie przejmuj! Ile deszczu, tyle pieniędzy!!!".

Rafał:

„Mama do syna (czyli do mnie) w okresie stresu przedmaturalnego, ładnych parę lat temu:

– Nie martw się, nie takie głąby zdawały maturę".

Kuba:

„Wpis od ojca do książki pamiątkowej z I Komunii: »Mam nadzieję, drogi Kuba, że twa żona będzie gruba«.

Na razie jeszcze nie utyła".

Ola:

„Zdarzyło mi się kiedyś powiedzieć do dziecka, które się prze-
wróciło:

– Chodź, kochanie, to mamusia cię podniesie.

Może to nie do końca rada, ale synek przyszedł i było po płaczu".

I to jest chyba najważniejsze! Nie rada (której przecież i tak,
przez swoją dziecięcą przekorę, nie posłuchamy), ale świadomość, że w pobliżu jest ktoś, do kogo można zawsze pójść, a ona
lub on nas podniesie.

16 kwietnia 2013

Orzeł może

Nie chodzi o to, że jest cudownie. Bo nie zawsze jest. Ale jak się do siebie nawzajem uśmiecha, to jakoś łatwiej. Nawet wtedy, kiedy nie jest cudownie. Radiowa Trójka rusza z akcją „Orzeł może".

Dostałem propozycję napisania piosenki towarzyszącej temu wydarzeniu. Napisałem. Łukasz Borowiecki dokomponował bigbitową muzykę. Ale kto ma zaśpiewać? Od razu pojawiło się kilka wymarzonych nazwisk. A potem pojawiły się obawy. Bo możemy to nagrać tylko w czwartek. Tylko wtedy jest wolne studio. Żeby tylko mogli w czwartek... Na szczęście mogli. Ania Rusowicz, Stanisław Soyka i Piotr Rogucki. Skład zaskakujący? Tym lepiej! Nazwę dla zespołu już miałem wymyśloną: Mogliwczwartek. I zaśpiewali. Nie wierzę, że po wysłuchaniu piosenki *Orzeł może* wszyscy nagle zaczną patrzeć na świat z niczym nieuzasadnionym optymizmem. Nie radzę. Ale może przynajmniej ktoś się uśmiechnie?

Możesz nosić okulary,
Możesz kontraktować zboże,
Czesać się jak Zygmunt Stary,

Jesteś orzeł. Orzeł może.
Spodnie możesz nosić szersze,
A na bluzce wilkołaki,
Ręcznie przepisywać wiersze,
O, na przykład taki:

Ref:
Człowieku! No przecież,
Jak sam nie chcesz, to się nie ciesz,
Ale niech cię tak nie peszą,
Ci, co się do ciebie cieszą,
Chudzi, grubi,
Starzy, młodzi,
Daj się lubić,
Co ci szkodzi?

Możesz wracać z biblioteki
O nieprzyzwoitej porze,
Regulować brwi i rzeki,
Jesteś orzeł. Orzeł może.
Możesz tutaj i gdzie indziej
Zbierać grzyby, szczaw i miętę,
Z zaskoczenia śpiewać w windzie
Ludziom z różnych pięter:

Ref:
Człowieku! No przecież,
Jak sam nie chcesz, to się nie ciesz,
Ale niech cię tak nie peszą,
Ci, co się do ciebie cieszą,
Chudzi, grubi,

Starzy, młodzi,
Daj się lubić,
Co ci szkodzi?

Możesz poznać w leśnej głuszy
Miłych państwa z Państwa Środka,
Jeśli z domu się nie ruszysz,
Trudno będzie kogoś spotkać.
Możesz poczuć w sercu kłucie,
Może zrobi się przyjemnie,
Tylko raz się do mnie uciesz,
Uśmiechnij się ze mnie.

Ref:
Człowieku! No przecież,
Jak sam nie chcesz, to się nie ciesz,
Ale niech cię tak nie peszą,
Ci, co się do ciebie cieszą,
Chudzi, grubi,
Starzy, młodzi,
Daj się lubić,
Co ci szkodzi?

23 kwietnia 2013

Maj Miesiącem
Jerzego Wasowskiego

W imieniu ONZ, a zwłaszcza UNESCO, w imieniu UE i NATO, Trójkąta Weimarskiego i Czworokąta Wyszehradzkiego maj ogłaszam Miesiącem Jerzego Wasowskiego. Nikt mi nie dawał upoważnienia do wypowiadania się w imieniu tych organizacji, ale może tylko dlatego, że nigdy o to nie spytałem. W pewnym sensie jestem członkiem wszystkich tych organizacji, więc raz na jakiś czas mogę w ich imieniu podjąć jakąś decyzję. Chciałbym również zabrać głos w imieniu G8 – grupy ośmiu najbardziej wpływowych państw świata, ale jeszcze chwilę się powstrzymam.

No więc Maj Miesiącem Jerzego Wasowskiego ogłaszam, bo Mu się należy. I majowi (mieć takiego patrona), i Jerzemu Wasowskiemu. Ten wybitny kompozytor, jeden z dwóch Starszych Panów, urodził się w maju, dokładnie sto lat temu. W warszawskim Teatrze Syrena przygotowano z tej okazji spektakl *Śpiewnik Pana W.*, przypominający te najbardziej i te mniej znane piosenki autorstwa Jerzego Wasowskiego. Ja napisałem wiersz, który

niniejszym publikuję jako propozycję inauguracji obchodów
i moją prywatną akademię ku czci.

Panwasoski, czyli skutki dziecięcego przesłyszenia

Byłem wtedy jeszcze mały,
Miałem blond kręcone włoski,
Gdy znienacka usłyszałem
Tajemnicze: „panwasoski".
Mama z tatą byli młodzi,
Mama głosem pełnym troski
Powiedziała: – Nie wychodzisz,
Bo wieczorem „panwasoski"!
Kaszka mi stanęła ością,
Gdy patrzyłem w oczy taty,
Pomyślałem, że z pewnością
„Panwasoski" to są skrzaty,
Które swe muskułki prężą
I są strażnikami kluczy,
Młodym ojcom oraz mężom
Się nie pozwalają włóczyć.
– „Panwasoski". – Strzygę uchem,
– „Panwasoski". – Tajemnicze…
Tata strasznym jest łasuchem,
Więc być może to słodycze?
W każdym razie coś smacznego,
Taki chytry plan mamusi,
Że zniechęca do kolegów
I „panwasoskami" kusi.
Dziś, gdy już mam słabsze włoski,
Lecz mocniejsze okulary,

Wiem, że tamte „panwasoski"
Mogą być jednostką miary.
Czegoś, co przez lata całe
Wprowadzało w stan zachwytu,
Telewizji czarno-białej
Dodawało kolorytu,
Elegancko i uprzejmie
Wprowadzało w nastrój błogi…
Wnoszę więc, Wysoki Sejmie,
Żeby ustanowić progi.
Niech podnoszą miasta, wioski,
Poziom wdzięku i kultury:
Dwie dziesiąte „panwasoski"
Dopuszczają do matury,
Pięć dziesiątych – wynik świetny,
To jest próg dla profesorów,
Minimalnie osiem setnych
– Rejestracja do wyborów.
I przypominajmy stale:
„Panwasoski" to jest pakiet
– Pracowitość, dowcip, talent
I skrojony dobrze żakiet,
Może mamy mało krzemu,
Niskie góry, chłodne morze,
Ale równo sto lat temu
Bóg Polakom zesłał wzorzec.
Przez co, nawet w trudnych czasach,
Rozjaśniała nam oblicza
Myśl, że jest na świecie klasa
Nie wyłącznie robotnicza.
Mówią, że Ty wszystko możesz,

Więc na koniec składam wniosek:
Jakimś cudem zmień nas, Boże,
W kraj kwitnących „panwasosek".

30 kwietnia 2013

Z cyklu „Części ciała inaczej", odcinek 1.: „Stopy"

W książce Krystyny Sienkiewicz *Cacko* znalazłem opis wakacyjnych wypraw młodych artystów na Mazury. I wspomnienie mieszkającej tam babci Kwiatkowskiej: „Babcia Kwiatkowska była mniejsza ode mnie, ale miała wielką stopę. Kiedyś zapytałam jej córkę, jak to możliwe, że babcia jest taka mała, a ma taką wielką stopę? Nie zastanawiając się, odparła: – Kiedyś była duża, ale się zdeptała".

O, i tak powinien być skonstruowany człowiek! Nie tracisz czasu na bezsensowne rozmowy z kimś, kto niewiele wie o życiu. Widzisz, że niski i z dużą stopą – znaczy że trochę już przeżył, że może mieć coś mądrego do powiedzenia. Wysoki w małych bucikach – trzeba jeszcze parę lat poczekać.

Te dwa czynniki muszą występować razem. Sam wzrost (lub raczej jego brak) może świadczyć o innego rodzaju przeżyciach. Jeden z moich (niewysokich) kolegów artystów estradowych twierdzi, że kilkadziesiąt lat temu był koszykarzem, ale trema go zżarła. Przy najbliższej okazji muszę go spytać o numer buta... Czy trema żre całość ciała proporcjonalnie? Czy stóp nie rusza?

Więc nie tylko wzrost, ale i stopy. Z wiekiem powinny się człowiekowi powiększać. Dosłownie i w przenośni. Stopa jako część ciała i poziom życia. Emeryci powinni dostawać specjalne dodatki, tak zwane butowe.

Należałoby jeszcze rozróżnić znaczenie długości i szerokości stopy. Długość mogłaby być odpowiedzialna za przeżycia natury ogólnej, szerokość za miłość. Już mam pomysł na całoroczną piosenkę liryczną:

Gdy dla Ciebie piszę wiersze,
Ty masz stopy coraz szersze,
Ale kiedy widzisz męża,
Stopa ci się zwęża.

Albo na piosenkę wakacyjną:

Ślady naszych stóp na piasku
Wyszły spod porannej mgły,
Ludzie myślą, że szło yeti,
A to szliśmy my.

Albo na smutną pieśń na rozstanie:

Chwile razem nam się wloką,
Marzę o piękniejszym życiu,
Stopę masz nie za szeroką
I niską w podbiciu.

A właśnie, jeszcze tego elementu nie omówiliśmy – podbicie stopy. Może być odpowiedzialne za fantazję. Albo za zaradność.

Albo wierność – ten, kto ma niskie podbicie... Zresztą przyjrzyjcie się własnym stopom i sami wyciągnijcie wnioski.

Albo przyśpiewki ludowe:

Matulu, tatulu,
Nie siedźcie nad piwem,
Kupcie mi trzewiki czarne,
Byle rozciągliwe.
Kupcie sznurowadła złote,
Niech mi na zabawie błysną,
Bo ostatnio co sobotę
Strasznie mnie sandały cisną.

Nie znalazłem w książce opisu samego procesu „sięzdeptania". Czy to tylko upływ czasu? Troski? Ciężka praca? A może skłonność do romansów i hulaszczy tryb życia? W każdym razie określenie bardzo mi się spodobało. Marzę o tym, żeby przyszły czasy takiej wolności i tolerancji, w których każdy człowiek będzie miał prawo do samodzielnego wyboru sposobu „sięzdeptania". Żeby nikt nie był deptany przez innych. Chciałbym w tej ostatecznej chwili móc o sobie powiedzieć: „Szkoda, że to już, ale przynajmniej całkiem przyjemnie się zdeptałem".

Maj 2013 („Gazeta Lekarska")

Zasłyszane, przeczytane, zobaczone, benefis

Zasłyszane w budce z kebabem:
– Z baraniny?
– Baraniny nie lubię.
– To z kurczaka?
– A nie ma pan mięsa lamy?
– A gdzie pan jadł taki kebab?
– W Londynie jadłem tylko z mięsa lamy.
– A wie pan, że po angielsku *lamb* to baranina?
– Niemożliwe. Baraniny nie lubię.

Przeczytane w Internecie. O piosenkarce:
– Ma wspaniały głos, świetne nogi, bardzo dobrze się prezentuje na scenie – aż chce się z nią nagrywać piosenki.

Autor tych słów nie wyjaśnił, co w tym nagrywaniu jest ważniejsze: głos czy nogi. Podejrzewam, że nogi. Im dłuższe, tym wyżej artystka może zaśpiewać?

Zobaczone w drodze.

Zatrzymałem się pod słynną figurą Chrystusa w Świebodzinie. Robi wrażenie. Wysoka. Podobno do niedawna najwyższa na świecie. U stóp stoi skarbonka na ofiary. A ofiary zbierane są na:

a) budowę alejek,

b) budowę wodospadu.

Alejki jak alejki, ale wodospad widzę ogromny. Mam nadzieję, że budowniczy nie będą powstrzymywali swojego temperamentu i już niedługo koło Świebodzina będziemy mogli podziwiać coś większego niż przereklamowana Niagara.

Benefis.

Na krakowskim Przeglądzie Kabaretów PAKA zorganizowano mi benefis. Sprawdziłem, co to znaczy. Znalazłem na przykład taką definicję:

„Benefis – spektakl, koncert, pokaz lub podobna uroczystość, wydana dla konkretnej osoby, zespołu lub instytucji, dla uczczenia dorobku jej działalności. W uroczystości takiej występuje sam uhonorywany podmiot, czyli benefisant, oraz zaproszeni przez benefisanta goście. Uroczystość ma charakter retrospektywny i odbywa się najczęściej z okazji jubileuszu”.

Tyle że ja… Chyba nie obchodzę żadnego jubileuszu? Z tym dorobkiem do uczczenia też bym nie przesadzał. Chociaż… Zaczynają do mnie docierać coraz bardziej zaskakujące informacje. Jeden z kolegów muzyków opowiadał o sytuacji z występu jego zespołu jazzowego dla pracowników jakiejś firmy. To, co mieli w repertuarze, niespecjalnie odpowiadało gościom wieczoru. W końcu do lidera podszedł lekko już „ubankietowiony” organizator i zaproponował:

– Zagrajcie coś Rolling Stonesów. Albo *Piłem w Spale, spałem w Pile.*

Ale czy to już wystarczający powód do organizowania mi takich uroczystości?

Wiem! Usłyszeli w radiu, że kaszlę! A jak ktoś zaczyna kaszleć, to trzeba mu czym prędzej zrobić benefis. Żeby zdążyć.

Benefis jest też dobrą okazją do sponiewierania benefisanta. Tak było i tym razem. Bliscy mi dotychczas ludzie kazali mi się na oczach zdziwionej publiczności między innymi przebrać w kompletny strój świnki i zatańczyć na stole. Ale spokojnie! Przyjdzie czas wyrównywania rachunków! Oni też będą mieli benefisy!

Przy okazji tej uroczystości zacząłem się poważniej zastanawiać nad sensem i celem tego, co robię. Sens jest taki, że niczego innego robić nie potrafię. Ale jaki jest cel? Do czego zmierzać? Od wczoraj już wiem. W Sztokholmie otworto muzeum Abby. I jeszcze podano, że zespół sprzedał ponad 370 milionów płyt. Z płytami mogę nie dać rady, ale będę robił wszystko, żeby kiedyś powstało moje muzeum w Sztokholmie. A gdyby się nie udało, to proszę mi w rodzinnym Sanoku wybudować wodospad. Będzie to akt o wymiarze symbolicznym. Przecież od lat zawodowo zajmuję się laniem wody.

8 maja 2013

Podanie

Wzruszyłem się. Chyba zawyżam Narodową Średnią Wzruszeń (NŚW), bo to już trzeci raz w tym roku. I to nie przez książkę, film, piosenkę czy widok ptaszka lecącego z patyczkiem w dziobie w kierunku drzewa, w którego gałęziach urządza gniazdo dla siebie i swojej wybranki, w ramach programu „Ptaszyna na swoim".

Dostałem oryginał mojego podania o przyjęcie do liceum. I się wzruszyłem. Kartka papieru kancelaryjnego, jeszcze nie całkiem pożółkła. Staranne pismo, równe marginesy. W lewym górnym rogu imię, nazwisko i adres, w prawym miejsce i data:

„Sanok 86-04-02

Dyrekcja II Liceum Ogólnokształcącego
w Sanoku
ul. Mickiewicza 11

Uprzejmie proszę o przyjęcie mnie do klasy pierwszej liceum ogólnokształcącego, o profilu matematyczno-fizycznym.

Prośbę swą motywuję tym, że interesuję się fizyką i matematyką, i chciałbym rozwijać swoje zainteresowania w tym kierunku.

Brałem udział w olimpiadach:
– z matematyki – zawody rejonowe,
– j. rosyjskiego – 6. miejsce na szczeblu miejskim,
– z geografii – 12. miejsce na szczeblu rejonowym.

Artur Andrus

Załączniki:

1. Wykaz ocen za I półrocze kl. VIII.
2. Świadectwo ukończenia szkoły podstawowej (po zakończeniu nauki).
3. Świadectwo zdrowia.
4. Wyciąg z dowodu osobistego rodziców.
5. Trzy fotografie.

Mój Boże! Maleńki Arturek swoją malutką rączką pisał coś takiego prawie trzydzieści lat temu! A ileż w tym fantazji! Proszę o przyjęcie do klasy matematyczno-fizycznej, bo interesuję się fizyką i matematyką! Ciekawe, czy zdarzył się kiedyś ktoś, kto prosił o przyjęcie do klasy biologiczno-chemicznej, gdyż interesował się historią, ale już nie chce się rozwijać? I te oszałamiające sukcesy w olimpiadach! To musiało robić wrażenie na członkach komisji rekrutacyjnej. Ciekawe, ilu było uczestników rejonowego szczebla olimpiady geograficznej? Trzynastu? Czternastu? Gdyby było tylko dwunastu, pewnie bym się nie posłużył miejscem. Zastosowałbym ten sam wybieg, co w przypadku olimpiady z matematyki.

Może to przypadek, ale zaraz po przejrzeniu mojego podania o przyjęcie do liceum trafiłem w gazecie („Rzeczpospolita") na artykuł *Polska potęga nastoletnia*, wychwalający naszych licealistów, którzy uczestniczyli w Światowej Olimpiadzie Fizycznej w Indonezji. Jakub wspomina: „Musiałem m.in. obliczyć kształt tornada, a także jak szybko beczka z piaskiem wypełni się ropą naftową wpływającą do niej pod dużym ciśnieniem...". Że też nikt nie zaprotestuje! Toż to najlepszy dowód na próbę drenażu polskich mózgów! Jakie tornado? Jaka ropa? Polski uczeń powinien obliczać kształt halnego, który pod ciśnieniem do beczki z piaskiem wciska wodę z potocka, hej!

I jeszcze jedno – może ktoś z Państwa mi wyjaśni, co to oznacza? – śni mi się, że piszę maturę. I że nic nie wiem. A drugi sen mam taki, że uświadamiam sobie, że skończyłem studia, mam dyplom, pracuję już parę lat, ale chyba wcześniej nie zdałem matury. I we śnie zaczynam się martwić, że wszystko, co dotychczas zrobiłem, było „na czarno", że nielegalnie używałem tytułu „redaktor". Że ktoś to odkryje, wyrzuci mnie z radia, zabroni występów. Że będę musiał jeszcze raz prosić o przyjęcie mnie do liceum i prośbę swą motywować tym, że chciałbym zdać maturę, bo wcześniej nie zdałem. I czym ja się w podaniu pochwalę? Że zająłem dwunaste miejsce na szczeblu rejonowym ogólnopolskiego konkursu poetyckiego o województwie podkarpackim „Wszystko jest Podkarpacie"? Oto nagrodzony wiersz. Zatytułowałem go *Dębica, Dębica*.

Dębica, Dębica,
Piękna okolica,
Chociaż zimą ślisko,
Do Rzeszowa blisko,
Mieszkam tutaj z matką

I wyjeżdżam rzadko,
Bo
Dębica, Dębica,
Piękna okolica.

W *Księdze Snów*, którą kiedyś kupiłem na straganie, nie ma hasła „matura". Jest tylko „matka" („Słyszeć wołanie matki – nie robimy tego, co powinniśmy"), a potem „medal" („Zgubić medal – koniec zmartwień związanych ze zdrowiem"). A „matury" nie ma. Czyżby tylko mnie jednemu się śniła?

16 maja 2013

Honorowy motorniczy

Historii można się uczyć wszędzie. Na przykład w samochodzie. Niedawno tak właśnie dowiedziałem się czegoś o rozegranej w okolicach Kętrzyna bitwie litewsko-krzyżackiej. Jadę sobie, słucham radia, a pan w wiadomościach zapowiada rekonstrukcję tej bitwy. I kończy takim komunikatem:

– Bitwa potrwa godzinę i zakończy się zwycięstwem wojsk krzyżackich.

Jeśli to wierna rekonstrukcja, to długo się rycerze nie męczyli. Nie miałem pojęcia, że dawni wodzowie tak precyzyjnie umawiali się na bitwy. Może przestrzegania czasu walki pilnowali przedstawiciele Związku Zawodowego Rycerzy i Wojów „Cięciwa"?

Jestem zachwycony konkretem tej zapowiedzi. Człowiek wie, co go czeka, nie wygłupi się, wręczając na koniec rekonstrukcji kwiaty księciu litewskiemu. A jeśli już, to chryzantemy. A mistrzowi krzyżackiemu jakieś weselsze, na przykład goździki. Tego typu konkretne informacje należałoby podawać w przypadku każdej zapowiedzi: meczu („Spotkanie potrwa 94 minuty i zakończy się zwycięstwem Borussii Dortmund"), kolejnego odcinka serialu („Romans Marty i Janusza potrwa 12 minut i to ona zdradzi go z Maćkiem"), książki („Powieść potrwa 320 stron i zabije Kenneth"), wyborów („Kampania potrwa miesiąc i wygra chadecja").

Historii można się uczyć wszędzie. Nawet na wieczorach kabaretowych. Niedawno prowadziłem taki w Olsztynie i dowiedziałem się, że kiedyś po tym mieście jeździły tramwaje. Pojawiło się nawet historyczne zdjęcie z 1959 roku, kiedy to Olsztyn otrzymał w darze tramwaj od Koszalina. Nie wiem, jak się rozwinęła przyjaźń olsztyńsko-koszalińska (bo na przykład nie podano informacji, czy Koszalin podarował ten tramwaj dobrowolnie), ale obrazek był tak piękny, że podsunął mi pewien pomysł, który ja podsuwam teraz stosownym władzom. Otóż przyjaźń między miastami powinna być symbolizowana przekazywaniem sobie tramwajów. Bez względu na to, czy obdarowywany ma sieć torów tramwajowych i linii energetycznych umożliwiających uruchomienie takich połączeń. Chodzi o symbol. Darowanie sobie tramwaju to coś więcej niż wymiana młodzieży, wizyta samorządowców, podpisanie porozumienia o współpracy na poziomie podstawowych szkół muzycznych. Może nie jeździć. Niech stoi w centralnym punkcie miasta jako mechaniczny dowód prawdziwej przyjaźni. Można w nim otworzyć kawiarnię, małe kino, muzeum. Albo prowadzić w tramwaju warsztaty tradycyjnego wypieku chleba w bawarskich strojach lnianych z XVIII wieku. To co, że nie ma tradycji? Ona się stworzy. Za kilkadziesiąt lat będzie się pokazywało zdjęcia z uroczystości przekazania tramwaju. Można ustanowić tytuł „honorowego motorniczego miasta", pisać piosenki. Zainspirowany tym zdjęciem z 1959 roku, zacząłem pisać taką o olsztyńskim motorniczym:

Motorniczego z Olsztyna
Pożąda każda dziewczyna,
Bo motorniczy z Warmii

Popieści i nakarmi,
Bo warmiński motorniczy,
Nie kłóci się, nie handryczy
Tylko jak wróci z roboty
Rzuci dwaeścia złoty*
I całując żonę w twarz,
Powie krótko: „Masz".

Oszałamiająco przystojny motorniczy mógłby spoglądać uwo-
dzicielsko z plakatów zapraszających do odwiedzenia miasta.
Mężczyzn zachęcałby do przyjazdu slogan reklamowy:

„Lasy z żywą dziczyzną!
Jedź do Olsztyna, kolego!
Tutaj czeka na ciebie, mężczyzno,
Żona motorniczego".

Jeszcze raz apeluję: obdarowujmy się tramwajami! Tramwaj
– to brzmi dumnie!

24 maja 2013

---

* dwaeścia złoty – właśc. dwadzieścia złotych – branżowe określenie kwoty wręczanej żonie, używane w środowisku warmińskich motorniczych
w połowie XX wieku (przyp. aut.).

PBT
(Przerażający Brak Tematu)

„**S**kąd pan czerpie pomysły?" to jedno z najczęściej zadawanych przez dziennikarzy pytań. I jedno z najbardziej denerwujących. Bo nie czerpię. Jeden z moich kolegów, artysta kabaretowy, nękany tym pytaniem odpowiedział kiedyś pani dziennikarce: „Wie pani, w czasie wakacji na Węgrzech zobaczyłem w kiosku taki poradnik: *1000 pomysłów na skecze*. Kupiłem i teraz sobie z tego węgierskiego poradnika czerpię pomysły". Pani uwierzyła i wydrukowała taką odpowiedź.

U mnie to jest tak: nieraz jakiś temat rzuci się do głowy i już nie mogę się doczekać, kiedy go będę mógł Czytelnikom oddać pod rozważania. A nieraz siedzę, słucham, czytam, patrzę... I nic! Przeglądam, na przykład, stare teksty, które kiedyś napisałem do gazety dla Policji. I kombinuję, że może po drobnej przeróbce coś się nada. Znalazłem taki interwencyjny, w którym opisywałem awanturę o nowe mundury. Podobno były wadliwe i odlatywały z nich litery z napisu „POLICJA". Takie naklejone. I robiło się „(...)OLICJA", „PO(...)CJA", „O(...)JA" i tak dalej. I jak to niby przerobić dla, choćby, lekarzy? Że personelowi medycznemu

216

litery „POLICJA" odklejają się od fartuchów? Przecież to durne. Nie nada się.

Do Internetu zaglądam. Pierwsze, co wpada mi w oczy, to informacja, że „Zbigniew Wodecki protestuje przeciwko zdjęciu dobranocki". Oczywiście zajrzałem, bo pomyślałem, że Internetowi też odkleiła się jedna litera, że powinno być: „Zbigniew Wodecki protestuje przeciwko zdjęciu z dobranocki". I że zobaczę jakieś kompromitujące fotografie Reksia z Makową Panienką. Ale nie. Chodzi po prostu o to, że prezes TVP chce usunąć z programu bajkę dla dzieci o godzinie 19.00, a Zbigniew Wodecki nie chce, żeby prezes usuwał. Ale czy to jest temat dla lekarzy?

Jest! W radiu mówili, że pogotowie ratunkowe ma kłopoty z fotoradarami. Podobno od kiedy te urządzenia stanęły w naszym kraju prawie wszędzie (słyszałem o pomyśle instalowania ich w windach i karania za zbyt szybkie pokonywanie odległości pomiędzy trzecim a czwartym piętrem), stacje pogotowia zasypywane są zdjęciami i muszą udowadniać, że karetka była akurat w akcji. Bo fotoradar nie zawsze wstrzeli się i zarejestruje błysk koguta. A moim zdaniem to akurat dobrze. Niech pogotowie płaci. A cały dochód z akcji niech będzie przeznaczony na szkoły. A z mandatów, które wpłyną za radiowozy policji i straży miejskiej oraz wozy strażackie w akcji, niech będzie wspierana służba zdrowia. Zacieśni to kontakty między różnymi instytucjami sfery budżetowej, dzieci ze szkoły zaproszą kierowców karetek na akademię, dziewczęta w biało-granatowych strojach podziękują wierszem za podreperowanie budżetu placówki edukacyjnej:

Popatrzyłam w górę,
Niebo aż się gwieździ,
Dobrze, że pan Jurek
Jak szalony jeździ.

Księżyc dzisiaj w nowiu,
Kogut sobie błyska,
Dzięki pogotowiu
Za remont boiska.

Oczywiście nie można przekroczyć pewnych norm. Narodowy Fundusz Zdrowia powinien wyznaczyć limity kwot wydawanych przez pogotowie na mandaty. Czyli tak: od lutego można przekraczać prędkość najwyżej o 10 km/h, a od marca do grudnia karetki będą jeździły do akcji zgodnie z przepisami ruchu drogowego. Zapisy na naprawdę szybką pomoc będą przyjmowane z półtorarocznym wyprzedzeniem.

Nie, to też nie temat. Trzeba będzie się wybrać na wakacje na Węgry i poszperać po kioskach.

Czerwiec 2013 („Gazeta Lekarska")

Cyniczne córy Zurychu

W trosce o jak najwyższy poziom polskiej rozrywki postanowiłem wypełnić luki w rodzimym show-biznesie. Doskwiera
mi zbyt mała liczba piosenek tureckich wśród tych prezentowanych w ramach festiwali i w programach muzycznych.
Prawdę mówiąc, nie wiem, kiedy ostatnio polska piosenkarka
albo polski piosenkarz zaśpiewali porządną turecką piosenkę.
Założyłem zespół, którego celem ma być propagowanie tureckich piosenek na polskim rynku. Zespół nazywa się Westchnienie Haremu. W pierwszej wersji nazywaliśmy się Straż-
nicy Haremu, ale jeden z muzyków wyczytał w przewodniku
po Stambule, że harem to „(...) część pałacu przeznaczona dla
żon i nałożnic sułtana, która strzeżona była przez czarnych
niewolników – eunuchów". Wtedy to jednogłośnie podjęliśmy
decyzję o natychmiastowej zmianie nazwy. Jako Westchnienie
Haremu mamy za sobą pierwszy występ w telewizji. Zaprezen-
towaliśmy turecką odpowiedź na starą polską śpiewkę: „Cztery
córy miał tata, stary młynarz ze Zgierza, każda piękna, bogata,
każda chciała żołnierza". W naszej wersji występują córki pewnego tureckiego taty. Nie jest do końca pewne, kim tata Turek
był z zawodu. Możemy przyjąć, że zajmował się profesjonalnym

wypalaniem sziszy i rozwiązywaniem karniszy (oryginalna pisownia: „karnishy" – są to staroturieckie krzyżówki drukowane w kwartalniku „500 Panoramicznych Karnishy Staroturieckich").
Córek było sześć: Ajsze, Baszak, Fatma, Dżanan, Burczu i Raszida (pisownia spolszczona, i tak pewnie niezbyt udolnie, bo konsultacje językowe odbywały się przez telefon). Oto tekst piosenki:

Ma stary tata Turek
Sześć zaradnych córek:
Ajsze, Baszak, Fatma, Dżanan, Burczu i Raszida.
Gdy się na córki złości,
To w tej kolejności:
Ajsze, Baszak, Fatma, Dżanan, Burczu i Raszida.
Którejś nocy wyszły z domu
I uciekły po kryjomu
Ajsze, Baszak, Fatma, Dżanan, Burczu i Raszida.
Dostał tata wieści, z których
Wyszło, że są w mieście Zurych,
Trafił tatę szlag
I zakrzyknął tak:

Ref:
Cyniczne córy Zurychu,
Potępiam was wszystkie w czambuł,
Cyniczne córy Zurychu,
Płacze za wami Stambuł.

A już po latach paru
Wyszły za Szwajcarów
Ajsze, Baszak, Fatma, Dżanan, Burczu i Raszida.

I stało im się bliskie
Jezioro Zuryskie
Ajsze, Baszak, Fatmie, Dżanan, Burczu i Raszidzie.
Ich mężowie, śliczni chłopcy,
Pięciu braci, jeden obcy:
Simon, Lukas, Christian, Tobias, Jonas i Andreas.
Dostał tata Turek zdjęcia,
Każde z podobizną zięcia.
Porwał tatę szał,
Włosy z głowy rwał.

Ref:
Cyniczne córy Zurychu,
Potępiam was wszystkie w czambuł,
Cyniczne córy Zurychu,
Płacze za wami Stambuł.

Pracują wszystkie razem,
Z Rosją handlują gazem
Ajsze, Baszak, Fatma, Dżanan, Burczu i Raszida.
Statkami ślą przez Bosfor
Uran, miedź i fosfor
Ajsze, Baszak, Fatma, Dżanan, Burczu i Raszida.
W tajemnicy przed mężami
Handlują też wyrzutniami
Ajsze, Baszak, Fatma, Dżanan, Burczu i Raszida.
Tata zaś u życia kresu
Został gwiazdą show-biznesu,
Radio Stambuł 2
Na okrągło gra:

Ref:
Cyniczne córy Zurychu,
Potępiam was wszystkie w czambuł,
Cyniczne córy Zurychu,
Płacze za wami Stambuł.

Być może nawet udałoby się uruchomić jakiś specjalny fe-
stiwal? Ogólnopolski Przegląd Piosenki Tureckiej? Tylko gdzie?
Może w Koninie albo w Kaliszu? Dlaczego? Bo blisko do Turku.
A dlaczego nie w samym Turku? Bo to zbyt oczywiste.

5 czerwca 2013

Bieszczadzki Striptiz Wolności

W drugiej części pracy Krzysztofa Potaczały *Bieszczady w PRL-u* znalazłem opis batalii o utworzenie „studenckiej wioski skansenowej" w dolinie Łopienki. W skrócie – pasjonat, historyk sztuki i miłośnik bieszczadzkiej przyrody wpada na pomysł urządzenia pod auspicjami socjalistycznej organizacji studenckiej czegoś na kształt skansenu. Chce ściągnąć parę starych chat, niszczejących cerkwi, myśli o jakimś spichrzu. A wszystko po to, żeby ocalić fragmenty historii tego terenu i jego przyrodę (wioska ma być pozbawiona elektryczności, kanalizacji, ma być jak najściślej chroniona przed zdobyczami cywilizacji). Komunistyczna władza od razu czuje w tym jakiś szwindel, podejrzewa chęć „odradzania ukraińskości" tych terenów, działanie „elementów antysocjalistycznych i bliskich Kościołowi katolickiemu". Akurat wymieniony wyżej zestaw zagrożeń dla ludowego państwa w ogóle mnie nie zdziwił, bo „nacjonalizmy", „antysocjalistyczność" i „katolickość" były często i przy różnych okazjach wykorzystywanymi w tamtych czasach hasłami. Ale wśród dokumentów dotyczących walki z pomysłem „studenckiej wioski skansenowej" Krzysztof Potaczała cytuje również notatkę funkcjonariusza Służby Bezpieczeństwa, a w niej taki oto fragment przekonujący władze, że zgoda na utworzenie czegoś takiego to jednak zły pomysł: „Brak odpowiednio opracowanego programu budzi niebezpieczeństwo, iż oddalona od siedzib ludzkich, a tym samym pozbawiona społecznej kontroli »wioska« może się stać ośrodkiem nieodpowiednich wybryków w rodzaju seansów narkotycznych, striptizu itp...".

Na lekcjach historii powinno się uczniom zadawać pytanie: „Co funkcjonariusz miał na myśli?". Po kolei. Czy jeżeli istniało zagrożenie, że wioska stanie się ośrodkiem „nieodpowiednich wybryków", można wnioskować, że w tamtych czasach były również „odpowiednie wybryki"? I dlaczego za tak niebezpieczny dla socjalistycznego państwa został uznany striptiz? Czy gdyby to był striptiz „niepozbawiony społecznej kontroli", odbywający się bliżej „siedzib ludzkich", nie byłby aż tak niebezpieczny? Czy zagrożeniem była bliskość „siedzib nieludzkich"? Czyli na przykład zwierzęcych? Chodziło o to, żeby niedźwiedź, dzik i ryś nie zostały zdemoralizowane przez rozbierającą się kobietę? Na czym miałaby polegać „społeczna kontrola"? Czy taki striptiz najpierw musiałby być obejrzany przez Inspekcję Robotniczo-Chłopską albo cenzurę i zatwierdzony pieczątką: „Dopuszczono do rozbierania"? W którym miejscu taka pieczątka byłaby przystawiana? Tak, żeby każdy uczestnik tego „seansu" od razu wiedział, że jest to „wybryk niepozbawiony społecznej kontroli"? I co, oprócz „seansów narkotycznych", funkcjonariusz uznał za podobne do striptizu („itp.")? Bo przypominam sobie podstawowy zestaw „nieodpowiednich wybryków" (gra w karty, spożywanie alkoholu, palenie papierosów), ale nic z tego podobne nie jest, chociaż można to łączyć.

Wiem, myślą sobie Państwo teraz, że czepiam się słów prostego esbeka. Owszem. Ale przede wszystkim chciałbym wiedzieć, jakie znaczenie dla odzyskania przez nasz kraj wolności miał

striptiz? Bo wygląda na to, że duże. Jeśli bieszczadzki funkcjonariusz Służby Bezpieczeństwa pisze o nim w takim kontekście i ostrzega swoich zwierzchników… Prawie ćwierć wieku
po upadku totalitarnego systemu można chyba już zadać kilka
odważnych pytań: Ile z naszej wolności zawdzięczamy stripti-
zerkom z tamtych czasów? Czy jakiekolwiek znaczenie dla tej
sprawy miał kiełkujący dopiero ruch striptizu męskiego? Czy
istniał striptiz reżimowy i antykomunistyczny? Czy gdybyśmy
odważniej organizowali „ośrodki nieodpowiednich wybryków"
i chętniej się rozbierali, socjalizm upadłby wcześniej? I czy
w ustroju demokratycznym striptiz ma jeszcze jakiś sens?

Czy ktoś z ważnych przynajmniej wydusił zwykłe „dziękuję"?
Uścisnął dłoń, poprawił boa? Mam nadzieję, że tymi wszystkimi
kwestiami zajmą się wreszcie historycy. A mną lekarz.

12 czerwca 2013

Atmosfera gabinetu

Dyskryminacja dorosłych we współczesnym świecie widoczna jest na każdym kroku. Również w medycynie.

Przeczytałem artykuł *Odważnie do dentysty*. Dziennikarka rozmawia ze stomatolożką o tym, jak sprawić, żeby najmłodsi pacjenci nie bali się zabiegów. Oto fragmenty: „W gabinetach puszcza się dzieciom filmy na DVD. Niektóre zapominają o bożym świecie i nawet nie czują ukłucia podczas znieczulenia. (…) Warto przyprowadzić dziecko wcześniej, zanim coś zaboli, tak żeby oswajało się z atmosferą gabinetu. (…)". A dlaczego niby tylko dziecko? Co stoi na przeszkodzie, żeby wycieczki do najbliższego stomatologa organizowały dorosłym działy socjalne zakładów pracy? Zamiast wyjazdu na grzybobranie. Albo w ramach. Najpierw do lasu, a w drodze powrotnej… Nie, tak się nie uda. Na tego typu wycieczkach w drodze powrotnej wszyscy już „zapominają o bożym świecie". Zatem trzeba to zrobić na samym początku. W drodze na grzyby autokar zatrzymujemy przed gabinetem dentysty i oswajamy się z „atmosferą gabinetu". A właśnie – kto ma ją tworzyć? Stomatolog niech się zajmie leczeniem, ciężar tworzenia dobrego klimatu wizyty należy przerzucić na asystentkę lub asystenta. Powinni to być zwycięzcy regionalnych szczebli wyborów na miss i mistera. Pacjent, na podstawie zdjęć wywieszonych w poczekalni, powinien mieć prawo wyboru asystentki lub asystenta. I dlaczego w żadnym z gabinetów nie zaproponowano mi dotychczas czegoś na DVD? Mój dentysta włącza co najwyżej radio i słucha debat politycznych, od których jeszcze bardziej zęby bolą. A ja bym wolał coś obejrzeć. To może być to samo, co pokazuje się najmłodszym pacjentom, ja jestem dość dziecinny. Najchętniej przypomniałbym sobie na fotelu dentystycznym bajki z mojego dzieciństwa. Chociażby odcinek *Reksia*, w którym pana boli ząb, a pies próbuje wszelkimi możliwymi sposobami mu go wyrwać, na przykład przywiązując jeden koniec sznurka do szczęki, drugim zahaczając o zderzak fiata 126p. I oczywiście zderzak fiata 126p odpada, a ząb zostaje na miejscu. O właśnie – dużym chłopcom może być też na DVD pokazywane coś z motoryzacji. A najlepiej łączyć te tematyki – najnowocześniejsze wiertarki Diesla z napędem na cztery koła i podgrzewane fotele skórzane dla dentysty i pacjenta. Gabinety stomatologiczne mogłyby skorzystać z doświadczeń zakładów fryzjerskich i kosmetycznych, w których tego typu elektroniczne „odwracacze uwagi" wykorzystuje się już od jakiegoś czasu. I to bez dyskryminowania dorosłych. Widziałem takie małe ekrany, na których pokazywały się horoskopy, zapowiedzi kulturalne, plotki, a przy okazji reklamowano środki do pielęgnacji włosów. No to u dentysty (podrzucam kilka pomysłów): notowania giełdowe spółki Ząb Za Ząb, recenzje teatralne „Górna szóstka", zaproszenie do kina na horror *Zębi z ulicy Trzonowej*, sensacje z życia celebrytów „Ząb zupa dąb, zupa, ząb" (zaczerpnięte z Jeremiego Przybory).

Nie dyskryminujcie dorosłych! Nam też się coś od życia należy! Czy to nasza wina, że trzydzieści parę lat temu nie było jeszcze DVD? I co najwyżej próbowano nieudolnie odwracać

uwagę od bolesnego zabiegu wyblakłą, żółtą, świszczącą gumo-
wą kaczuszką i – dzisiaj już na szczęście niedopuszczalnymi
– wyrażeniami typu: „A cio to? A kuku!". Niech wreszcie hasło:
„Ciesz się życiem, walcz z próchnicą!" nabierze prawdziwego
sensu również dla nas – pokoleń odchodzących w mgłę systemu ubezpieczeń społecznych. A zwyczaj odwiedzania lekarzy
i oswajania się z „atmosferą gabinetu" zanim coś się wydarzy,
rozszerzyłbym na wszystkie działy i specjalności.

Z medycyną sądową włącznie.

20 czerwca 2013

W ciepłym i bez kurzu

Babcia Stenia mówiła, że najważniejsze to pracować „w ciepłym". Miała nadzieję, że zostanę portierem w którymś z domów wypoczynkowych Wojewódzkiego Przedsiębiorstwa
Turystycznego „Bieszczady" w Solinie, a jak się nie uda, to
palaczem centralnego ogrzewania. Ważne, żeby „w ciepłym".
W sumie się powiodło – w radiu grzeją od jesieni do wiosny,
występuję zazwyczaj w ogrzewanych salach, często pozbawionych klimatyzacji, więc pod tym względem osiągnąłem
sukces.

Pomyślałem, że babcia Stenia nie mogła być jedyną, która
swojemu potomkowi doradzała, czym ten ma się zająć w przyszłości. Opisał to Andrzej Waligórski w tekście *Wybór*.

Hej, okrzyki brzmią wesołe,
Wszyscy dyskutują dzielnie,
Bowiem Kazio skończył szkołę
I ma wstąpić na uczelnię!

A któż lepiej mu doradzi
Wybór studiów i zawodu

Od doświadczonego dziadzi,
Który jest nestorem rodu?(...)

Efekty tego radzenia były zaskakujące. Po spożyciu dwóch litrów nalewki dziadzio odwiódł wnuka od stomatologii, chemii i polonistyki, a namówił na studia w korpusie carskich paziów. Dyskusje rodzinne na temat przyszłości dzieci, wnuków, siostrzeńców, bratanków ocierają się nawet o kwestie religijne czy ideologiczne. Moja znajoma wiele lat temu zaczęła studiować socjologię, czym naraziła się na gniew jednej z ciotek, która skarżyła się proboszczowi, że: „Ta Krysia... Z takiej porządnej, katolickiej rodziny, a na socjalistykę poszła...".
Postanowiłem przeprowadzić badania. Zapytałem słuchaczy mojej audycji o to, kto i jakich argumentów używał, doradzając lub odradzając im wybór jakiegoś kierunku studiów.
Oto efekty.

Karola:
„Rodzice z wielką trwogą starali się odwieść mnie od zamiaru studiowania na Akademii Sztuk Pięknych, przekonując, że po takich studiach to życie ciężkie i w ogóle rozpacz. Próbowali mnie namówić na studiowanie architektury, argumentując, że »przecież tam też się rysuje«".

Katarzyna:
„Podobno kiedy ojciec wybierał mi imię, dobierał je do tytułu »doktor habilitowany«. W ten sposób od najmłodszych lat wiedziałam, że moim przeznaczeniem jest kariera naukowa. Dzisiaj jestem studentką drugiego roku studiów doktoranckich, a zawsze gdy odwiedzam rodzinne strony, dziadek pyta, kiedy wreszcie będę się »haLIbitować«".

Pani Katarzyna nie napisała, jakiej specjalności jest naukowcem, ale gdyby na przykład zajmowała się ichtiologią, to może „haLIbitowałaby" się z „habitatu i halucynacji halibuta"? Ale cytujmy dalej:

Marcin:
„Ojciec mojego przyjaciela radził mu:»Synu, ty ucz się na archeologa albo ginekologa... Ale lepiej na ginekologa, bo się nie kurzy«".

Nina:
„Mój tata powiedział mi tylko, że jeśli pójdę na studia do Opola (mieszkam w miasteczku niedaleko), to mnie wydziedziczy. Na studiach mamy kosztować świata, a to na pewno się nie zdarzy zbyt blisko domu".

Piotr:
„Jak już się dostałem na stomatologię, dziadek Józek popatrzył na mnie z politowaniem i powiedział:»Coś ty zrobił, dziecko? Trzeba było iść na księdza. Miałbyś dużo kobit, dużo pieniędzy i najważniejsze – spokój z małżeństwem«".

Kilka z cytowanych wyżej rad bardzo do mnie przemawia. Można je sobie komponować w dowolne zestawy: „Idź, dziecko, na takie studia, żebyś potem pracowała w ciepłym, żeby się nie kurzyło i daleko od domu, bo wydziedziczę".
Na koniec jeszcze jedna prawdziwa opowieść, która świadczy o tym, że rodzicom, zanim poradzą coś swojemu dziecku, też czasem powinien ktoś poradzić. Najlepiej specjalista.

Grzegorz:
„To jest historia opowiedziana mi przez żonę, która jest

psychologiem. Otóż miała pacjenta, siedemnastoletniego człowieka (młodzi ludzie też mają problemy). Był uczniem szkoły zawodowej o profilu rzeźnik-masarz. Jednym z jego problemów było to, że nie czuł się w tej szkole zbyt dobrze. Moja żona rozmawiała też z rodzicami chłopaka i zapytała o kryteria, jakimi kierowali się, wybierając szkołę dla syna. I oto, co usłyszała w odpowiedzi:

– A bo on od małego zwierzątka lubił".

27 czerwca 2013

Jak się zbudzi, to nas zje

W „Nowinach", gazecie wydawanej na Podkarpaciu, znalazłem artykuł o spotkaniach ludzi z niedźwiedziami. Ale nie takich towarzyskich, nad rzeką, na wspólnym grillu, w czasie których niedźwiedź bierze gitarę w łapy i zaczyna śpiewać *Modlitwę* Okudżawy. Takie sytuacje możliwe są tylko w kreskówkach albo na Krupówkach, gdzie widziałem niedźwiedzia, który jedną łapą jadła gofra, a drugą wysyłał esemesy (piszę w dwóch rodzajach – żeńskim i męskim – bo po gofrach i telefonie nie jestem stanie rozpoznać płci niedźwiedzia).

Prawdziwe są dużo groźniejsze. I właśnie gazeta opisała takie bieszczadzkie spotkania z niedźwiedziem, zwracając również uwagę na to, jak ich (spotkań i niedźwiedzi) unikać i co robić, jak się już spotka. Oto fragment, który szczególnie mnie zaciekawił:

„Wieści o spotkaniach z niedźwiedziem robią wrażenie nie tylko na przyjezdnych. Kobiety, które pracują przy pielęgnacji lasu, biorą ze sobą radioodbiorniki i puszczają głośno muzykę. Szczególnie ostatnio, gdy były przypadki poturbowania człowieka przez niedźwiedzia. A pilarze chodzą z ciągle włączonymi piłami – opowiada leśniczy Niedziocha".

I niby informacja cenna, ale niepełna. Bo już wiadomo, że w Bieszczady ani rusz bez kobiety z radioodbiornikiem albo sprawnej piły, ale... Po pierwsze należałoby opublikować wykaz programów radiowych, które szczególnie dobrze odstraszają niedźwiedzie. Być może nawet udałoby się stworzyć listę przebojów i wykaz zespołów szczególnie nielubianych przez misie. I podawać cotygodniowe zestawienia:

– Na miejscu drugim Artur Andrus z piosenką *Piłem w Spale, spałem w Pile*, po której dwa niedźwiedzie już w lipcu zapadły w sen zimowy, miejsce pierwsze Black Sabbath z utworem *God is dead?!* Po tym kawałku szesnaście misiów cwałem przekroczyło granicę z Ukrainą!

W artykule nie znalazłem również informacji, czy podana metoda „na radioodbiornik i włączoną piłę" działa też na inne zwierzęta. Na przykład na krety czy komary? I co w sytuacji kiedy w radioodbiorniku skończą się baterie, a w pile benzyna? Czy wyłączona piła nie zadziała odwrotnie? Niedźwiedzie nie zaczną się zbiegać do pilarzy i kobiet, które pracują przy pielęgnacji lasu? Poza tym, czy niedźwiedź nie jest integralną częścią lasu? Więc czy kobiety, zamiast go odstraszać sygnałem „Lata z radiem", nie powinny raczej o niego zadbać? Przynajmniej selekcjonując piosenki. *Taki cud i miód* już brzmi nieźle.

Na marginesie – na cytowany fragment chciałbym zwrócić uwagę fachowcom od *gender studies*. Dlaczego niby tylko kobiety mają pielęgnować las, a pilarze są wyłącznie rodzaju męskiego?

Kolejne zdanie wprowadziło w moje rozważania jeszcze większy chaos: „Z uwagi na lęk przed człowiekiem niedźwiedź wiedzie nocny tryb życia". Czyli te kobiety z radioodbiornikami i pilarze z włączonymi piłami chodzą po lasach nocami? Bo jeśli w dzień, to zupełnie bez sensu. Niedźwiedź wtedy nie wiedzie trybu życia. Ale może wiedzie „tryb czuwania" i kiedy usłyszy jazgot w lesie, biegnie sprawdzić, co się dzieje?

Nie przyjmowałbym bezkrytycznie porad drukowanych w wakacyjnych poradnikach różnych gazet. Lepiej stosować się do wskazówek zawartych w starych przekazach. Na przykład:

Stary niedźwiedź mocno śpi,
Stary niedźwiedź mocno śpi,
My się go boimy,
Na palcach chodzimy...

brzmi dużo wiarygodniej niż:

Stary niedźwiedź mocno śpi,
Stary niedźwiedź mocno śpi,
Żeby sny miał miłe,
Włączymy mu piłę...
Dla zabicia czasu
Posłucha muzyki,
A kobiety z lasu
Zrobią mu pedikiur...

9 lipca 2013

Pasażer Radziwiłłówna i łączenie jezior

Strony internetowe służące do zakupów (na przykład biletów lotniczych) mają pewne udogodnienia, które umożliwiają klientowi szybkie i wygodne dokonanie transakcji. Ale czasem te udogodnienia potrafią wprawić w zadumę. Niedawno, kupując taki bilet na stronie Eurolotu, zobaczyłem, że w zakładce „Dane pasażera" po wybraniu, czy jestem MISS, MR, MSTR, czy MRS, nie muszę wpisywać daty swojego urodzenia, wystarczy, że wybiorę dzień, miesiąc i rok. I o ile nie zdziwił mnie wybór dnia (od 1 do 31) ani miesiąca (od JAN do DEC), to przy wyborze roku zdębiałem. Otóż okazuje się, że najpóźniejszym, jaki mogę zaznaczyć, jest 1998. I w sumie rozumiem. Jak ktoś ma mniej niż piętnaście lat, niech sam sobie biletu nie kupuje. Niech mu kupią rodzice. Ale w jeszcze większe zdumienie wprawiła mnie dolna granica tabeli lat urodzenia pasażerów. Otóż najstarszy kupujący bilet na tej stronie mógł się urodzić w roku… 1014! Czyli na przykład Bolesław Zapomniany, syn Mieszka II. Ale gdyby tak się zdarzyło, to na stronie Eurolotu powinna być możliwość zaznaczenia funkcji „około", bo nie ma pewności co do roku urodzin Bolesława.

Pomyślałem, że to na pewno nie działa. Że jak się wpisze tak odległy rok urodzenia, system zareaguje komunikatem typu: „Nie wydurniaj się!". Postanowiłem sprawdzić.

Wybrałem lot z Gdańska do Amsterdamu za 371 euro w dwie strony i zacząłem wpisywać: MISS (bo niechby leciała wtedy, kiedy była tylko zaręczona z Maksymilianem I Habsburgiem) Anna Jagiellonka, data urodzenia 23 JULY 1503. Było kilka Ann Jagiellonek. Wybrałem tę najmniej u nas znaną, żeby ktoś z działu rezerwacji nie od razu się zorientował. Adres zmyśliłem: Pražský hrad, Letohrádek 3, 119 08 Praha 1, Czechy, adres mejlowy też anna.jagiellonka@czeskiekrolowe.com. Miałem nadzieję, że po takich bzdurach już mnie system wyrzuci. Ale gdzież tam! Nacisnąłem „Kontynuuj" i przeszedłem na stronę płatności. Komputer poprosił o wybór sposobu zapłaty. Nie było możliwości „złotem ze skarbca", a w życiu nie odważyłbym się zmyślać danych karty kredytowej królowej Czech i Węgier, więc tutaj eksperyment przerwałem. Ale ucieszyłem się, że kiedyś być może usłyszę na lotnisku w Balicach komunikat: „Pasażer Wit Stwosz odlatujący samolotem linii Air Berlin do Norymbergi proszony jest o natychmiastowe zgłoszenie się do wyjścia numer 6". Albo zobaczę Barbarę Radziwiłłównę awanturującą się przy stanowisku odprawy o wielkość bagażu podręcznego.

Chyba że...? No tak! Chodzi o to, że linie lotnicze dopuszczają podróż pasażerów bez względu na ich aktualny, że tak to eufemistycznie nazwę, „stan skupienia"!

I jeszcze coś z cyklu „myśli zasadnicze". Jestem za łączeniem wszystkiego ze wszystkim. Na przykład wpadłem na oryginalny pomysł połączenia Czech ze Słowacją, ale ktoś mi powiedział, że już kiedyś podobno były takie przymiarki. No to próbowałbym łączyć polskie jeziora. Nawet te leżące w pewnej odległości od siebie. Można przekopywać pomiędzy nimi kanały, choćby szerokości dwóch kajaków. Nie idzie nam z siecią autostrad, to może uda się wykopać sieć kanałów? A zacząłbym od typowania pod kątem ciekawych nazw. Jeśliby na przykład połączyć leżące w Mrągowie jezioro Czos z leżącym w Augustowie jeziorem Necko, powstałoby jezioro Czosnecko. Albo: na Suwalszczyźnie jest jezioro Przystajne, a w gminie Pisz – Seksty. No więc gdyby stworzyć jezioro Seksty Przystajne? Czyż nie jest to nazwa pobudzająca wyobraźnię? A gdyby tak połączyć pięć jezior mazurskich: Babie, Dadaj, Nowe Ramoty, Zjadło i Tylkówko z leżącym w Borach Tucholskich jeziorem Wygonin i jeziorem Zarańsko z Pojezierza Drawskiego? To mogłoby powstać: Babie Nowe Ramoty Dadaj Zarańsko Tylkówko Zjadło – Wygonin.

Państwu zajęło to ledwie kilka minut czytania, a ja już drugi tydzień spędzam na wymyślaniu, kto mógłby lecieć Eurolotem i jakie jeziora ze sobą połączyć. Urlop mi się kończy!

PS. Może ktoś wie, czy zbroję trzeba nadawać jako bagaż rejestrowany? Czy da się w tym przejść przez bramki? I czy w tanich liniach jest dopłata za sakwę, kołczan i bukłak? Oczywiście bukłak o pojemności mniejszej niż 100 mililitrów.

17 lipca 2013

Festiwal nurków jedzących wieprzowinę

Warto się ruszyć z domu. Bo w domu nic człowieka raczej nie zaskoczy. A jak zaskoczy, to banalnie. Ot, zmywarka się zepsuje, mąż wcześniej wróci z wyjazdu służbowego i zastanie żonę nie samą, ale z panem od zmywarek. Banał oklepany w tysiącach słabych powieści i filmów. Poza domem – owszem, dużo człowieka może zaskoczyć. I niebanalnie.

Idę ulicą w Mrągowie, przy rondzie obok centrum kultury wisi kilka banerów reklamowych, jeden z nich szczególnie intrygujący: „Sprzedaż mieszkań dla nurków i nie tylko". Niżej podana cena za metr kwadratowy, numer telefonu.

Po pierwsze dowiedziałem się w ten sposób o kolejnym możliwym podziale ludzkości. Świat dzieli się na nurków i nie tylko. Nie mam uprawnień do tego typu rozważań, bo na studiach na egzaminie z logiki miałem ledwo dostateczny, ale spróbuję. Z „nurkiem" jest sprawa prosta, ale kto jest tym „nie tylko"? Czy ktoś, kto nie jest nurkiem, czyli na przykład nigdy niezanurzający się introligator? I wtedy są to mieszkania dla nurków i introligatorów? Czy może „nie tylko" jest ktoś, kto jest nurkiem, ale

„nie tylko" tym się zajmuje? Czyli na przykład nurek rusycysta zarabiający na hodowli nutrii? Już słyszę te rozmowy dzieci przy trzepa... Przepraszam, posługuję się terminologią z ubiegłego wieku – już słyszę te rozmowy dzieci na Skypie:

– Hej, gdzie mieszkasz?

– W bloku dla nurków, a ty?

Albo rozmowa ojca, wracającego z pracy, z synem, siedzącym przy komputerze:

– Gdzie mama?

– W dużym akwarium.

– Co robi?

– Rafę czyści.

Muszę zapytać jakiegoś fachowca od języka, jakich określeń należałoby używać w takim przypadku: tata – nurek, mama – nurkowa, a dzieci? Nurczęta?

Zastanawiam się również, czym takie mieszkanie dla nurków różni się od mieszkania dla „nie tylko". Specjalne szafki na płetwy? Duża łazienka?

I jeszcze słowo o „festiwalu". Tak jak kiedyś karierę zrobiła „galeria" (od sztuki przeszła w stronę handlowej, a nawet „galerii paznokcia"), teraz popularyzuje się „festiwal". Sprawdziłem w starym analogowym słowniku, co to słowo kiedyś oznaczało: „Impreza artystyczna, często cykliczna, połączona z konkursem". I pierwsze skojarzenie zawsze miałem z piosenką. A tutaj dowiaduję się, że odbył się „Festiwal Wieprzowiny" (knur na czerwonym dywanie?), a jesienią będzie jeszcze „Festiwal Ziemniaka". Chyba że Wieprzowina i Ziemniak to pseudonimy artystyczne piosenkarzy. I Wieprzowina śpiewa głównie żołnierskie piosenki o ziemniakach:

Nie przystępuj do ataku,
Napij się chłodnej wody,

Młody ziemniaku, młody ziemniaku,
Ja też kiedyś byłem młody.

A Ziemniak dostanie nagrodę dziennikarzy, a zwłaszcza foto-
reporterów, za brawurowe wykonanie przeboju:

Przyjdzie taka chwilla,
Kiedy karczek z grilla
Zaskwierczy, zaskwierczy…

Teraz będę z utęsknieniem wyczekiwał „Wernisażu Kaszan-
ki", „Jam Session Powideł Jagodowych" i „Tryptyku Grzybowe-
go: Kurka, Borowik, Maślak Zwyczajny". A podczas „Festiwalu
Ryb i Filetów" mogłyby się odbyć targi deweloperów budujących
mieszkania specjalistyczne. Czyli na przykład apartamenty dla
paralotniarzy, domy w zabudowie bliźniaczej dla uprawiających
wspinaczkę skałkową i lofty dla miłośników skoków na bungee.

24 lipca 2013

Poezja tackowa

Romantycznie brzmią opowieści o poetach piszących wiersze na serwetkach przy kawiarnianych stolikach...

Już się rwałem, żeby pobiec do najmodniejszego warszawskiego lokalu, usiąść w najwidoczniejszym miejscu, wyjąć z kieszeni marynarki pióro, z drugiej flaszeczkę atramentu... Niech widzą, że to nie jest zwykłe, chamskie pióro na naboje, że mam tłoczek, jak Słonimski! E tam! Całe pióro, jak Lechoń! Usiąść, nonszalancko chwycić serwetkę i napisać – jak Tuwim. A potem, po latach ktoś by opowiadał, że widziano mnie, jak Koftę, piszącego na serwetkach, jak Osiecka. Trochę może zamotałem się w tych nazwiskach i za dużo tego „jak". Mogą Państwo odnieść wrażenie, że Osiecka na serwetkach zapisanych wcześniej przez Koftę pisała wiersze Tuwima. Ale mniejsza o nazwiska. Chodzi o niezwykłość takiego obrazka: poeta, odcięty od otaczającego go gwaru codzienności, pisze na serwetce wiersz o tym gwarze, od którego się odciął. Nie wziął notesu, bo nie spodziewał się dzisiaj spotkania z muzą. A ona jednak przyszła. Jak zwykle w kawiarni. A on jak zwykle tym spotkaniem zaskoczony.

I w tym momencie uświadomiłem sobie, że tak nie można. Że każda epoka literacka powinna mieć własny, oryginalny rys, każde pokolenie poetów powinno tworzyć swój niepowtarzalny klimat. A pisanie piórem na serwetkach w kawiarniach będzie podszywaniem się pod tamtych. To musi być coś charakterystycznego dla współczesności. Kupiłem więc duży zapas tekturowych tacek do grilla i piszę byle gdzie, byle czym i o byle czym. Jakie czasy, taki Tuwim. A jaka Osiecka, takie serwetki. Napisałem na przykład *Wiersz o podziale ról we współczesnych rodzinach polskich*.

Janusz kocha Basię,
Basia wychowuje dzieci,
A Janusz w tym czasie
Segreguje śmieci.

Na drugiej tacce mam początek *Elementarza środowisk przestępczych*:

To nie Ala ma Asa,
Tylko As ma Alę.
I Ala za Asa
Siedzi w kryminale.

Na trzeciej *Wiersz o jednej warszawiance z Łodzi, krewnej krakowianki jednej*:

Warszawianka z Łodzi,
Krakowianki krewna,
Chciałaby urodzić
Pięcioraczki z drewna.
Myśli się czepiła
Jak kościelny dzwonu,

W końcu urodziła
Córkę z silikonu.

Że zbyt przyziemne tematy? Że trzeba się wznieść metaforą
ponad banalną codzienność? A proszę bardzo – *Heliosie!*:

A kagańce słońca nałóż
Na parszywe gęby kałuż,
Promieniami ty je zaszczep,
Pozamykaj straszne paszcze.
One wprzódy jadły z ręki,
Teraz rozszarpują błękit!
Zatem spójrz, Heliosie! I tu
Brońże mi błękitu.

Za kilkadziesiąt lat ktoś odkopie taką kartonową tackę z wierszem wytaplanym w karkówce i musztardzie. Przeprowadzi do-
głębną analizę i stwierdzi, że karkówka i musztarda w naszych
czasach były nawet znośne.

31 lipca 2013

Ładnie osadzone

Nie przypomnę sobie gdzie, ale przeczytałem fragment tekstu, w którym opisana była kobieta. Tylko fragment kobiety był opisany. Autor stwierdził, że kobieta ma „ładnie osadzone nogi". Zaraz potem zaczęły się krótkie rozważania na temat tego, w czym ma te nogi osadzone. Czyli mówiąc wprost – rozważania o d… Maryni (chociaż bohaterka tej opowieści nie tak miała na imię). Co ciekawe – autor nie zachwycał się ani samymi nogami, ani miejscem, w którym zostały one osadzone, ale urodą osadzenia. Czyli tak naprawdę mógł to być komplement, ale nie musiał. Mogła to być sprytna metoda odwracania uwagi od niezbyt atrakcyjnych fragmentów ciała opisywanej.

Pamiętam to z domu. Kiedy będąc powoli dorastającym młodzieńcem, prosiłem mamę o opinię na temat mojej szkolnej miłości, wprost domagając się odpowiedzi na pytanie:

– Czy ona nie jest piękna?,

często słyszałem wymijające:

– Sympatyczna.

Kiedyś w czasie audycji na temat niebanalnych komplementów, jakie sobie prawimy, jeden ze słuchaczy zacytował fragment rozmowy damsko-męskiej. Pan mówi do pani:

– Bardzo ładnie się pani nadwaga rozkłada.

Gdyby wcześniej spopularyzowano metodę zachwytu nie nad samą częścią kobiecego ciała, ale nad sposobem jej osadzenia, przymocowania, ułożenia itp., pewien znany zespół nie musiałby śpiewać, że: „Baśka miała fajny biust…". Szczerze mógłby wyznać:

Spośród dziewcząt blisko dwustu
Stopień nachylenia biustu,
Stwierdzam to po pewnym czasie,
Najfajniejszy jest u Basiek.

Co przy okazji świadczyłoby nie o rozwiązłym stylu życia, ale o naukowym podejściu autora tekstu do analizy anatomicznych różnic pomiędzy kobietami.

Zobaczyłem niedawno w telewizji wzruszający obrazek: mały chłopiec ze złamaną ręką w gipsie z zachwytem opowiada o tym złamaniu. A zdarzyło się tak, że ten młody fan piłki nożnej był na meczu swojej ulubionej drużyny. I nagle piłka kopnięta przez słynnego Ronaldo wpadła w publiczność, łamiąc chłopcu rękę. Następnego dnia zachwycony kibic otrzymał koszulkę z podpisami piłkarzy Realu Madryt, wystąpił w telewizji i widać było, że to złamanie jest jednym z najprzyjemniejszych doświadczeń w jego życiu. No bo przecież jak teraz w szkole się pochwali, kto mu tę rękę złamał! Jedno skinienie gipsem i będzie chodził z dowolnie wybraną dziewczyną. Taką, że matka nie powie mu wymijająco, że znalazł sobie sympatyczną sympatię. Będzie bohaterem.

Sam chwaliłbym się całemu światu, gdyby na przykład wiele lat temu, kiedy spotkałem ją na korytarzu w radiowej Trójce, rękę złamała mi Agnieszka Osiecka. Nie wpadłem na ten pomysł. Nie wykorzystałem okazji.

Za dużo mamy we współczesnym świecie agresji, złości, za często mówimy sobie przykre rzeczy. Bądźmy dla siebie łagodniejsi i odwracajmy uwagę od spraw nieprzyjemnych, takich, które mogą kogoś zasmucić. Duże pole do popisu mają tutaj lekarze, pielęgniarki, personel szpitali i przychodni zdrowia. Co wam szkodzi, czasem nawet nieco naciągając fakty, powiedzieć zmartwionemu pacjentowi:

– Proszę się rozebrać i nadstawić do zastrzyku to atrakcyjne miejsce pięknego osadzenia nóg.

Albo:

– Pobiorę panu krew z tego nieziemskiego zgięcia ręki, tak cudownie oplecionej postronkami mięśni.

Albo:

– Jak zobaczyłem zdjęcie rentgenowskie, to pomyślałem, że tę nogę musieli panu złamać do spółki co najmniej Mick Jagger z Leonardem Cohenem.

Sierpień 2013 („Gazeta Lekarska”)

Nie przypominać foki!

W jednym z centrów handlowych we Wrocławiu jest potężne akwarium oceaniczne. A w nim pływają sobie różne stworzenia. Między innymi rekin czarnopłetwy. Dowiedziałem się o tym z relacji reportera telewizyjnego, który wykazał się niezwykłą odwagą i się zanurzył. W stroju płetwonurka. Po wynurzeniu zaś informował oniemiałych z wrażenia telewidzów, w tym również mnie, jak należy się zachować podczas spotkania z rekinem. Bo musimy się przyzwyczajać do różnych nowości, otwieramy się na świat, zatem nie wystarczy wiedzieć, jak zachować się podczas niespodziewanego ataku pospolitego dzika. Zresztą dzięki słynnemu wierszowi Jana Brzechwy każde polskie dziecko poradzi sobie w takiej sytuacji, bo wie, że „...kto spotyka w lesie dzika, ten na drzewo szybko zmyka". Ale co z rekinem?

Pan redaktor stwierdził, że to, co widzieliśmy dotychczas w różnych filmach, jest mitem. Tak naprawdę, to: „...nie wolno bić kijem po nosie, opędzać się, trzeba jak najmniej pluskać i nie przypominać foki". To ostatnie zalecenie wstrząsnęło mną najbardziej. Bo to łatwo powiedzieć, ale dużo trudniej nie przypominać foki, kiedy już się ją raz przypominać zaczęło. Zwłaszcza że spotkania z rekinem nie są zazwyczaj planowane z dużym wyprzedzeniem. Zwykle człowiek znajduje się w takiej sytuacji znienacka. No, może z wyjątkiem spotkań z rekinami pływającymi w centrach handlowych. Do takiego człowiek może się jakoś przygotować. Człowiek! A co ma zrobić prawdziwa foka? Jak ona ma nagle nie przypominać foki? Włożyć koszulkę z Przystanku Woodstock i zacząć tańczyć pogo?

Ale skoncentrujmy się na ludziach. Czyli rzecz, gdyby miał ją opisać mistrz Brzechwa, brzmiałaby tak: „Trzeba chwycić się pod boki i nie przypominać foki"? Uświadomiłem sobie, że i wiersz o dziku należałoby uaktualnić. Bo tamten opowiada o sytuacji, kiedy ktoś „spotyka w lesie dzika". A jeśli spotyka go w centrum handlowym? Moja propozycja:

Wycofywać się pomału,
Wezwać kierownika działu,
Przez głośniki podać treść:
– Kierownik działu przepędzania dzików z centrów
                                                  handlowych
Proszony jest do kasy numer sześć.

A może w sformułowaniu „nie przypominać foki" nie chodzi o fizyczne podobieństwo? Może tylko o to, żeby nie wspominać rekinowi o foce? Może rekin ma jakieś niemiłe wspomnienia? Na przykład rzuciła go kiedyś? Mam kolegę, który określenia „foczka" używał w stosunku do jednej ze swoich narzeczonych. Więc może i w środowisku akwariów oceanicznych taki slang obowiązuje?

Mam nadzieję, że przy okazji tych rozważań uda się wprowadzić do języka pojęcie „foki biznesu". Bo jeśli jest rekin, to co niby stoi na przeszkodzie, żeby była też foka? I obowiązują te same zasady – po pierwsze podczas spotkania z rekinem biznesu

251

nie należy przypominać foki biznesu. Po drugie nie bić go kijem po nosie. Bo się zniechęci i nici z interesu.

Być może zastanawiają się Państwo, jak można marnować tyle czasu na rozważania na tak błahe tematy, kiedy wokół tyle istotnych: kryzys systemu emerytalnego, kłopoty służby zdrowia, kiepskie wyniki polskiej reprezentacji w piłce nożnej, brak pieniędzy na remonty trakcji kolejowej i dokończenie budowy wielu fragmentów dróg? Ja też się nad tym zastanawiam. I odpowiedzi nie znajduję.

Natomiast znalazłem w Internecie mnóstwo ciekawych informacji na temat fok. Na przykład: foka szara ma głowę silnie wydłużoną, z pyskiem o długości większej niż połowa czaszki, szeroko rozstawione otwory nosowe, lubi się wylegiwać i chętnie je śledzie.

Szwagier! Na twoim miejscu unikałbym spotkań z rekinami!

Sierpień 2013 („Zwierciadło")

Fajnie postąpili

A już myślałem, że o małym brytyjskim księciu napisano wszystko. Bo przecież wiadomo, że chłopiec, wiadomo, jak ma na imię, a nawet jak ma na trzy imiona. I że teraz będzie spokój. Że następna informacja o „trzecim w kolejce do brytyjskiego tronu"... Swoją drogą, jako przedstawiciel pokolenia wychowanego w czasach, kiedy wszystko załatwiało się w kolejkach, wyobrażam sobie tę do brytyjskiego tronu. Awantury typu „pan tu nie stał!", wydzielanie po pół kilograma tronu na osobę, uprawnienia do zasiadania poza kolejnością, lista kolejkowa, na której co dwie godziny muszą się podpisywać Karol, William, a mały George Alexander Louis musi mieć przez lokaja odciskany kciuk, bo na razie pisać nie potrafi, prośby typu „ja tu będę stał, tylko skoczę zająć kolejkę do tronu belgijskiego, dobrze?". Nawet skojarzyła mi się piosenka: „Za czym kolejka ta stoi? Do tronu, do tronu, do tronu!".

No więc miałem nadzieję, że następna informacja o małym brytyjskim księciu pojawi się dopiero wtedy, kiedy w przedszkolu mały nago zdemoluje salę do leżakowania. Zwłaszcza że słyszałem, jak jego stryj, książę Harry, obiecywał publicznie: „Zadbam, żeby się dobrze bawił". Naprawdę tak powiedział.

Tylko po angielsku. Jeśli ktoś, tak jak ja, łudził się, że to koniec histerii wokół małego księcia, to się grubo przeliczył. Otwieram jeden z informacyjnych portali internetowych, a tam, dużymi literami: „Książęca para uciekła z synkiem na wieś!". I sensacyjna wiadomość:

„Po co siedzieć w dusznym Londynie, gdy można spędzać czas na łonie natury? Po jednej nocy spędzonej w londyńskiej rezydencji Kensington Palace Kate, William oraz mały George Alexander Louis przenieśli się do wygodnego domu rodziców księżnej, w uroczej wsi Bucklebury. Spędzą tam przynajmniej sześć tygodni".

Od razu zajrzałem na dół, żeby się dowiedzieć, co na ten temat myślą internauci. Wzruszył mnie komentarz kogoś, kto podpisał się jako Ina: „Fajnie postąpili".

Na innym portalu jeszcze większa sensacja: „Książę Filip nie widział jeszcze małego George'a!".

„Małżonek królowej Elżbiety II – książę Filip – jeszcze nie widział małego księcia George'a – swojego prawnuka. William miał nadzieję, że uda mu się zebrać w wakacje całą rodzinę do wspólnej fotografii z nowym, najmłodszym członkiem brytyjskiej rodziny królewskiej".

A pod tekstem kilkadziesiąt komentarzy. Wśród nich i taki: „Co on, Internetu nie ma?".

Zacząłem omijać temat życia brytyjskiego dworu. Chciałem się zorientować, co u nas. No to znalazłem duży artykuł: „Czy na Helu żyją pingwiny? Czyli o co pytają turyści w Trójmieście".

„Gdzie tu można kupić sopocką ciupagę? Ile kosztują wycieczki na Hawaje? Gdzie jest fontanna Zeusa? Czy na Helu żyją pingwiny? – m.in. takie pytania zadają turyści odwiedzający latem Trójmiasto". I potem kilka stron dogłębnej analizy pracy biur informacji turystycznych. No i oczywiście komentarze internautów. Mnie zachwycił ten napisany przez kogoś o nicku klm747: „No ale są te pingwiny czy nie?".

Od razu zacząłem się zastanawiać, jak takie wstrząsające fakty przedstawiliby moi ulubieni warszawscy dziadowscy balladziści podwórkowi. Wyszło mi, że mogłoby to brzmieć mniej więcej tak (na melodię *Ballady o jednej Wiśniewskiej*):

Ja to przeżywam w cichej pokorze,
Że moja żona Halina
Z ubiegłorocznych wczasów nad morzem
Przywiezła sobie pingwina.
A ludziom w głowach się to nie mieści,
I potempiajom Halinę,
Że ten jej pingwin ma lat czterdzieści
I jest przystojnem blondynem.
Ludzie się również strasznie zdziwili,
A zwłaszcza szwagierka Lidzia,
Że na ten przykład to książę Filip
Jeszcze małego nie widział.
Filip się wprawdzie skradał do zdjęcia
I już przy dziecku był prawie,
Gdy księżna matka rzekła do księcia:
– Weź dziecko i na wieś zawieź!
Książę wziął cztery helikoptery,
Nie wahał się ani chwili,
I zawiózł dziecko do Bakelbery,
Fajnie z dzieckiem postąpili.
A ja już nie mam chwili spokoju,
Odkąd narodził się książę,
Żona dopada mnie w przedpokoju,
Z powodu, że chce zajść w ciążę.

Rzekłem, jak tylko doszłem do głosu:
– To sama se dzieciaka zrób!
I pokazałem jej, w jaki sposób
Pingwin bałtycki zgina dziób!

7 sierpnia 2013

Poprawność turystyczna

Zasób wrażeń przywożonych z wakacji jest nieograniczony. Ale zauważyłem, że istnieje coś takiego jak „poprawność turystyczna". Żeby się nie skompromitować w oczach rodziny czy znajomych, o pewnych wrażeniach się nie opowiada.

Należy się zachwycać architekturą, klimatem, dziełami sztuki. Człowiek przez trzy ostatnie dni pobytu w Rzymie wkuwa na pamięć wiadomości z przewodnika. Tak żeby po powrocie z lotniska od razu mógł oświadczyć teściowej, że:

– Zachwycający jest trzyrzędowy portyk Panteonu, a zwłaszcza wieńczący go tympanon i widniejąca pod nim na belkowaniu inskrypcja...

Teściowa zresztą nie pozostaje dłużna. Nie skwituje przecież takiego ataku prostym:

– Zjecie? Pomidorowej ugotowałam...

Taka reakcja mogłaby być uznania za brak obycia. Musi więc dorzucić coś, czego uczyła się przez trzy ostatnie dni przed powrotem dzieci i wnuków z wakacji:

– Nie wiem, czy zwróciliście uwagę, że swoją architekturą katedra w Radomiu nawiązuje do gotyku francuskiego, również poprzez zastosowanie systemu przypór i łuków odporowych. Zjecie? Pomidorowej ugotowałam...

Jedynym znanym mi człowiekiem, który nie poddaje się wymogom „poprawności turystycznej", jest Rysiek. Rysiek szczerze potrafi opowiadać po powrocie z wakacji w Portugalii, że najbardziej podobało mu się w Lizbonie, jak taki facet wpadł do dziury na ulicy, bo nie zauważył, że tam są wykopy. I że się nie spodziewał, że tam też w sklepach można kupić WD-40 i że to całe fado to wcale nie jest pomysł portugalski. Bo co niby u nas śpiewa Edyta Geppert? I dużo ładniej niż tamci, i człowiek dokładniej wie o czym. Bo jak śpiewa Portugalka, to tylko się domyślić można, że on ją rzuca i jej się to nie podoba. A jak Geppert śpiewa, to się wie na pewno.

Rysiek wymyślił też zabawę w wymyślanie portugalskich nazw wszystkiego. Kiedy tylko usłyszał na lotnisku, że język portugalski „szeleści", zaczął całą grupę zabawiać zagadkami.

– Jak po portugalsku mówi się „motorniczy"? Tramwajasz! A jak po portugalsku jest „doktor"? Lekasz!

I tak przez dwa tygodnie.

W drodze powrotnej, na lotnisku, w czasie oczekiwania na spóźniający się trzecią godzinę samolot, kiedy Rysiek w McDonaldzie przehulał już voucher na 6 euro, który dostał w ramach rekompensaty od portugalskich linii lotniczych, wpadł na pewien genialny pomysł. Otóż, tak samo jak przewoźnicy lotniczy, w przypadku spóźnienia do pracy będzie informował swojego kierownika, że dzisiaj pojawi się później „z przyczyn technicznych". Jeśli pasażerom oczekującym trzy godziny na odlot musi taka wiadomość wystarczyć, to i kierownik nie powinien wnikać w to, co się za takim sformułowaniem kryje. A jak mu się nie podoba, niech pisze do Europejskiego Centrum Odwoławczego Kierowników Hurtowni Drobiu, Którym Z Przyczyn Technicznych

Spóźniają Się Magazynierzy (ECOKHDKZPTSSM). Na pewno jest taka instytucja przy Komisji Europejskiej. A jak jeszcze nie ma, to Unia Europejska niedługo ją powoła.

Zazdroszczę Ryśkowi odwagi. Ja jak zwykle będę opowiadał kolegom w pracy, że zachwyciły mnie, ukazujące sceny z życia św. Antoniego, nowoczesne płytki ceramiczne autorstwa Jorge Colaço, które zdobią fasadę XVII-wiecznego kościoła Igreja Dos Congregados w Porto. A Rysiek szczerze opowie o tym, co najbardziej podobało się nam wszystkim. Czyli jak niedaleko zamku w Lizbonie babka z knajpy wyciągała męża i strasznie mu wymyślała. (– Jak jest po portugalsku „mam cię dość, ty pijaku"? – „Uchlejesz się i się szlajasz!") A najmilsze z całego wyjazdu było to, że facet na parkingu strzeżonym jakoś nas przegapił i można było nie płacić 4 euro za postój. Jakby się tak udało sto razy, toby się prawie wycieczka zwróciła.

26 sierpnia 2013

Cierpliwości!

Mam w pracy koleżankę, która zajmuje się „oczyszczaniem organizmu". Amatorsko się zajmuje. I prywatnie. Zawodowo zajmuje się dziennikarstwem. Ale obserwuję ją od pewnego czasu i zauważam, że „oczyszczanie organizmu" wciąga ją bardziej niż aktualne wydarzenia na naszej scenie politycznej.

Basia regularnie przynosi do pracy jakiś nowy specyfik, „który działa". Tak ona twierdzi. I zauważyłem, że skuteczność działania kolejnego specyfiku jest w jej odczuciu wprost proporcjonalna do urody przedstawiciela handlowego, który ją do zakupu namówił. Zresztą z jednym z nich związała się prywatnie, ale zorientowała się po pół roku, że on oczyszcza głównie jej konto. Rozstanie było burzliwe. Basia musiała się po nim wyciszyć i... „oczyścić". Teraz przynosi do redakcji taki proszek z alg jeziornych, suszonych na sierści jelenia syberyjskiego. Średnio działa, bo dostawca „jakiś taki bez szału".

Co ciekawe, Basia nie „oczyszcza się" nigdy produktami rozprowadzanymi przez kobiety. Nie mam odwagi zapytać, ale wygląda to tak, jakby przyjmowała zasady obowiązujące w niektórych ruchach religijnych, zgodnie z którymi kobieta to „istota nieczysta". Kobiety mogą co najwyżej towarzyszyć jej w „oczyszczaniu". Obserwując to całe zjawisko, pochłaniające bez reszty moją koleżankę, napisałem wierszyk, który podarowałem jej na laurce z okazji urodzin.

Ależ, ależ to ciekawe!
Baśka wcina świeżą trawę.
Usłyszała od bożyszcza,
Że trawa oczyszcza.
Wracam z pracy, wołam Basię,
A ta się w ogródku pasie…
Jak owieczki, jak baranki,
Pasą się z nią koleżanki.
O! Wyrasta już z Anity
Blekot pospolity!
Ewa, Marta i Renata
Są jak mozga trzcinowata,
Baśce zaś wyrasta z ucha
Ramienica krucha.

I się obraziły. Wszystkie. Że sobie żarty stroję. A ja tylko chciałem podkreślić skuteczność ich „oczyszczania". Chyba nie mam o czym rozmawiać z osobami, które są niedouczone i nie wiedzą, że blekot pospolity jest rośliną wskaźnikową i świadczy o tym, że gleba, na której rośnie, jest bogata w wapń. Mozga trzcinowata wskazuje na żyzność zbiornika wodnego, przy którym się rozwija, a z kolei ramienica krucha żyje tylko w bardzo czystych wodach. Człowiek chce powiedzieć coś miłego, a tu obraza!

Przemysł „oczyszczania organizmu" rozwija się w piorunującym tempie. Żywność, napoje, zioła, zabiegi w spa. A co dalej? Jak zwykle nastąpi czas odreagowania. Bo po nocy przychodzi dzień, po burzy słońce, po margarynie masło! Ci wszyscy

„oczyszczeni" będą się musieli gdzieś wytaplać na nowo. I nastąpi renesans podłych knajp, wiejskich zabaw ze sztachetami włącznie i innych przybytków taplania. Cierpliwości!

Wrzesień 2013 („Gazeta Lekarska")

Szwagier Gierka

Epoka wymiany słowników

Stworzenia żyjące w „epoce lodowej" nie miały zapewne świadomości, że tak będzie się ją kiedyś nazywało. Chociaż gdyby mamuty włochate, piżmowoły i niedźwiedzie jaskiniowe były trochę bystrzejsze, rozglądając się uważnie, mogłyby zauważyć, że wokół jakoś wyjątkowo dużo lodu, a mało, na przykład, winnic czy gajów oliwnych. I że w związku z tym raczej „epoką winną" albo „oliwną" trudno będzie ich czasy nazwać.

Ale być może było dla tamtych stworzeń coś ważniejszego od lodu? Coś, o czym twórcy nazwy wymyślonej tysiące lat później nie mieli pojęcia? Na przykład to, że końcówki kończyn żyjących wówczas zwierząt zawierały specjalny zielony barwnik, który przy zetknięciu ze śliną stawał się słodki? I że pozostałością po tej anatomicznej ciekawostce jest odruch ssania łapy, który do dzisiaj mają zwierzęta i ludzie? Może stworzenia z tamtych czasów wolałyby, żeby okres, w którym żyły, nazywał się „epoką słodkiej łapy i zielonego ryja"?

Tego typu refleksje dopadły mnie, kiedy zacząłem się zastanawiać nad nazwą dla czasów nam współczesnych. Doszedłem do wniosku, że mogłyby być określane „epoką wymiany słowników". Wiem, że jest parę innych, może bardziej charakterystycznych rysów tej epoki i rys na niej, ale dla mnie to zjawisko jest bardzo ważne. Większość stosowanych przez tysiące lat określeń nagle zmienia swoje znaczenie. I w związku z tym należałoby natychmiast powymieniać słowniki. Te drukowane jeszcze dwadzieścia lat temu są już nieaktualne.

Weźmy słowo „rodzina". Kiedyś oznaczało grupę osób spokrewnionych ze sobą. A teraz? Dostałem zdjęcie z hipermarketu, na którym widać dziesięć zapakowanych razem zniczy. Napis na opakowaniu informuje, że jest to: „Opakowanie dla całej rodziny". Albo reklama: „Rodzinny punkt apteczny". Wniosek z tego taki, że współczesna rodzina to grupa osób, dla których razem pakuje się znicze, ewentualnie połączona możliwością kupowania leków w jednym miejscu.

Przemysł farmaceutyczny wpłynął również na zmianę rozumienia przeze mnie słowa „przyjaciółka". A dokładniej spowodowała to, nadawana bez przerwy w radiu, reklama pewnego leku. Uwaga! Opis drastyczny, ale prawdziwy! Nie zmyśliłem ani słowa: po tonie dwóch rozmawiających ze sobą kobiet słychać, że są „przyjaciółkami". Ale o czym rozmawiają? „Dowiedziałam się od Ani, że masz hemoroidy…" No i dalej przyjaciółka radzi przyjaciółce, co w tej trudnej sytuacji zrobić. Że trzeba zażyć lek, który jest tak cudowny, że aż wreszcie będzie mogła usiąść. Zastanawiam się, jaką rolę w tym układzie pełni Ania? Pewnie też jest przyjaciółką. Bo według nowej definicji „przyjaźń to uczucie łączące ludzi, polegające na zdradzaniu innym ludziom intymnych szczegółów ich życia".

Taką definicję zdaje się potwierdzać praktyka stosowana powszechnie przez prasę bulwarową i plotkarskie portale internetowe. Nikogo już nie dziwią teksty typu: „Magda wyrzuciła Roberta z domu, bo nie mogła znieść tego, że Robert ją zdradza i nie segreguje śmieci – powiedziała nam przyjaciółka pary aktorów.

– Zdrady mogłaby mu jeszcze wybaczyć, ale wrzucania papieru do pojemnika na plastik nigdy! – dodaje przyjaciółka Magdy, która dziecko pary trzymała do chrztu, a pieniądze w Amber Gold".

Samo pojęcie „czasu" również zmienia się w naszych czasach. Ale ono od początku było niejasne. I niektórzy z tej niejasności korzystają. Na przykład szwagier Gierka*, który każdy wieczór spędza w swojej ulubionej knajpie Zator. Zamawiając we wtorki, czwartki, soboty i niedziele golonkę „Królowa cholesterolu" i ćwiartkę wódki, mówi: „Raz na jakiś czas można sobie pozwolić". A rano wraca do domu, przypominając potulne zwierzę z „epoki słodkiej łapy i zielonego ryja".

Wrzesień 2013 („Zwierciadło")

---

* Szwagier Gierka – postać fikcyjna, ale będąca zlepkiem cech paru znanych mi osób. Postanowiłem zrobić z niego stałego bohatera moich tekstów zamieszczanych co miesiąc w magazynie „Zwierciadło". Proszę nie pytać, czy Gierka to nazwisko (na przykład Janusz Gierka), pseudonim (taka sprytna Gierka), czy chodzi o kogoś, kto jest szwagrem byłego I sekretarza PZPR. Proszę nie pytać, bo na razie nie wiem, co odpowiedzieć. Jeszcze nie dorosłem twórczo do rozwikłania zagadki postaci, którą sam stworzyłem.

Zmiana zasad zmieniania zasad

Przynajmniej raz w miesiącu otrzymuję oficjalne pismo. Na przykład dzisiaj gazownia poinformowała mnie, że „ulegają zmianie postanowienia Ogólnych Warunków Umowy Kompleksowej Dostarczania Paliwa Gazowego", a w ubiegłym tygodniu bank, że nastąpiły „zmiany *zasad pobierania prowizji* za czynności bankowe i opłat za inne czynności", czy jakoś tak. Używam sformułowania „czy jakoś tak", bo za każdym razem kiedy dostaję taką przesyłkę, czuję się niewyedukowany, głupi, nieświadomy swoich obywatelskich praw i obowiązków, no w ogóle dziad! Rozumienie tego, co dostałem, kończy mi się na logo banku lub gazowni i moim własnym adresie w nagłówku. Zaczynam mieć wątpliwości, czy kiedykolwiek w szkole uczono mnie czytania ze zrozumieniem, bo już po dziesięciu sekundach nie mam pojęcia, czy to były „ogólne warunki umowy kompleksowej", czy „kompleksowe warunki umowy ogólnej". Zastanawiam się, co to są te „inne czynności", za które mam bankowi płacić? Wyplatanie koszy wiklinowych? Bo niby czemu nie?

Patrzę na cztery strony A4, zapisane gęstym maczkiem, i mam ochotę stracić przytomność. Bo przecież wiem, że powinienem to przeczytać. I wiem, że nie przeczytam. Przecież wiem, że gazownia mogła mi tam napisać, że jeśli w ciągu 3 dni nie zaprotestuję listem poleconym, przejmuje moje mieszkanie, a bank przejmuje gazownię, która przejęła moje mieszkanie. Ale nie mogę... Wiem, że powinienem jakoś zareagować, że tam być może czekają na moje uwagi. Zwłaszcza że na końcu listu pan prezes prosi, żebym „w razie potrzeby udzielenia dodatkowych wyjaśnień" zadzwonił, napisał albo przyszedł. I ciekaw jestem, czy jest w Polsce przynajmniej jeden przypadek, że po otrzymaniu takiej przesyłki przychodzi ktoś do biura obsługi klienta i mówi:

– Dzień dobry pani. Ja mam uwagę do punktu 3. rozdziału XII. Jest napisane, że „Operator Systemu Dystrybucyjnego (OSD), w miarę posiadanych możliwości technicznych na wniosek Odbiorcy, udostępnia zdalnie dane pomiarowe dotyczące punktu wyjścia, do którego OSD posiada tytuł prawny i na których rozliczenia dokonywane są tylko dla jednego zleceniodawcy usług, i tylko dla jednego Odbiorcy". Otóż dlaczego operator ma udostępniać tylko zdalnie? A poza tym, co z punktem wejścia? Czy dane pomiarowe punktu wejścia są mniej ważne niż punktu wyjścia? Otóż nie!

Mam nadzieję, że przynajmniej emerytowani prawnicy mają czas na czytanie aneksów i zgodnie z prośbą pana prezesa chodzą do biur obsługi klienta. W ich rękach nasza przyszłość! Bo jeśli wszyscy reagują tak jak ja, to nie ma to najmniejszego sensu.

Wiem, że to wszystko konieczne. Że litera prawa, że to dla mojego dobra. Ale zaczynam się dusić. Uważam, że ludzkość zginie przygnieciona ciężarem aneksów do umów i zmian regulaminów oraz długopisów reklamowych...

(W tym miejscu nastąpiła krótka przerwa w pisaniu. Sięgnąłem do stojących na moim biurku dwóch kubków, w których trzymam przybory do pisania. Przysięgam, że poniżej publikuję prawdę!)

Znalazłem dwadzieścia jeden długopisów reklamowych (nie-reklamowych jest znacznie mniej). Wśród nich: jeden z kopalni węgla brunatnego, cztery z hoteli, jeden z banku, jeden z zakładu elektrotechnicznego, dwa z urzędów miast, jeden z jakiejś unij-nej organizacji, cztery z domów kultury, jeden z radia, w którym pracuję, jeden z browaru, jeden z zespołu szkół, jeden z cen-trum odszkodowań, jeden z wytwórni serów, jeden ze słowackiej hurtowni obuwia i jeden nie wiem skąd. Na tym ostatnim jest wypisane imię i nazwisko jakiegoś mężczyzny, którego na pew-no nigdy w życiu nie spotkałem. Wpisałem do wyszukiwarki internetowej. To mogą być: były kandydat na wójta lub właściciel firmy kurierskiej. A może to ten sam?

I co teraz? Kiedy przez przypadek odkryłem, że jestem klep-tomanem? Zgodnie z zasadą, że należy nieszczęście przekuwać w coś dobrego, z kolekcji długopisów reklamowych zrobię so-bie hobby. Teraz jeszcze trochę dozbieram, a zimą zrobię z nich szopkę i karmnik. I kompleksowo doprowadzę do nich gaz na ogólnych warunkach.

2 września 2013

Nienawiść, nawiść, wiść

Mówi się o „języku nienawiści" w debacie publicznej. Sądząc po częstotliwości używania tego określenia, jest to zjawisko coraz popularniejsze i nie zanosi się na jakąś zmianę. Więc może zamiast dążyć do niemożliwego, do osiągnięcia stanu powszechnej sympatii, zamiast mieć nadzieję, że przywódcy najważniejszych partii politycznych zaczną wspólnie jeździć po Polsce i w strojach krasnoludków zgodnie otwierać żłobki i przedszkola, a media będą te wydarzenia relacjonowały, zapraszając do skomentowania tego sielskiego obrazka Reksia, Bolka, Lolka, Boba Budowniczego i Jana Tomaszewskiego, warto obśmiać ten „język nienawiści"? Tak, żeby nam się odechciało go używać?

Zacząłbym od pytań do językoznawców. Żeby wiedzieć, co to jest „nienawiść", trzeba wytłumaczyć, czym jest „nawiść". Brzmi jak nazwa jakiegoś ziela. „Napar z nawiści świetny na trądzik i problemy gastryczne". Takie sobie. Szukajmy dalej. To określenie może pochodzić od słowa używanego przez furmanów przy kierowaniu koniem: „Nie na wiśta, tylko na hetta idźże ty, szkapino moja!". Czyli „nienawiść" wzięła się stąd, że ktoś chciał, żeby koń szedł na prawo, bo „hetta" to w prawo. To chyba też słabe. Poza tym z „prawo" i „lewo" łatwo wyciągnąć wnioski polityczne.

A może to od gwarowego brzmienia czasownika „nawieźć" (od „nawozić")? I stąd w repertuarze ludowego teatru Szeraton ze wsi Ksebki wiersz:

Nawiść albo nie nawiść, oto jest pytanie,
Jestli w istocie szlachetniejszą rzeczą
Znosić pociski jeszcze z wojny, stare,
Czy też, stawiwszy czoło morzu nędzy…
Nawiść czy nie nawiść? Ozime czy jare?

To może jeszcze inaczej. „Nienawistny" pochodzi od słowa „wist", a „wist" to według *Słownika języka polskiego* „oświadczenie podjęcia dalszej gry przeciw osobie deklarującej grę, zobowiązujące do wzięcia określonej liczby lew". Toż to jeszcze bardziej kojarzy się politycznie!

Podobno jedną z metod terapeutycznych jest zasada „lecz się tym, czym się strułeś". Jeśli to prawda, może by tak nadużywającym języka agresji polecić wyżycie się na przykład w literaturze? Niech piszą kryminały, horrory, mroczne powieści ociekające przemocą, a może się wtedy odechce tego języka używać w realu? Dobrze by było, gdybyśmy również my – społeczeństwo – mieli trochę ubawu z tej zabawy. Na przykład żeby pisane przez czołowych polityków powieści sensacyjne nie były publikowane pod ich prawdziwymi nazwiskami. Żeby używali pseudonimów, których rozszyfrowaniem mógłby się zająć każdy z czytelników. Na przykład horror *Pazury popkultury* napisałby Antylabrador. Wtedy człowiek by sobie dedukował – labrador jest łagodny, przeciwieństwem labradora może być na przykład bulterier, a bulterier to… I już ma satysfakcję z odkrycia, kim jest autor. Albo kryminał *Obwodnica* podpisałaby Gołda P. I człowiek od razu leci sprawdzać w archiwalnych publikacjach, kto otwierał

obwodnicę Gołdapi. Głupie? Na razie. A może kiedyś coś dobrego z tego wyniknie? Zaczniemy od horrorów, a przez powieści
sensacyjne, ckliwe romanse dojdziemy do zupełnie niewinnych
i łagodnych *Nowych przygód Rogasia z Doliny Roztoki*. Zaraz...
Rogaś, Rogaś... Czyj to może być pseudonim?

12 września 2013

Rewolwer i bilecik

Miałem okazję znaleźć się na chwilę wśród autorów najpoczytniejszych współczesnych kryminałów – Ćwirlej, Czubaj, Konatkowski, Marinina. Niestety, nie znalazłem się wśród nich jako współautor, ale konferansjer. Prowadziłem wieczór promujący serię książek sensacyjnych. I prawdę mówiąc, dopiero wtedy uświadomiłem sobie, jak wielu jest miłośników tego rodzaju literatury. Przypomniałem sobie, że też kiedyś próbowałem pisać powieść kryminalną. Jej akcja rozgrywała się w środowisku polskiej policji dwudziestolecia międzywojennego. Głównymi bohaterami byli: pochodzący z nizin społecznych posterunkowy Marian Sosenko i przedstawicielka Wyżyny Lubelsko-Lwowskiej hrabina Teresa Załóż-Taczapka. Nie wystarczyło talentu, żeby napisać całość, ale szkoda, żeby się nawet początek zmarnował. Proszę sobie poczytać.

Rozdział I
Znaczące przełknięcie
Trzynasty września niczym miał się nie wyróżniać spośród innych wrześniowych dni. Jak zwykle koło dwunastej hrabina Teresa Załóż-Taczapka zjawiła się na posterunku przy ulicy Siennej,

w wiklinowym koszyku przynosząc drugie śniadanie swojemu faworytowi Sosenko. Widząc zbliżającą się zamaszystym krokiem kobietę w zamszowej sukni, przodownik Hannerole Schmidtke, który już za kilkanaście lat miał się okazać niemieckim szpiegiem i kobietą, ale na razie nic na to nie wskazywało, zwykł mawiać:

– Idzie hrabina Taczapka, pewnie będzie kanapka.

– Oj ty, oj ty, Hannerole, bądź ty cicho, ja cię proszę – również wierszem odpowiadał posterunkowy Sosenko.

– Marian, wiem! – Ostrego głosu hrabiny nie zdołał zagłuszyć nawet szum zamszowej sukni, wywołany ciągnieniem po kamiennej posadzce. – Wiem, kto zabił tę nieszczęsną artystkę cyrkową!

Sprawa morderstwa znanej warszawskiej akrobatki ciągnęła się od trzech lat. Śledczy skłaniali się ku wersji samobójstwa. Jedynymi, którzy wątpili w to, że nawet wybitna akrobatka potrafi strzelić sobie w plecy z odległości dwustu metrów, byli posterunkowy Sosenko i wspierająca go w kryminalnych dedukcjach hrabina Teresa.

– Marian, pamiętasz tę wizytówkę, która przyczepiona była do odnalezionego na miejscu zbrodni rewolweru? Od razu domyśliliśmy się, że to fałszywy trop, że dołączając bilecik księżnej Czarnobrodzkiej, ktoś chce na nią rzucić podejrzenia cień.

– Podejrzenia cień, podejrzenia cień, życie się nie zmienia, ale ty się zmień… – zanucił przy biurku obok przodownik Schmidtke, który po godzinach dorabiał jako autor piosenek i tancerz w teatrzyku rewiowym Pistacjowy Maharadża.

– Nie dość, że zabił, to chciał z nas zadrwić, tu masz kanapkę. – Hrabina sięgnęła swoją jedwabistą dłonią do koszyka, przepędziła królika, którego wyciągnęła z niego najpierw, a następnie podała swojemu ulubieńcowi pajdę chleba owiniętą w papier śniadaniowy w ręcznie malowane serca, z napisem: „HTZ-T + PMS = BWM".

Sosenko zaczął jeść, równocześnie słuchając – były to dwie czynności, które udawało mu się jakoś łączyć, bo na przykład nie umiał razem chodzić i myśleć, siedzieć i mówić, pić i palić.

– Czarnobrodzka, rozumiesz? Czarnobrodzka!

Uważnie spojrzała na posterunkowego zza swojego monokla, który do wczoraj, do chwili kiedy na nich usiadła, był jeszcze binoklami. Sosenko wyglądał, jakby nie rozumiał. Być może dlatego, że rzeczywiście nie rozumiał.

– Co jest przeciwieństwem Czarnobrodzkiej? Białowąs! Czarna broda – biały wąs. Teraz rozumiesz? – Hrabina z wyrazem tryumfu na twarzy spoglądała na swojego faworyta.

Sosenko na chwilę przerwał jedzenie, żeby pokojarzyć fakty (bo jak jadł, to słyszał, ale nie myślał), i już po chwili mógł wrócić do konsumpcji.

„Oczywiście! Hieronim Białowąs, wypuszczony trzy i pół roku temu na wolność recydywista, znany z upodobania do mordowania akrobatek", pomyślał posterunkowy Sosenko, zagryzł znacząco i przełknął z zadowoleniem. A hrabina Teresa Załóż-Taczapka aż klasnęła w dłonie z radości:

– On jest cudowny! Potrafi prawie równocześnie pomyśleć, zagryźć i przełknąć!

23 września 2013

Aluzja farmakologiczno-
-medyczna

W kolorowym magazynie rozdawanym na pokładach samolotów jednej z nie najdroższych linii lotniczych jest mnóstwo reklam. I od razu rzuca się w oczy, że najczęściej reklamowane są: kosmetyki, alkohole, kliniki stomatologiczne i gabinety chirurgii plastycznej. Nie ma drogich zegarków i luksusowych samochodów. Wynika z tego, że ci, którzy decydują o wykupie reklam, doszli do wniosku, że jak ktoś lata po Europie za kilkadziesiąt euro, to na zegarek nie wyda równowartości budowy kilometrowego odcinka autostrady A4 między Jarosławiem a Przemyślem.

Wszyscy, którzy w poprzednim zdaniu węszą jakąś aluzję polityczną, są w błędzie. Chodziło mi po prostu o obrazowe przedstawienie kosztowności zegarka.

No dobrze, ale jaka aluzja zawarta jest w reklamach alkoholu, kosmetyków, klinik stomatologicznych i gabinetów chirurgii plastycznej? Dlaczego tak dużo ich na pokładach samolotów akurat tej linii lotniczej? Najprostszą byłaby odpowiedź, że żadnego podtekstu tutaj nie ma. Ale nie po to zacząłem pisać, żeby teraz się go nie doszukiwać! Czyli że co? Że ja, na przykład, bo jestem jednym z ich pasażerów, prawdopodobnie za dużo piję, brzydko pachnę, mam zaniedbane uzębienie i powinienem sobie coś zrobić z twarzą?! Czuję się takimi sugestiami lekko obrażony! Lekko, bo rzeczywiście napiłbym się, a z twarzą naprawdę można by coś zrobić. Bo po co jednemu człowiekowi aż trzy podbródki?

Chyba że ten zestaw reklam jest delikatnym podprowadzeniem pasażerów pod kolejne zmiany w taryfach biletów tej linii lotniczej. Ona już jakiś czas temu wprowadziła ograniczenia w ilości miejsca dla pasażera – jeśli ktoś ma więcej niż metr siedemdziesiąt i waży więcej niż sześćdziesiąt kilo, nie bardzo zmieści się w fotelu (ale zawsze może sobie dokupić trochę przestrzeni). Tak samo nie poszaleje się, jeśli chodzi o rozmiary bagażu podręcznego – niedługo bezpłatnie będzie można wnieść na pokład tylko portfel. Więc może coś znowu się przygotowuje? Na przykład przed wejściem pasażerowie będą badani alkomatem (każda 0,1 promila w organizmie to dopłata 10 euro), poddawani przeglądowi stomatologicznemu (każdy ubytek – 20 euro więcej) i estetycznemu (każda zmarszczka na twarzy – plus 12 euro).

Jak tu się nie doszukiwać drugiego dna w reklamach z kolorowego magazynu rozdawanego w samolocie, kiedy człowiek już się przyzwyczaił, że aluzje farmakologiczno-medyczne są w przestrzeni medialnej wszechobecne? Na podstawie intensywności telewizyjnych i radiowych reklam środków na przeziębienie można, nie wychodząc z domu, dowiedzieć się, jaka jest aktualnie pora roku. Gdy się zaczyna sezon grillowo-weselny, nagle pojawiają się wszędzie propozycje zakupu środków na niestrawność, wzdęcia i zaparcia. Uważam, że jako naród jesteśmy całorocznie upokarzani intensywnością nadawania reklam środków na potencję. Być może to celowe działanie wrogich nam sił, które chcą polskiemu mężczyźnie wmówić, że coś z nim nie w porządku. Jestem o krok od rzucenia hasła do wielkiego społecznego protestu. Staniemy razem na kolejowych przejściach granicznych, zatrzymamy pociągi wwożące do naszego kraju te upokarzające środki… Najpierw pomyślałem, że wzorem naszych kolegów rolników wysypiemy je na zwrotnice, ale wpadłem na bardziej perfidny pomysł. Odeślemy je do Włoch i Francji, krajów niesłusznie uważanych za ojczyzny najlepszych kochanków, z adnotacją, że może im się to przyda. My sobie sami radę damy! Jak nasze ojce i dziady!

Podczas klepania kosy i osadzania jej na sztorc raz jeszcze przyjrzałem się reklamom z samolotu. I się uspokoiłem. Większość tych klinik stomatologicznych i gabinetów chirurgii plastycznej ma polskie adresy, choć reklamy… są po angielsku! Czyli to nie do nas ta aluzja. Mamy szczęście!

Październik 2013 („Gazeta Lekarska")

Nawias prawdy

Nie każdy kto rżnie dechy, jest od razu stolarzem – zwykł mawiać szwagier Gierka, kiedy w rozmowie pojawiał się wątek Tadeusza, jedynego w naszej rodzinie lekarza.

Rzeczywiście, nie jest to najwybitniejszy fachowiec, więcej – nikt z rodziny dobrowolnie nie poszedłby się do niego leczyć. Lata pracy w przychodni studenckiej zaowocowały tym, że Tadeusz wyspecjalizował się wyłącznie w wypisywaniu zwolnień. Ze zwolnień mógłby się habilitować. A kiedy mimo wszystko ktoś próbował wymóc na nim jakąś diagnozę, stwierdzał:

– To na tle nerwowym… – I wystawiał zwolnienie.

Angina, przepuklina, wyrostek, złamanie nogi – wszystko na tle nerwowym.

Opinia szwagra o Tadeuszu uświadomiła mi, że zjawisko jest nieco szersze i należałoby się nad nim pochylić. Weźmy aktorów. Kiedyś do uprawnionego używania tego określenia trzeba było ukończyć szkołę teatralną albo filmową. Albo przed szanowną komisją wykazać się talentem i zdać egzamin eksternistyczny. Dziś? Każdy może być aktorem. Nikt nie wymaga nawet przeczytania podręcznika *Szkoła teatralna w weekend*. Chociaż akurat w tej profesji coś drgnęło. Niedawno widziałem w telewizji rozmowę z młodą, śliczną dziewczyną. Opowiadała o kolejnym odcinku jakiegoś medialnego przeboju. Na ekranie, pod jej imieniem i nazwiskiem, pojawił się napis: „Występuje w serialu". To uczciwsze, nikomu ujmy nie przynosi, a widz konkretnie wie.

Uważam, że każdy powinien wykorzystywać nadarzające się okazje. Ktoś proponuje występ w serialu, udział w pokazie mody, sesję fotograficzną – czemu nie? Sam bym poszedł. Oczywiście trzeba się zastanowić, jeśli ktoś na ulicy pyta, czy nie wzięlibyśmy udziału w castingu na chirurga. Chociaż z drugiej strony? Nigdy nie operowałem, a może się okaże, że mam do tego talent i tak zwaną intuicję chirurgiczną, tylko nic o tym nie wiem?

Podobnie z reklamą. Nie mam nic przeciwko. Zastanowiłbym się tylko, czy jestem w niej wiarygodny. Niedawno przy autostradzie zobaczyłem wielki baner z fotografią aktora… Przepraszam, sprawdziłem w Internecie, nie znalazłem informacji na temat szkoły teatralnej, więc chyba tak: „Zobaczyłem baner z fotografią człowieka, który występuje w filmach". Jest jego podpis i hasło: „Polecam". A jest to reklama punktu skupu katalizatorów. Kurczę, nie mam żadnego katalizatora, który mógłbym oddać do skupu. Nigdy nie miałem. A teraz, zamiast zastanawiać się, jak zdobyć jakieś katalizatory, tracę cenny czas na myślenie, dlaczego to właśnie ten popularny mężczyzna reklamuje ich skup? Garnki rozumiem – może umie gotować albo kiedyś występował w filmie o tym, że umie. Ale katalizatory?

Wprowadziłbym prawny obowiązek informowania o prawdziwych zdolnościach, umiejętnościach i poziomie fachowości. Na przykład w postaci „nawiasu prawdy", umieszczanego pod każdym podpisem albo na wizytówce, pod imieniem i nazwiskiem. Wtedy każdy będzie mógł od razu wiedzieć, że „występuje w serialu" to niekoniecznie to samo co „aktor", a „tnie krzywo" to nie całkiem „fryzjer". Nie każdy kto „skończył medycynę" to

„lekarz", kto „opowiada głupoty w szkole" to nie zaraz „nauczyciel", zaś „wypisuje mandaty, a jak coś się dzieje, to ucieka" to jeszcze nie „policjant".

Tyle że samemu przyznać się trudno. Każdemu z nas przydałby się taki szwagier Gierka albo jeszcze lepiej – Antoni Słonimski, który zobaczywszy wizytówkę, na której było napisane: „Ryszard Ordyński, reżyser", stwierdził, że to są trzy kłamstwa, bo powinno być: „Heniek Blumenfeld, kombinator".

Artur Andrus
(poeta, literat, dziennikarz, publicysta, wokalista, aktor).

Październik 2013 („Zwierciadło")

Konkret i precyzja

Dostałem w prezencie długopis. Kosmiczny. Dosłownie, bo robiony we współpracy z NASA czy na jej licencji. W każdym razie długopis otarł się o kosmos. Na opakowaniu napisano, że jest niezwykły, bo można nim pisać w temperaturze od −34 do +121 stopni Celsjusza. Wszystkim czujnym, którzy chcieliby mi zwrócić uwagę, że albo się nie znam, albo niedowidzę, bo w Ameryce podaje się temperaturę w stopniach Fahrenheita, od razu odpowiadam: owszem, niedowidzę i często się nie znam, ale nie tym razem. Na pudełku były podane temperatury w obu skalach. To, co podałem, było na pewno w stopniach Celsjusza.

Strasznie mnie korci, żeby sprawdzić, czy rzeczywiście ten długopis jest aż tak wytrzymały. Tylko jak mam to zrobić? Te minusowe temperatury mogą nam się koło stycznia trafić, ale co z plusowymi? Przejrzałem w Internecie możliwości wyjazdu na wycieczki do jakichś bardzo ciepłych krajów. Ale co mi to da? Do ilu się nagrzeje? Do plus pięćdziesięciu? No chyba że w takim ciepłym kraju w największy upał wejdę w kożuchu do solarium. I tam spróbuję, czy kosmiczny długopis naprawdę pisze.

Tego typu informacje, podawane w celach podniesienia sprzedaży, powinny być uwiarygodniane testami. Na przykład dołączone na płycie DVD nagranie prezesa firmy produkującej te długopisy, który siedzi w swoim gabinecie w temperaturze +121... No dobrze, miejmy odrobinę litości, +115 stopni Celsjusza, i ręcznie przepisuje *Trylogię*. W połowie *Pana Wołodyjowskiego* traci przytomność i ścinają mu się białka, ale pojawia się sekretarka, która cuci szefa i dorzuca węgla do klimatyzacji... Prezes pisze dalej. Wszystko odbywa się pod nadzorem Komisji Kontroli Gier i Zakładów „LOTTO", potakującej głowami, w kombinezonach ognioodpornych. Wtedy wiedziałbym, że jest uczciwie, że nikt nie próbuje mi wmówić cudownych właściwości długopisu tylko po to, żebym go kupił. Parę lat temu widziałem w telewizji reklamę, w której właściciel firmy produkującej szyby kuloodporne staje za jedną z nich, a jakiś opryszek strzela. I właścicielowi nic się nie dzieje. Co prawda uroda właściciela mogła sugerować, że już wcześniej były wykonywane podobne testy i kilka razy się nie udało, ale dzięki temu nagraniu bardziej wierzę w kuloodporność szyby.

A co do długopisu na licencji NASA, przypomina mi się stary dowcip o tym, jak ta amerykańska agencja wydała dwadzieścia milionów dolarów na takie przekonstruowanie wiecznych piór, żeby w stanie nieważkości nie wylewał się z nich atrament, żeby można było nimi pisać w kosmosie. Powołano kilkudziesięcioosobowy zespół, który pracował nad problemem dwanaście lat. A radzieccy kosmonauci postanowili pisać ołówkami.

Elementem mającym podkreślić powagę informacji zamieszczonej na opakowaniu długopisu z NASA jest również sięgnięcie po szczegół. Gdyby napisano, że długopisu można używać w temperaturach od −30 do +120 stopni, już by to tak wiarygodnie nie brzmiało. Te cztery stopnie na minusie i jeden na plusie powodują, że ktoś czytający taką informację może przypuszczać, że jest ona wynikiem precyzyjnych badań.

Precyzja i konkret! To dwa filary cywilizacyjnego rozwoju świata. Dlatego uważam, że uczciwie postępuje mój sąsiad, który nad wejściem do firmy wywiesił szyld z nazwą: „Kowalski i synowie, a zwłaszcza jeden, ten środkowy". I precyzyjnie nazywa rodzaj swojej działalności. Od piętnastu lat pracuje dla tego samego mafiosa, wyspecjalizował się w drastycznych wymuszeniach haraczu, więc jego przedsiębiorstwo jest zarejestrowane w urzędzie gminy jako „usługi wykończeniowe". Robi to tak dobrze, że ma już swoich stałych klientów, którzy sami dzwonią i przypominają:

– Dzisiaj już piętnasty kolejnego miesiąca, a ja nie zapłaciłem haraczu jeszcze za luty, może wpadnie pan w sobotę wymusić? Żona coś upiecze, zrobimy grilla.

Jestem jeszcze w fazie testów, ale zrobię wszystko, żeby ten tekst można było czytać w temperaturze od −37 do +128 stopni Celsjusza.

4 października 2013

„Melancholii mglisty woal..."

Możemy sobie tego nawet nie uświadamiać, ale istnieje coś, co można nazwać „Pokoleniowym Kanonem Piosenki Jesiennej". To mogą być: *Jesień idzie, Pamiętasz, była jesień, Żółty jesienny liść*, który „tyle mi opowiedział, dałaś mi go bez słów, jednak on dobrze wiedział...". Dla mojego pokolenia jednym z najwybitniejszych osiągnięć poezji tej pory roku jest *Jesień* grupy Mumio. Mnie wzrusza zwłaszcza ten fragment:

> *Jesień... Jesień... Jesień...*
> *Złote liście spadają z drzew.*
> *Jesień... Jesień... Jesień...*
> *Dzieci liście zbierają na wf...*

Wzrusza mnie, bo sobie wyobrażam, że potem te dzieci, przez kilka miesięcy, aż do rzeczywistego nadejścia zimy, uprawiają jesienne dyscypliny sportu: skok przez liścia, liściobój, rzut liściem, liściastykę artystyczną, wyciskanie liścia leżąc i piłkę nożną. Piłkę nożną u nas się uprawia bez względu na liścia. Może zresztą dlatego nam nie idzie? Może gdyby każdy piłkarz przeszedł się po jesiennym parku, podniósł liścia i umieścił go na koszulce obok orzełka?

Ale znowu liść? Może by poszukać jakichś nowych symboli nadejścia jesieni?

Drzewa się stubarwnie mienią,
Chociaż chłodno, ale ładnie,
Może z liśćmi mi jesienią
Cholesterol spadnie?

Z mojego przeglądu utworów jesiennych wynika, że konieczenie trzeba będzie wkrótce przeprowadzić akcję „rekultywacji piosenek". Użalanie się, że:

Minął sierpień, minął wrzesień
– znów październik i ta jesień
rozpostarła melancholii mglisty woal...
Addio, pomidory!
Addio, utracone!
Przez długie, złe miesiące
Wasz zapach będę czuł...

miało sens, kiedy pomidory znikały jesienią z naszych warzywniaków i bazarów. Teraz należałoby wyjaśnić, że tęsknota dotyczy pomidorów nieszklarniowych, niesprowadzanych całorocznie z jakiegoś egzotycznego kraju i niemodyfikowanych genetycznie.

Październik dopiero w połowie, a ludzie już zaczynają mieć listopadowe poczucie humoru. Przeczytałem w gazecie relację z urodzin Lecha Wałęsy. Oto fragment (relacji, nie urodzin).

„(…) Wałęsa prosił, żeby nie przynosić prezentów, a żona jubilata odżegnywała się od kwiatów, twierdząc, że potem mieszkanie wygląda jak dom pogrzebowy…".

Od kwiatów nie ma się co odżegnywać! Wystarczy poprosić,
żeby nie przynosili chryzantem. Tylko na przykład: „Jesienne
róże, róże smutne, herbaciane, jesienne róże są jak usta twe ko-
chane…".

Muszę się zastanowić, czy znam kogoś o herbacianych ustach? Czas popaść w *Jesienną zadumę*. Wystarczy spojrzeć na
wyciąg z banku, a tam: „Nic nie mam, zdmuchnęła mnie ta jesień
całkiem…".

15 października 2013

Rewolwer i bilecik – odcinek 2.

W związku z licznymi prośbami Czytelników wznawiam powieść kryminalną, której pierwszy odcinek opublikowałem nieco wyżej. Streszczenie odcinka pierwszego: hrabina Teresa Załóż-Taczapka podsuwa swojemu ukochanemu, posterunkowemu Marianowi Sosenko, kanapkę i myśl, że znaną cyrkową akrobatkę mógł zabić znany morderca cyrkowych akrobatek Hieronim Białowąs.

Rozdział II
Krew dzika
„Ona jest niesamowita!", pomyślał posterunkowy Sosenko bezpośrednio po zjedzeniu kanapki przyniesionej przez hrabinę Teresę Załóż-Taczapka. „Potrafi równocześnie mówić i klaskać w dłonie".

– Ruszamy!

Starali się nie wzbudzać zainteresowania, ale szelest zamszowej sukni hrabiny i skrzypienie obu łokci posterunkowego obwieściły całej okolicy, że oto dzielny policjant i jego ukochana są już o krok od zatrzymania mordercy akrobatek.

Las, i tak już ściśle otaczający leśną kryjówkę Hieronima Białowąsa, został dodatkowo otoczony ścisłym kordonem posterunkowego i hrabiny. Kroczyli po śladach, które bandyta zostawił na pierwszym wrześniowym śniegu.

„Myślałeś, że nas przechytrzysz!", roześmiał się w duchu Marian Sosenko. Jego roześmianie w duchu było widoczne i słyszalne również na zewnątrz, gdyż się szczerzył i chichotał. „Wydawało ci się, że jeśli zostawisz na śniegu ślady sarny i krew dzika, nie domyślę się, że to ty?!".

Białowąs znany był z zamiłowania do wprowadzania policji w błąd. Podczas rocznego stażu na Wydziale Filozofii Uniwersytetu Komeńskiego w Bratysławie nawiązał kontakt z tamtejszym półświatkiem i kupił od czechosłowackich bandytów specjalne buty, które odciskały w śniegu ślady łudząco podobne do tych, jakie zostawiają kończyny saren. Jedyną różnicą był napis „Bata", który po tych butach zostawał, a po sarnie nie. Krew dzika natomiast nie była efektem myśliwskich zamiłowań Białowąsa. To był bandyta z zasadami – do akrobatek mógł strzelać, ale zwierzęcia by nie skrzywdził. Po prostu dziki przychodziły do jego kryjówki i krew oddawały honorowo.

Napięcie rosło. Hrabina nie po raz pierwszy była w sytuacji zagrożenia życia. Kiedy wiele lat temu pojechała do Monte Carlo, w drugą podróż poślubną ze swoim pierwszym mężem, hrabią Januarym Doniczego-Niedoszło, na dworcu napadło na nich kilkudziesięciu przeciwników podróży poślubnych polskiej arystokracji. Najpierw, dla niepoznaki, wykrzykiwali: „Chodźcie z nami! Chodźcie z nami!", a potem zaczęli hrabiostwo okładać kijami owiniętymi pokrzywą. A słynna montecarlańska pokrzywa piecze najbardziej na świecie.

Zatem sytuacja niejasności dalszych losów nie była dla hrabiny Teresy niczym nadzwyczajnym. Pomyślała jednak, że na wszelki wypadek, gdyby z tej akcji nie udało się wrócić, powinna Marianowi to wyznać…

– Sosenko, ja was kocham! – wyszeptała drżącym głosem.

Posterunkowy nie zwlekał z odpowiedzią.

– A ja, hrabino, was!

– *Nicht...* – rozległo się w pobliskich zaroślach, co było sygna-łem, że parę kochanków podgląda z ukrycia przodownik Hanne-role Schmidtke, który zawsze kiedy usłyszał „was", odpowiadał *nicht.*

Wszelkie rozważania na temat miłości czy też ewentualnych knowań przodownika Schmidtke przerwało nagłe skrzypnięcie drzwi kryjówki. Pojawił się w nich, rozebrany do połowy, Hiero-nim Białowąs. Wrześniowy księżyc srebrem muskał jego muskuł.

– Jest piękny... – wyrwało się hrabinie Załóż-Taczapka, ale ten zachwyt od razu tak zaczęła w sobie dusić, że aż zabrakło jej tchu, a na szyję wystąpiły sine ślady. Korzystając z resztek przytomności, spojrzała na drugą, gorzej oświetloną rękę Biało-wąsa. Trzymał w niej ampułkę wypełnioną czerwonym płynem, a z wnętrza kryjówki dało się wysłyszeć dźwięki charakterystycz-ne dla dzika jedzącego czekoladę...

C.d.n.

28 października 2013

Szwagier Gierka

Doznałem niezwykłych wzruszeń

Ten schemat powtarza się dość często: do garderoby w domu kultury, jeszcze przed rozpoczęciem próby, wchodzi pani księgowa z umową. I prosi o podpisanie już teraz, „bo musi wcześniej wyjść". Następnie zjawia się dyrektor z księgą pamiątkową. Czasem dyrektor nie przychodzi. Wtedy, razem z umową, księgę pamiątkową podsuwa pani księgowa (w tym przypadku „księgowa pamiątkowa"?). I też zdarza się, że prosi o wpisanie już teraz, „bo musi wcześniej wyjść". W takich przypadkach staram się ograniczyć do krótkiego: „Dziękuję za zaproszenie, pozdrawiam. Artur Andrus". Bo głupio byłoby jeszcze przed występem napisać, że: „Było cudownie, rewelacyjna publiczność, niezwykła atmosfera. Artur Andrus". Chociaż ostatnio kilka razy zdobyłem się na odrobinę rzetelności i szczerości. I napisałem na przykład: „Jest 17.09, zaczynam próbę. Występ o 19.00. Mam nadzieję, że będzie cudownie, przyjdzie rewelacyjna publiczność i stworzymy niezwykłą atmosferę. Artur Andrus". Po zejściu ze sceny w garderobie zastałem jeszcze tę kronikę, więc dopisałem: „Jest 20.47, miałem rację, było tak, jak przypuszczałem o 17.09. Artur Andrus".

Ciężko wymyślić jakiś oryginalny wpis do księgi pamiątkowej domu kultury czy teatru. Zatem większość artystów ogranicza się do (zazwyczaj szczerego) chwalenia organizatora i publiczności oraz próby wproszenia się na przyszłość. Bo tak naprawdę chyba o to chodzi. O zostawienie swojego śladu. Treść nie jest już tak istotna. A z drugiej strony co, jeśli dyrektorzy domów kultury wymieniają się między sobą informacjami na temat tego, co występujący wpisali do ich kroniki? Byłoby przykro usłyszeć kiedyś taki dialog:

– U ciebie Andrus też był tak sztampowy?

– Strasznie! Musiałem po jego wpisie dokleić zdjęcie naszej instruktorki tańca, żeby jakoś odwrócić uwagę od banału!

W celach poznawczych zacząłem więc, przed zostawieniem swojego śladu, przeglądać księgi pamiątkowe domów kultury i teatrów, w których się pojawiam. Większość spostrzeżeń z tych badań zamieściłem powyżej, ale mam jeszcze kilka. Na przykład niektórzy wpisujący stosują tę samą, rozbudowaną, niebanalną formułkę. W jednym z teatrów co kilkanaście kartek znajdowałem coś takiego: „Jedyne, co warto w życiu czynić, to MIŁOŚĆ! Z wyrazami MIŁOŚCI…", tutaj podpis. Ktoś może przypuszczać, że to wpis przywódcy duchowego jakiegoś ruchu bądź religii. Nic podobnego. To ślad po jednej z naszych popularnych aktorek. A co najciekawsze, w teatrze, w którym się wpisywała, cytowała tę sentencję regularnie co kilka miesięcy. Może zapomniawszy, że niedawno tu była? A może robiła to celowo? Żeby się utrwaliło? Teraz w każdym innym miejscu, do którego docieram, zaczynam od poszukiwania jej wpisów. A jak znajduję, miasto zaznaczam czerwonym serduszkiem na mapie. Chcę wyznaczyć szlak miejsc, w których czyniła miłość.

Metoda popularnej aktorki podsunęła mi myśl, żeby mieć zawsze coś w zanadrzu. Wiadomo – ma się gorszy dzień, człowiek schodzi zmęczony ze sceny, a tu jeszcze trzeba się wspiąć na wyżyny intelektu i napisać coś oryginalnego. Warto mieć jakąś sentencję ratunkową. Zacząłem wymyślać. Szło mi w „czynienie dobra". Pytałem bliskich o radę. Szwagier Gierka, oczywiście, proponował, żebym się nie obcyndalał, tylko pisał „wprost proporcjonalnie do kasy". Czyli że jak dobrze zapłacili, to miły wpis, jak słabo, to „tylko autograf, a nawet nazwisko niewyraźnie". Na szczęście w odpowiednim momencie trafiłem na artykuł, w którym opisana była historia budowy kolejki linowej na Kasprowy Wierch. I olśniło mnie po fragmencie: „W dniu otwarcia kolejki prezydent Ignacy Mościcki wpisał do księgi pamiątkowej: »Doznałem niezwykłych wzruszeń«". Mam! Będę wpisywał: „Doznałem niezwykłych wzruszeń, jak Ignacy Mościcki. Artur Andrus".

A w ogóle wpadłem na pomysł stworzenia własnej księgi pamiątkowej. Będę ją woził na występy i prosił o wpisy. Na zasadzie wzajemności. Dla pewności będę prosił o wpis przed wyjściem na scenę. Miło będzie kiedyś powspominać, czytając szczere słowa dyrektora centrum kultury w Ełku: „Był Pan cudowny, śpiewał Pan rewelacyjnie i stworzył niezwykłą atmosferę. Liczymy, że da się Pan wkrótce znowu zaprosić".

Listopad 2013 („Zwierciadło")

Fenyő Barátság

Nie czytam od razu. To znaczy czytam początek, a potem odkładam, żeby wymyślić sobie, co było dalej. I mam żal do szkoły, że nie rozwijała mojej wyobraźni właśnie w ten sposób. Można było kazać mi czytać lektury, ale z pewnym opóźnieniem. Najpierw podać pierwsze zdanie powieści, na przykład: „Termin odstawienia Marcina do szkoły przypadł na dzień czwarty stycznia", i zapytać, co moim zdaniem wydarzyło się później. Zdolniejsze dzieci mogłyby nawet napisać własną wersję wybitnego dzieła literackiego tylko na podstawie początku oryginału. Może nawet ciekawszą. Na przykład: „Marcin zastanawiał się, dlaczego odstawiają go dopiero teraz, jeśli rok szkolny zaczął się już we wrześniu, ale jego zakłopotanie łagodził fakt, że miał być odstawiony do szkoły o profilu sportowym. Cieszył się tym faktem również ojciec Marcina, Walenty Borowicz, który sam chciał niegdyś grać w piłkę, ale nie miał czasu". A potem już porządnie – czytam oryginał, piszę klasówkę z pytaniem typu: „*Syzyfowe prace* jako przykład związków między możnością i niemożnością oraz konfliktu przeszłości z przyszłością".

Zasadę „czytania z opóźnieniem" stosuję również w przypadku gazet. Przeglądam tytuły i odkładam na kilka dni. Po pierwsze, czytam już wtedy ze spokojem, bo mam świadomość, że nawet największe sensacje, o których pisze gazeta, już się przeterminowały, po drugie – wcześniej miałem swoją wersję wydarzenia zapowiedzianego tytułem i teraz tylko weryfikuję. Ale czasem zdarza się trafić na tytuł, który spać po nocach nie daje. Występowałem w Cieszynie. Na pierwszej stronie „Głosu Ziemi Cieszyńskiej" trafiłem na coś takiego: *Nowy intruz z Czech. Żarłoczny kornik*. Odłożyłem. I wyobraźnia ruszyła. Może to literówka? Może miało być „żarłoczny komornik"? Ale dlaczego komornik z Czech miałby dokonywać inwazji na Polskę? A jeżeli w tytule nie ma pomyłki? Zwracam uwagę na liczbę pojedynczą w opisie intruza. Czyli przedostał się na naszą stronę jakiś gigantyczny kornik? Już widzę scenę z filmu *Żarłoczny kornik*, inspirowaną amerykańskim *King Kongiem* z 1933 roku. Tyle że u Amerykanów olbrzymi goryl, trzymając w dłoni bezrobotną aktorkę, wspina się na Empire State Building, a w tej współczesnej wersji, powstałej w mojej wyobraźni na podstawie tytułu z „Głosu Ziemi Cieszyńskiej", kornik gigant, trzymając w dłoni aktorkę, która ma mnóstwo pracy w kilku serialach, wspina się na dach Muzeum Śląska Cieszyńskiego.

Wyobraźnia poniosła mnie tak daleko, że w trosce o swoje zdrowie postanowiłem jednak przeczytać oryginał: „*Nowy intruz z Czech. Żarłoczny kornik*. Leśnicy robią, co mogą, by uratować świerki przed całkowitą zagładą. Jest to ciężka walka, bo żarłoczność szkodników dosłownie nie zna granic. Niedawno zagościł w ustrońskich lasach nowy przybysz z Czech, którego nie tak łatwo wykurzyć…". Eee… Taki banał? A gdzie aktorka porwana przez mutanta? Jednak wyobraźnia podpowiada ciekawsze scenariusze… Swoją drogą, na podstawie podobnych tekstów można zaobserwować, jak bardzo zmieniły się czasy. Jeszcze trzydzieści lat temu taka informacja w ogóle by się nie pojawiła, a jeśli jednak, to wyglądałaby mniej więcej tak: „*Świerk braterstwa*. Na zaproszenie polskich leśników z przyjacielską wizytą do ustrońskich lasów przyjechały korniki z Czechosłowackiej Republiki Socjalistycznej. Wizyta przebiega w atmosferze wzajemnego szacunku i zrozumienia. Czechosłowackie korniki przekazały polskim świerkom pozdrowienia z bratnich Węgier, gdzie niedawno przebywały w ramach akcji Fenyő Barátság”.

Jeszcze jedno. W całym artykule nie znalazłem słowa wyjaśnienia, w jaki sposób stwierdzono, że to są na pewno czeskie korniki. I tutaj znowu ruszyła mi wyobraźnia. Zobaczyłem takiego chrząszcza, który wdrapując się na polskie drzewo, wzdycha jak Krecik i nuci sobie: *Malovaný džbánku z krumlovského zámku, znáš ten čas, dobře znáš ten čas…*

13 listopada 2013

Szalona Krewetka

Ludzie są okrutne – mawia Jurek, patrząc na piękne dziewczyny, u których z racji wieku i specyficznej urody nie ma najmniejszych szans.

Ale to, że te dziewczyny są śliczne, często jest od nich niezależne. No, może niepotrzebnie tak dbają o siebie, podkreślają swoje wdzięki i za blisko przechodzą, pastwiąc się nad biednym Jurkiem. Ale bywa, że ludzie są celowo okrutne. W programie telewizyjnym „Dzięki Bogu już weekend", w którym zdarza mi się występować, jest zasada, że publiczność wymyśla zadania dla artystów do wykonania w ciągu tygodnia. Podaje temat skeczu, monologu lub piosenki. I wiedząc, że w następnym odcinku to ja mam coś zaprezentować, zgotowali mi ludzie (Jurek powiedziałby „zgotowały") temat: „Szalona krewetka". Przecież to oczywista złośliwość! Nie mogło to być coś typu: „Ostatni zajazd na Litwie"? Od razu wpada mi do głowy początek. Abstrakcyjny, bo Litwa nie jest moją ojczyzną, ale tak bym żartobliwie zaczął. Tak prosto nie można! „Szalona krewetka"! Jurek ma rację, ludzie są okrutne!

W pierwszej chwili od razu poleciałem sprawdzić w Internecie, czy najbliższy urząd pracy prowadzi jakieś kursy przygotowujące do zmiany zawodu. I zamiast pisać piosenki, zająłbym się układaniem kompozycji kwiatowych. Ale przed zmianą zawodu trzeba się jakoś godnie pożegnać z poprzednim. Nie można po prostu uciec. Uspokoiłem się i napisałem tekst piosenki *Szalona Krewetka, czyli rzecz o tym, że potrafimy się bawić na europejskim poziomie, zachowując równocześnie to, co najważniejsze z naszego narodowego dziedzictwa* (w skrócie *Szalona Krewetka*). Monumentalną muzykę w błyskawicznym tempie skomponował Włodzimierz Korcz, całość z godnością i pełną powagą wykonał Zbigniew Wodecki, wsparty talentem świetnych muzyków, w tym Grupy MoCarta. Szkoda, że piosenka powstała tak późno, bo gdyby powstała wcześniej, zgłosiłbym ją jako propozycję hymnu prezydencji Polski w Unii Europejskiej. Czytając, proszę pamiętać, że to jest wypadkowa ludzkiego okrucieństwa i mojej rozpaczy.

Tam, gdzie się bulwar z aleją spotka,
A z kabaretem operetka,
Przychodzi w soboty Bardotka
Do baru Szalona Krewetka.
Zamawia absynt z rumem,
Gotówką zawsze płaci,
I się zachwyca tłumem
Kolorowych postaci:

Ref:
Żandarmem, który pokarmem
Dokarmia Arlekina,
Pastorem, który wieczorem
Przebiera się za delfina,
Operową diwą, która śpiewa krzywo,

I żoną sędzi, która pędzi
Nalewkę z kalafiora,
Którą z butelki sączy niewielki
Delfin przebrany za pastora.

Tam nikt nikomu nie naubliża,
A rano czarna furgonetka
Rozwozi na krańce Paryża
Spod baru Szalona Krewetka:
Żołnierzy i cywili,
Bezbożnych i dewotki,
Tych, którzy w nocy byli
Kolegami Bardotki:

Ref:
Żandarmem, który pokarmem
Dokarmia Arlekina,
Pastorem, który wieczorem
Przebiera się za delfina,
Operową diwą, która śpiewa krzywo,
I żoną sędzi, która pędzi
Nalewkę z kalafiora,
Którą z butelki sączy niewielki
Delfin przebrany za pastora.

Tu, gdzie się latem wiją nagietki,
Na każdym rogu szkoła tańca
I rośnie spożycie krewetki
Na jednego mieszkańca,
Tu w karczmie Czarne Oczy
Codzienność nie jest słodka

Ale w sobotę w nocy...
Podhalańska Bardotka!

Ref:
Z żandarmem, który pokarmem
Dokarmia Arlekina,
Z pastorem, który wieczorem
Przebiera się za delfina,
Z operową diwą, która śpiewa krzywo
I z żoną sędzi, która pędzi
Z żętycy śliwowicę,
Którą na Rysy dostarcza łysy
Niedźwiedź przebrany za kozicę.

20 listopada 2013

Zając na Manhattanie

Jeśli może powstać płyta z piosenkami o szafach (mam taką!), to co stoi na przeszkodzie, żeby napisać piosenkę do książki?

Nie o książce, ale do książki. Zwłaszcza jeśli się książkę napisało w miłym towarzystwie satyryczki i muzyka jazzowego. Wojtek skomponował, zaaranżował, zaprosił swoich kolegów jazzmanów i nagrał, ja dopisałem tekst o śpiącym zającu chodzącym po Manhattanie i zaśpie... wykonałem. A na pamiątkę proces nagrywania utrwaliliśmy w formie prawie teledysku. Książka nosi tytuł *BOKS NA PTAKU, czyli każdy szczyt ma swój Czubaszek i Karolak* i jest zapisem wielu rozmów z Marią Czubaszek i Wojciechem Karolakiem. Piosenka pewnie będzie czytelniejsza dla tych, którzy książkę przeczytali, ale mam nadzieję, że pozostałym nie sprawi przykrości. Ktoś, kto przeczyta, zrozumie aluzje, ktoś, kto nie przeczyta, niech traktuje to jako zestaw absurdalnych obrazków powstałych w chorej wyobraźni autora. Żeby brzmiała jak poważny amerykański standard, nadaliśmy piosence drugi, poważny, amerykański tytuł:

Sleepy Manhattan Rabbit

Ci, co się znają,
Powiedzą, że głupio! Że wstyd!
Skąd niby zając na Soho,
Tuż przy Wooster Street?
Zając marnieje w grochu, w lesie,
Lecz
Zając na Sohu kwitnie i pnie się!
Panie!
Zającom najlepiej na Manhattanie!
Ci, co nie wierzą,
Powiedzą, że skandal! Że dzicz!
Że takich zwierząt
Nie wpuszcza się na Brooklyn Bridge.
Zając nie zajdzie w kartoflisko róż,
A po West Sidzie chodzą, no cóż,
Zające, proszę pana, i grają na organach, i już!
Tu można chmury
Podrapać
I napaść na bank,
Być czarnoskórym
I śpiewać jak Sinatra Frank,
W czarnym pontiacu
Czarną nocą gnać,
Mieć BOKS NA PTAKU
I z Ptakiem grać...
Na Dolnej czy West Endzie,
Nieważne – mnie się wszędzie
Chce spać!
Na Dolnej czy West Endzie,
Nieważne – mnie się wszędzie
Chce spać!

Dolny Manhattan
Czy Górny Mokotów,
To samo, bo ja tam
Do snu jestem gotów.

Żeby ukrócić wszelkie dyskusje na temat „kartofliska róż",
oświadczam: coś takiego naprawdę istnieje. To jest kawałek ziemi, na której posadzono kartofle, a wyrosły róże.

25 listopada 2013

Medafora

Zanim się użyje jakiegoś zgrabnego porównania czy wykwintnej przenośni, trzeba się zastanowić, czy nie będzie to zbyt dosłownie zrozumiane. Taką sytuację przeżyłem kilka dni temu, kiedy usłyszałem w telewizji lekarza namawiającego ludzi kończących czterdzieści lat, żeby zrobili sobie przegląd (cytat), „tak samo, jak się robi w samochodzie". Po pierwsze – nigdy w życiu nie miałem czterdziestoletniego samochodu. Zmieniam częściej. Ale może pan doktor użył skrótu myślowego? Pewnie chodziło o to, żeby po czterdziestu latach człowiek sobie zrobił przegląd tak samo, jak robi w samochodzie po roku lub po przejechaniu piętnastu tysięcy kilometrów. Natychmiast uruchomiła mi się część wyobraźni odpowiedzialna za porównania motoryzacyjne.

Klocki hamulcowe mam prawdopodobnie zużyte, ale czy to się opłaca wymieniać? Rzadko się już rozpędzam, więc i z hamowaniem nie ma kłopotu. Owszem, mam parę zarysowań widocznych na nadwoziu, ale tego nie ma sensu polerować. Uważam nawet, że mężczyźnie w pewnym wieku rysy dodają szlachetności. Poza tym na ten model i rocznik podrywać i tak raczej już się nie da. To jest typowo użytkowy pojazd, służący głównie do pracy. Co najwyżej rysę mogę sobie przerobić na tatuaż

– skrzydło orła, lekko zasłaniające pysk węża... Spalanie mam
w normie, oleju nie biorę, bo nie lubię. Właściwie jedyne, co
mógłbym zrobić, to pojechać na myjnię. No, może jeszcze sobie
powieszę choinkę zapachową. I wystarczy! Bardziej należałoby
się zająć Martą. Bo ta ma ewidentnie cofnięty licznik. Kto wie,
czy nawet nie posunęła się do sfałszowania karty pojazdu, bo
to przecież niemożliwe, żeby model wycofany z produkcji pod
koniec lat osiemdziesiątych był z roku na rok coraz młodszy.
Chociaż? Teraz tuning czyni cuda...

Takie są efekty poszukiwania zgrabnych porównań. Prosta
droga na manowce.

Wyobraźmy sobie, że każdy lekarz dostaje zalecenie posługi-
wania się metaforą (wymyśliłem nawet nazwę metafory używa-
nej w medycynie – „medafora") stosowania w diagnozowaniu
niedomówień i porównań. Co ma zrobić biedny pacjent, słysząc
w gabinecie taką oto odpowiedź na pytanie o dalszy ciąg lecze-
nia:

– Wie pan, kardiologia jest piekarnią życia, a z arytmią jest
jak z chlebem...

Albo:

– Serce ma pan z kamienia. Być może jest to nawet kamień
filozoficzny...

Albo:

– Proszę pana, musi pan spojrzeć na swoje płuca jak ratow-
nik GOPR-u na wiosenny dzień budzący się nad bieszczadzkimi
połoninami...

(Przepraszam, dygresja – w tej chwili przypomniało mi się,
że jeden z moich znajomych, Wojciech, wybitny polski jazzman,
swoją żonę, znaną polską satyryczkę Marię, która pali bardzo
dużo i tylko mentolowe, nazwał „zielonymi płucami Warszawy".
Koniec dygresji.)

Do mnie proszę wprost, bez owijania, bez wymyślania „me-dafor": „Idź się przebadaj, bo jak cię sieknie, to się już nie pod-niesiesz. Jak król Salomon, który, jak go siekło, to już się nie podniósł!".

Grudzień 2013 („Gazeta Lekarska")

„Jak tak można?"

Szwagier Gierka chodzi jakiś osowiały. Wzdycha smętnie, spogląda w dal, czasem tylko wyrwie mu się bolesne: „ Jak tak można?".

Od kilku miesięcy próbował znaleźć sobie jakieś hobby. Usłyszał w telewizji, że każdy powinien mieć, a szwagier jest z tego pokolenia, które wierzy w to, co mówią w telewizji i piszą w gazetach. Powiedzieli też, żeby szukać jakiegoś oryginalnego, żeby być innym niż inni. Dlatego od razu odpadły znaczki, monety, etykiety. Wpadł szwagier na pomysł, że będzie sklejał wiatraki i szopki. Ale nie z zapałek, jak jego sąsiad Krawczyk, tylko z zapalniczek. Jak zobaczył pierwszą sklejoną przez siebie szopkę – baranki między zapalniczkami, święty Józef siedzący na zapalniczce i sianko z zapalniczek, stwierdził, że to jednak głupie, i się zniechęcił.

I wtedy szwagier Gierka trafił na artykuł w „Dzienniku Łódzkim". To był ilustrowany zdjęciami reportaż z domu byłego bramkarza, a aktualnego posła – Jana Tomaszewskiego. Pierwsze „jak tak można?", raczej jako wyraz zaciekawienia niż bólu, wyrwało mu się po przeczytaniu wstępu do artykułu: „Medale rozdał, pamiątki trzyma w piwnicy, alkohol zbiera, ale go nie pije". Potem

nastała cisza. Aż do momentu kiedy szwagier zobaczył zdjęcie Jana Tomaszewskiego w domowym barku, a pod nim podpis: „Pan Jan zbiera alkohole z całego świata – głównie whisky, wino i wódkę". Czyli właściwie łatwiej byłoby napisać, jakich alkoholi pan Jan nie zbiera. Ciekawostką było również to, że na zdjęciu pan Jan trzyma w ręku piwo. Czyli jednak zbiera wszystko. To właśnie po tym zdjęciu szwagier Gierka wydał z siebie kolejne „jak tak można?", wpadając w jakiś dziwny rodzaj letargu, z którego nikt nie potrafi go wyrwać do dzisiaj.

Sam coraz częściej sięgam po „jak tak można?". Wydawałoby się, że z wiekiem coraz mniej rzeczy powinno mnie zaskakiwać, do wielu powinienem się przyzwyczaić. Tymczasem mam odwrotnie. Dziwię się coraz bardziej. Na przykład ostatnio, po raz kolejny zresztą, zaskoczył mnie brak solidarności płciowej kobiet. Szwagier Gierka, kiedy jeszcze trochę mówił, z przyjemnością powtarzał wymyśloną przez siebie rymowaną mądrość: „Nikt nikomu nie zrobi na świecie tego, co zrobi kobieta kobiecie".

A było tak: zapuściłem się w Internet, żeby dowiedzieć się czegoś o popularnej popularyzatorce zdrowego stylu życia. Było mi wstyd, że wszyscy znają, a ja nic nie wiem. I na co trafiłem? Na dyskusję kobiet na temat ideologii, jaką do ćwiczeń dorabia ta pani, i sposobu, w jaki tę ideologię komunikuje ludzkości. Powtarzane po wielokroć w tej dyskusji było sformułowanie, że jest ona (ta pani) „Paulo Coelho polskiego fitnessu". Przy okazji dostało się i drugiej pani, podróżniczce, która rzekomo jako jedna z niewielu osób na świecie zna odpowiedź na pytanie: „Jak żyć?". Ją w dyskusji nazwano „Paulo Coelho podróży". No i „jak tak można?". Zazdrość? Zawiść? Prawda? Nie przypuszczam, żeby kiedykolwiek jakiś mężczyzna nazwał innego „Paulo Coelho boksu" albo „Paulo Coelho żużla". A może to właśnie źle? Może dopóki, bez względu na jej jakość, sięgamy po porównania do literatury, a nie na przykład po nazwiska najwybitniejszych kryminalistów, dajemy dowód wrażliwości i dzięki temu jeszcze się nie pozabijaliśmy? No, może tylko dla równowagi mężczyźni powinni sięgać po literatki... (Szwagier Gierka lekko się ożywił, kiedy przeczytałem głośno ten fragment tekstu. Zawsze się ożywia, kiedy ktoś proponuje sięgnięcie po literatkę.) "Zbyszek to Maria Dąbrowska polskiej hydrauliki, Bartek – Katarzyna Grochola polskiej wulkanizacji, a Marek to Helena Mniszkówna polskich studiów gender".

Teraz, zadowolony z siebie po napisaniu kolejnego tekstu, pójdę do barku, naleję sobie szklaneczkę whisky i... ze smakiem wypiję! Bo nawet gdyby nigdy nie było mi dane zostać Agathą Christie polskiej rozrywki, na pewno nie będę Janem Tomaszewskim światowego alkoholu.

Grudzień 2013 ("Zwierciadło")

OFE

Kiedy słyszę o kolejnych porażkach polskiej reprezentacji pił-
karskiej, myślę o prawdziwych kibicach. Że oni mają najgorzej.
Bo kochają, pokazują, że oddaliby wszystko, poświęcają swoją
energię i swoje pieniądze, a wpływu na to, co się dzieje na boisku, nie mają żadnego. I może czas najwyższy, żeby to zmienić?
Żeby mieli chociaż umiarkowany wpływ?

Po pierwsze, wzorem Klubu Wybitnego Reprezentanta Polski
w piłce nożnej mężczyzn (jest taki, proszę sobie sprawdzić) po-
wołałbym Klub Wybitnego Kibica Reprezentacji Polski w piłce
nożnej mężczyzn. Zostawałby nim każdy kibic, który obejrzał co
najmniej sześćdziesiąt meczów naszej reprezentacji po 1982 roku.

Po drugie – wniósłbym do UEFA (albo FIFA, bo nie wiem
kto mógłby podjąć taką decyzję) projekt uchwały w sprawie tak
zwanego gola kibicowskiego. Otóż podczas każdego meczu mię-
dzypaństwowego kibice, głosując esemesowo, powinni mieć prawo przyznania jednej bramki swojej ukochanej drużynie. Taka
interwencja sprzed ekranów telewizorów nie będzie przejawem
niesprawiedliwości, bo jeżeli różnica w bramkach i tak jest duża, to ta jedna niczego nie zmienia – wygra lepszy. Natomiast
jeśli drużyny są na podobnym poziomie sportowym, to będzie to

kolejny „łut szczęścia" dla jednej z nich. A czym są rzuty karne, jeśli nie łutem szczęścia? W przypadku nierozstrzygnięcia karnymi decydowałaby liczba esemesów. Oczywiście, że patriotyzm podpowiada mi, żeby takie prawo przysługiwało tylko kibicom polskiej reprezentacji, ale już coś czuję, że na to władze międzynarodowych organizacji piłkarskich mogą się nie zgodzić. Dobrze – niech będzie, że prawo przyznawania bramki mają w czasie meczu obywatele obu państw, których reprezentacje grają. Oczywiście należałoby przyjąć jakiś przelicznik, żeby było sprawiedliwie, bo wiadomo, że Hiszpanie wyślą więcej esemesów niż Sanmaryńczycy (chodzi o San Marino). W każdym razie nie rozszerzałbym tego na inne państwa, niezaangażowane bezpośrednio w trwający mecz, boby się zrobiło jak na konkursach piosenki Eurowizji – wiadomo, że telewidzowie z Rosji głosowaliby na Azerbejdżan, a Niemcy na Turcję.

Wprowadzenie „gola kibicowskiego" dałoby miłośnikom futbolu realny wpływ na wynik meczu, jeszcze bardziej związałoby ich ze swoją ukochaną drużyną. Miałoby też znaczenie edukacyjne. Bo można sobie wyobrazić, że na przykład podczas meczu Polska – Irlandia polscy kibice decydują przyznać swoją bramkę drużynie przeciwnej, jako wyraz dezaprobaty dla gry swoich zawodników. Trzy „gole kibicowskie" przyznane podczas kolejnych spotkań drużynom przeciwnym byłyby „automatycznym wotum nieufności" i powodowały natychmiastową zmianę selekcjonera i jednej trzeciej zespołu. Dwie trzecie składu, które miałyby pozostać, również ustalane byłyby drogą esemesową.

Oczywiście nie bez znaczenia jest tutaj także aspekt finansowy. Taki esemes kosztowałby na przykład 3,60 zł + VAT. Ktoś od razu powie: „Świetnie! A pieniądze z esemesów przekażemy na budowę nowych orlików!". Co to, to nie! Wszystkie wpływy z tych operacji powinny być odkładane na specjalny fundusz

i być częścią reformy emerytalnej. Z tych pieniędzy, po ukoń-
czeniu 67. roku życia, każdy kibic powinien dostawać dodatek
za uszczerbek na zdrowiu spowodowany oglądaniem meczów
w przeszłości. Członkowie Klubu Wybitnego Kibica... – dodatkowo rentę ministra sportu.

Mam nawet pomysł, jak zwielokrotnić wpływy do Organizacji
Futbolowych Emerytur (w skrócie OFE). Należy uruchomić drugi
numer esemes, pod który można w trakcie meczu wysyłać opinie
na temat sędziego prowadzącego spotkanie.

9 grudnia 2013

„TYDZIEŃ Z TWAROŻKIEM"

Mężczyźni w pewnym wieku… Nie jestem pewien, czy ten wiek jest tylko pewien, czy również pewny. Ja czasem czuję się w nim niepewnie. W każdym razie – mężczyźni w tym wieku, który mam na myśli, są szczególnie narażeni na nieuczciwe zagrania marketingowe.

Przykład z wczoraj: wszedłem do kiosku po bilet tramwajowy, a wyszedłem z pismem za 30 złotych. W życiu z własnej woli nie kupiłbym fachowego pisma dla programistów komputerowych, bo się na tym nie znam, ale stałem się ofiarą chwytu marketingowego. Otóż na okładce pisma umieszczono duży tytuł: „Bliżej silikonu". Wprawdzie dopiski typu: „PE, BIOS API i 32-bity" mogłyby mi dać do myślenia, że to może nie być to, co sobie wyobraziłem, ale w takich chwilach nie ma czasu na myślenie! Na propozycję: „Bliżej silikonu" zareaguje zdecydowana większość mężczyzn w pewnym wieku. A potem co? Wraca do domu, otwiera… A tam nic! Żadnego zdjęcia! Same wyliczenia, opisy budowy i działania komputerów oraz informacje o perspektywach rozwoju informatyki. A sprzedaż na pewno rośnie. Tak wnoszę po zachowaniu kilkunastu moich kolegów z pracy, którzy ledwo potrafią znaleźć przycisk

„power" w swoich laptopach, a nagle zaczęli pytać, czy ktoś nie chce odkupić najnowszego numeru pisma dla programistów komputerowych… Bo już przeczytali i nie potrzebują. Wstydziliby się! A pan kioskarz, który nam to wcisnął, perfidnie umieszczając dokładnie na wysokości wzroku przeciętnego mężczyzny w pewnym wieku, dopytuje, czy nam odkładać kolejne numery „Programisty". Zaczął też częściej się uśmiechać i opowiadać coś o planach dobudowania dwóch pięter kiosku. Za nasze pieniądze.

Na drugi chwyt nie dałem się nabrać. Ale mnie zaintrygował. Przechodziłem obok kina w centrum Warszawy. I przed drzwiami wejściowymi zobaczyłem tablicę z napisem: „TYDZIEŃ Z TWA-ROŻKIEM". W pierwszej chwili pomyślałem, że to nazwisko jakiegoś wybitnego reżysera. Musi być wybitny, jeśli aż przez tydzień będą pokazywali jego filmy. Czyli musiał ich nakręcić już parę. Natychmiast połączyłem się z Internetem (może i nie jestem najbliżej silikonu, ale takie technologie mam już opanowane), wpisałem w wyszukiwarkę „polscy reżyserzy filmowi". Ale „Twarożka" nie było. A może zagraniczni? Tylko pochodzenia polskiego? Na przykład James Twarozek, amerykański reżyser, którego dziadkowie wyjechali za ocean za chlebem. Zresztą, jak się później okazało, zupełnie niepotrzebnie, bo już dwa dni po ich wyjeździe do ich rodzinnej wsi na Podkarpaciu dowieziono chleb. Albo kobieta! Elizabeth Twarozek… Ale wówczas przed kinem napisaliby „TYDZIEŃ Z TWAROŻEK", a nie „Z TWAROŻ-KIEM". I wtedy jeszcze raz spojrzałem na drzwi wejściowe do kina. Bezpośrednio przy nich były drugie. I tymi wchodziło się do naleśnikarni. Swoją drogą, może to wreszcie zmieni ten koszmarny zwyczaj jedzenia popcornu w kinach. Jeśli ludzie będą wchodzili na seanse z naleśnikami, będzie przynajmniej ciszej. Naleśniki tak nie szeleszczą.

A dzisiaj rano włączyłem telewizor. Kobieta i mężczyzna prezentowali taniec brzucha. To świetny pomysł na poranek! Wstajesz i taniec brzucha! Sam to zacznę robić od jutra. Napisy u dołu ekranu zapowiadały, jakie jeszcze dzisiaj będą atrakcje. I trafiłem na taką (cytat dosłowny): „Singapurski beatboxer, który potrafi zaskoczyć każdego". Nie wątpię. Ale prawdę mówiąc, nie chciałbym być zaskakiwanym przez singapurskiego beatboxera. Przez żadnego boxera nie chciałbym być zaskakiwany. Ja mam taki temperament, że już wolałbym spędzić „TYDZIEŃ Z TWA-ROŻKIEM". No dobrze, niech będzie też „bliżej silikonu". Ale w tym przypadku wystarczyłby weekend. O! Dwa dni „bliżej silikonu", „TRZY DNI Z TWAROŻKIEM" i reszta tygodnia, żeby to odespać. Idealne proporcje dla mężczyzny w pewnym wieku.

19 grudnia 2013

Wszyscy wszystkim...

Przeczytałem taką wiadomość:

„Sąd nie wydał wyroku w sprawie 31-letniej Izabelli C., która swoim mercedesem wjechała do przejścia podziemnego koło warszawskiej Rotundy, i odesłał sprawę do prokuratury. Zakazał jej jednak opuszczania kraju i nakazał stawiać się na komisariacie dwa razy w tygodniu. – To koliduje z moimi planami świątecznymi – mówiła kobieta, nie dając dojść do głosu sędzi (...)".

Nie wiem, czy ktoś, kto jest sprawcą takiej kolizji, powinien mówić o tym, że coś mu koliduje. Jakoś niezręcznie to brzmi.

Miło zaskoczyły mnie życzenia od rosyjskich linii lotniczych. Wiszą w centrum Warszawy, ja często z centrum korzystam, więc domyślam się, że skierowane są również do mnie. Mimo że nigdy nie byłem ich klientem i jakoś nie wybieram się w najbliższym czasie. Ten wielki baner z napisem: „Wesołych Świąt życzy Aerofłot" uświadomił mi, że czas wymyślić jakiś zestaw życzeń, bo przecież święta idą. A zaraz po nich Nowy Rok. Zacznijmy od świątecznych. Jak powiem przy wigilijnym stole, że życzę moim bliskim Wesołych Świąt, to ktoś gotów się obrazić:

– A co to, nie stać cię na coś oryginalnego?! Życzysz mi tego samego, czego wszystkim innym życzą rosyjskie linie lotnicze?!

Jestem dla ciebie tyle warta, co ktoś kupujący bilet do Moskwy w klasie ekonomicznej?!

Nie wybrnę. Kiedyś było prościej. Właściwie spoza rodziny i przyjaciół z życzeniami docierał tylko kominiarz. No, jeszcze jakiś dygnitarz w telewizji życzył, ale jego mogłem przyciszyć, a nawet wyłączyć. A teraz? Spełniła się wróżba z pewnej piosenki i „wszyscy wszystkim ślą życzenia". Mam tylko nadzieję, że kominiarze zachowają resztki niezależności i będą, jak zwykle, życzyli tylko w swoim imieniu. Bo jeśli przyjdzie jakiś i powie:

– Najlepsze życzenia świąteczne i noworoczne składa kominiarz. Do życzeń dołączają się koleje portugalskie Comboios de Portugal i przedsiębiorstwo energetyczne EnBW Energie Baden-Württemberg AG...

to już nie zdzierżę!

Mam kolejny dowód na to, że stałem się instytucją zaufania publicznego. Państwo czasem powierzają mi swoje przeżycia. Z prośbą o przekazanie innym Państwu, ewentualnie przechowanie dla potomnych. Pani Małgosia opisała mi zdarzenie sprzed kilkunastu lat:

„Robiłam zakupy w markecie spożywczym. Znalazłam wszystko, czego poszukiwałam, oprócz miodu. Nawinęła się młoda ekspedientka, więc ją zahaczyłam:

– Czy znajdę u państwa miód?

– Ale z pszczół? – upewniła się dziewczyna.

Postanowiłam zażartować:

– A bywa z jakichś innych zwierząt?

Dziewczyna się zadumała, po czym odparła z przekonaniem:

– Właściwie to nie, ale czasem przychodzi wielokwiatowy...".

I już mam pomysł na życzenia! Otóż na te święta życzę Państwu, żeby wśród tych wszystkich życzeń, które się zdarzą, było przynajmniej kilka szczerych i od kogoś, na kim Państwu naprawdę zależy. Żeby nie życzyli wszyscy jak popadnie i cze-go się tylko da. I żadnych kolizji wywoływanych przez ludzi, którym coś potem koliduje. I żeby miód zawsze był „z pszczół". Nawet wielokwiatowy. Wesołych Świąt.

PS. Chyba nie muszę dodawać, że do moich życzeń dołącza się NASA – Narodowa Agencja Aeronautyki i Przestrzeni Kos-micznej.

23 grudnia 2013

Uwolnić energię!

Po minionym Bożym Narodzeniu długo będę wracał do formy. Nie chodzi o nieumiarkowanie w jedzeniu i piciu, którego konsekwencje odczuwałbym do dzisiaj. Nie mam też na myśli jakichś urazów związanych z różnymi formami świętowania – nie potknąłem się o choinkę, nie poparzyłem się barszczem, ość karpia kością w gardle mi nie stanęła, w drodze z pasterki nie pobiłem się z turoniem o jego dziewczynę. Chodzi o stan psychiczny, w jaki wpadłem po otrzymaniu jednego prezentu. Już dawno po świętach, a to wciąż stoi na moim biurku, przypominając, że ludzie nie znają litości.

Nie dostałem tego od nikogo z rodziny. Przyszło do radia, w którym pracuję. Każdego roku, pod koniec grudnia, pan listonosz przynosi jakieś materialne wyrazy sympatii od nieznanych mi ludzi czy instytucji. Zazwyczaj pocztówkę z pozdrowieniami, maskotkę, czasem kalendarz, książkę, sporadycznie butelkę dobrego wina. Tymczasem przed tymi świętami…

Dostałem przesyłkę od producenta suplementu diety przeznaczonego dla starszych ludzi! Takiego, który dotychczas znałem tylko z reklam telewizyjnych, z tekstami typu: „Spacer z wnuczką to mnóstwo radości". W gustownie zapakowanym pudełku była butelka tego specyfiku. Ale dla mnie?! To chyba jakaś pomyłka? Owszem, mam paru kolegów, którzy powinni już zacząć stosować. Mogę podać ich adresy. Ale ja? Jeszcze nie szybko! W pudełku był też list. Oto fragmenty:

„Szanowny Panie,
Jesteśmy pod wrażeniem pasji i energii, z jaką podchodzi Pan do życia!
Od wielu lat zachwyca Pan swoją ciekawością świata, odwagą w podejmowaniu nowych wyzwań, pozytywnym wpływem na innych!
Czy nie brakuje Panu czasem energii, aby sprostać wszystkim wyzwaniom? (…)".

I dalej informacja o tym, że ten specyfik, który mi podarowali na święta, „…wspomaga witalność, wpływa na odporność, kondycję fizyczną i umysłową, a przede wszystkim pozwala uwolnić energię!", i że z nim stawię czoła „… wszystkiemu, co przyniesie Nowy Rok".
To o mnie?! I do mnie?! Fałsz albo pomyłka! Zacznijmy od początku: ostatni raz „z pasją i energią" podszedłem do życia pierwszego września 1978 roku, idąc do pierwszej klasy szkoły podstawowej. Ale już drugiego września mi przeszło, bo stwierdziłem, że tornister za ciężki. Owszem, „zachwycam", ale tych lat nie jest znowu tak wiele. Jaka „ciekawość świata"?! Jak już na własne oczy zobaczyłem Rzeszów, to stwierdziłem, że więcej nie chcę i nie muszę. Co prawda byłem później w paru innych miejscach na świecie, ale nigdy z własnej woli. Zawsze mnie zmuszano. I stwierdzam, że rzeczywiście większość przereklamowana i Rzeszów by mi wystarczył.

„Odwaga w podejmowaniu nowych wyzwań"? No, to może racja – wziąłem kredyt na mieszkanie. „Pozytywny wpływ na innych" – to też się zgadza. Pracownicy banku, w którym wziąłem ten kredyt, mogą rzeczywiście być zadowoleni. Będą mieli z czego żyć przez najbliższe trzydzieści lat.

Ludzie! Ja rozumiem, że wy w dobrej wierze, ale zastanówcie się, jakie skojarzenia w obdarowanym mogą wywołać praktyczne prezenty w postaci „przywracającego resztki energii" suplementu diety, leku na potencję, kuponu rabatowego na zabiegi chirurgii plastycznej czy albumu fotograficznego pod tytułem *Czas na czar sanatorium*!

Na wszelki wypadek zapytałem kolegę, który naprawdę jest już dziadkiem, czy rzeczywiście „spacer z wnuczką to mnóstwo radości"? Odpowiedział, że owszem, ale pod warunkiem że wnuczka jest cudza, ma tak ze trzydzieści do trzydziestu pięciu lat i żona się o tym spacerze nie dowie.

Styczeń 2014 („Gazeta Lekarska")

AAA AAAby ogłoszenie drobne ocalić

Ostatnio częściej wpada w zadumę. Po jego twarzy nie da się poznać, że właśnie wpadł. Szwagier Gierka ma twarz, która wyraża tylko dwa stany emocjonalne: „jem" i „nie jem". Ale jak szwagier jest w stanie „nie jem", czasem mówi i od razu się wtedy wie, że wpadł w zadumę. Bo w takiej chwili rozbudowuje znane sentencje, tworząc z nich wielopiętrowe konstrukcje filozoficzne. Kiedyś, wychodząc z domu po papierosy, stwierdził: „Myślę, więc jestem, ale jak mnie nie ma, to nie znaczy, że nie myślę, tylko myślę gdzie indziej". A niedawno, przeglądając rubrykę z ogłoszeniami drobnymi w gazecie, szwagier westchnął: „Wszystko przemija. I coraz mniej jest ludzi, którzy mówią, że wszystko przemija, bo też przemijają".

Nie dziwię się, że takie myśli dopadły szwagra nad gazetą, zwłaszcza przy rubryce z ogłoszeniami drobnymi. Bo ogłoszenia przemijają! Internet zabija tę formę skrótowego i precyzyjnego formułowania myśli. W czasach kiedy za każde słowo trzeba było zapłacić, nie publikowało się ogłoszeń typu: „Mam do sprzedania rower. Nawet duży. Rama taka wygięta w dół, kolor coś pomiędzy burgundem, czerwienią żelazową a karminem. Kierownicę ma. Siodełko ma. Nawet wygodne, jak się dobrze usiądzie. Dzwonek działa, ale tylko jak się go użyje, bo sam nie działa. Do roweru dorzucę laptop, który działa odwrotnie niż dzwonek przy rowerze. To znaczy: jak się go użyje, to nie działa, ale czasem sam się włącza". Teraz tego typu anonse to norma. Żadnej finezji, żadnego miejsca na domysł odbiorcy.

A przecież kiedyś takie ogłoszenia trafiały do literatury, bywały inspiracją dla poetów. Na przykład Tuwim kolekcjonował je, a potem największe kurioza drukował w „Wiadomościach Literackich". Mariusz Urbanek w książce *Tuwim. Wylękniony bluźnierca* cytuje kilka perełek. Na przykład matrymonialne:

„Ożeni się biedny, lecz jurny. Oferty – Inteligent".

Albo handlowe, w którym ktoś oferuje do sprzedaży *Trylogię*…

„…poniżej kosztów z okazji sprowadzenia zwłok Henryka Sienkiewicza do Warszawy".

Chciałbym, żeby wyszło na jaw jeszcze kilka cech, które upodabniają mnie do Tuwima, ale obawiam się, że zamiłowanie do ogłoszeń drobnych jest jedyną. Jeśli jeszcze gdzieś na nie trafiam, to przeglądam, wycinam, zachwycam się. Kurioza zdarzają się rzadko, ale ciekawostek nie brakuje. Odłożyłem sobie na przykład numer kieleckiego „Echa Dnia" sprzed kilku miesięcy, w którym jedno ogłoszenie „AAA AAA Noworoczna obniżka cen! Szycie kołder. Pranie pierza" pojawia się w dwunastu(!) działach: biznes, finanse, komputery, kosmetyka, lokale, medycyna, nauka, nieruchomości, różne, sprzedaż, usługi i wideofilmowanie.

I gdyby się tak chwilę zastanowić, to nic w tym dziwnego. Kosmetyka i medycyna – przecież pierze nieprane może wywołać alergię. Finanse i nieruchomości – stopy procentowe kredytów mieszkaniowych w naszym kraju są niewątpliwie pewną formą prania pierza. Komputery – przypuszczam, że jest na rynku jakaś gra typu *Szycie kołder Destruction and Devastation 6*.

Ogłoszenia drobne powinno się objąć specjalną ochroną. Może Unia Europejska wprowadziłaby dopłaty? Za dobrą, intrygującą, niebanalną treść należy płacić autorowi anonsu. Powinno się publikować zbiory najciekawszych, ogłoszeniodawcy mogliby się wymieniać doświadczeniami, czerpać z tradycji. Być może twórca tekstu o szyciu kołder i praniu pierza w kieleckim „Echu Dnia" zainspiruje się którymś z cytowanych wyżej, z kolekcji Tuwima? I ogłosi kolejną obniżkę cen? Okazja zawsze się znajdzie. Choćby przypadająca w tym roku dziewięćdziesiąta rocznica „sprowadzenia zwłok Henryka Sienkiewicza do Warszawy".

Szwagier Gierka na pewno złośliwie skomentuje moje pomysły, rozbudowując którąś z myśli Seneki Młodszego lub Kazimiery Starszej (tak nazywa matkę swojej pierwszej żony). Ale to dopiero za jakiś czas. Jak mu się mortadela skończy.

Styczeń 2014 („Zwierciadło")

Jedzie Jasio od Torunia

Zadzwoniła pani z telewizji i zaprosiła do udziału w programie z okazji Dnia Dziwaka. Zgodziłem się. A po chwili zacząłem się zastanawiać, dlaczego ja? Czy fakt, że kolekcjonuję zapałki wypalone w dwóch trzecich, dokładnie co czternaście minut robię trzy przysiady, przebiegam drogę czarnym kotom, kanapkę jem zawsze masłem do ziemi i czytam wyłącznie leworęcznych pisarzy, jest już wystarczającym powodem, żeby wyzywać mnie od dziwaków? A może nie było w tym zaproszeniu żadnej złośliwości? Tylko po prostu chcieli mnie gościć, bo mnie lubią i szukali jakiegokolwiek pretekstu? Dzień wcześniej był Dzień Filatelisty, dzień później Dzień Elvisa Presleya. Widocznie im się nie kojarzyłem ani z jednym, ani z drugim. A szkoda, bo gdyby zapytali, tobym szczerze powiedział, że tak naprawdę to ja jestem Elvisem Presleyem i zbieram znaczki z Marią Skłodowską-Curie. To znaczy... Nie że zbieramy razem. Ja sam zbieram znaczki, na których jest Maria Skłodowska-Curie. Najlepiej w laboratorium. To znaczy... Nie że zbieram znaczki w laboratorium, tylko takie, na których Maria jest w laboratorium. Lubię kobiety w laboratoriach.

Kalendarz z wykazem świąt (tych dziwnych i tych normalnych), rocznic, obchodów jest skarbem dla każdej redakcji. Nie

ma się pomysłu na jutrzejszy program – zagląda się do kalenda-
rium, a tam napisane, że jutro Dzień Osób Nieśmiałych i Ukrytej Miłości (naprawdę jest taki!), i już jest o czym mówić. Sam
zresztą wielokrotnie korzystałem z takich kalendarzowych pod-
powiedzi. Na przykład dowiedziałem się niedawno, że 2014 ogło-
szono Rokiem Oskara Kolberga, wybitnego etnografa, folklorysty,
człowieka, który z pasją dokumentował polską kulturę ludową.
Na pewno pojawi się mnóstwo pomysłów na uczczenie dwu-
setnej rocznicy urodzin wybitnego polskiego naukowca. Akade-
mia, spektakl, książka, pewnie ukaże się znaczek z Kolbergiem.
A może nawet z Kolbergiem odwiedzającym w laboratorium...
Przepraszam, poniosło mnie. Kazania, przemówienia, odsłonię-
cia, nadania imion szkołom, ulicom, uroczyste przecięcie wstęgi
i podpalenie tęczy. Ja wpadłem na inny pomysł. Namówiłem słuchaczy mojej audycji, żebyśmy wspólnie tworzyli nowe utwory
ludowe. Po co? A po to, żeby jakiś współczesny Kolberg miał się
czym zachwycić, miał co zbierać.

Poszukując inspiracji, zajrzałem do *Pieśni i melodii ludowych
w opracowaniu fortepianowym* Oskara Kolberga. Otwierałem na
chybił trafił i się zachwycałem. Na przykład czymś takim:

A na moście trawa rośnie,
Da, pod mostem ślaz, ślaz,
Mówiła mi grzeczna panna,
Żebym z konia zlaz, zlaz.
A ja tego nie uczynę,
A ja tego nie uczynę,
Bo się boję o dziewczynę,
Jużem tu był raz, raz...

Albo jeszcze to:

Jedzie Jasio od Torunia, cztery konie miał, miał,
Miał, miał, miał, miał, miał, miał...

Jakie proste! A ile daje radości! No to ja mam takie propozycje
nowych utworów ludowych:

Zima odebrała życie
Kolorowym kwiatkom,
Jedzie, jedzie przedstawiciel
Na furmance z kratkom!

Dobre! Tylko za mało nieprzyzwoite jak na utwór ludowy. To
może:

Jakem nocą szedł od Madzi,
Przebiegła mi drogę owca,
Wyglądała jak z Czeladzi,
A była z Sosnowca! Hej!

Też za mało pikanterii jak na folklor. Będę jeszcze próbował.
I ciebie, ludu, też namawiam. Pisz! Śpiewaj! Przekazuj z pokolenia w pokolenie!
A może trochę doerotyzuję opowieść o tym Jaśku, który jechał
od Torunia?

A przy drodze stała panna, dwieście złotych miał, miał,
Miał, miał, miał, miał, miał, miał...

13 stycznia 2014

KOPA

Z angielskim jakoś mi nie po drodze. Chodzi o to, że nie umiem, nie znam i mam kompleks. Może to traumatyczne wspomnienia z pierwszej lekcji języka angielskiego?

Zapisałem się na kurs w domu kultury. Wyszedłem na pierwszą lekcję wcześniej, bo tata kazał mi po drodze kupić puszkę białej farby olejnej. Kupiłem, przyszedłem, usłyszałem tylko:

– Gud afternun. – I... TRAACH! CHLUUP! CHLUUP... To moja farba! To znaczy mojego ojca! Wylała się na wykładzinę w sali wykładowej. I kiedy reszta grupy chóralnie powtarzała:

– Maj nejm is... – Ja, czerwony ze wstydu, zbierałem papierowym ręcznikiem białą farbę z podłogi.

Na drugie zajęcia nie przyszedłem, bo byłem pewien, że lektor zacznie od nauki zwrotu: „To jest Artur, jemu się wylewa biała farba olejna". Potem próbowałem jeszcze parę razy, ale mi nie szło.

Zacząłem leczyć swoje kompleksy, wymyślając żarty typu: „Tak naprawdę po angielsku trzeba opanować tylko dwa słowa: mejbi i bejbi, i umieć ich odpowiednio użyć". Ale wstydzę się. Podejrzewałem, że nie ja jeden. Dlatego postanowiłem zapytać słuchaczy mojej audycji, jak radzą sobie z nieznajomością angielskiego w czasach, kiedy to jest właściwie konieczność?

Powołałem KOPA, czyli Komitet Oporu Przeciwko Angielskiemu. Miało się to nazywać Komitet Lekkiego Oporu Przeciwko Angielskiemu, ale skrót mi się nie podobał.

Oto opowieści ludzi:

Tomek:

„Dwóch znajomych w knajpie w UK. Jeden potrzebował serwetki, zwrócił się do kelnera słowami: serwetejszon plis".

Michał:

„W Madrycie weszliśmy z żoną do restauracji, gdzie przemiły pan kelner zaczął do nas mówić płynną hiszpańszczyzną. My, oczywiście, ni w ząb w tym języku. Pytamy, czy mówi po angielsku, ale żadnej reakcji, nadal potok słów wydobywa się z jego ust... No to my po polsku do niego. Znów to samo. W końcu po kilku minutach przemowy i oglądania naszych lekko zakłopotanych min pan powiedział *closed* i wrócił do swoich zajęć".

Ania:

„Mój wujek, pracujący w Irlandii, zawsze twierdził, że nie jest mu potrzebny angielski. Zapytany o to, jak miałby powiedzieć swojemu pracodawcy, że chce herbaty do śniadania, podał mi prostą instrukcję:

– Zawsze mam w kieszeni torebkę ekspresówkę, kartkę i ołówek.

Widząc moje zdziwienie, wytłumaczył:

– Pokazujesz ekspresówkę, a na kartce piszesz H_2O + 100°C. Nawet Irlandczyk zrozumie, o co ci chodzi".

Tomasz:

„Miałem kolegę na studiach, którego profesor przed zajęciami spytał:

– *How are you?*

Kolega źle usłyszał i odpowiedział:
– *Thank you, I'm twenty"*.

Barbara:
„Wakacje we Włoszech. Siedzimy w uroczej włoskiej knajpce. Wśród nas Włoch, przyjaciel naszej znajomej. Mąż uparł się, że będzie rozmawiał po angielsku. Patrzyliśmy z synem na jego potyczki językowe z przerażeniem, gdyż znajomość języków obcych w jego przypadku jest znikoma. W pewnym momencie, kiedy próbował wyrazić swój sprzeciw wobec jakiegoś problemu, który poruszył Włoch, mój małżonek wykrzyknął:
– *This is...* Potwarz i kalumnia!
Co dziwne, wydawało mi się, że Włoch zrozumiał".

Zdaje się, że skuteczną metodą ucieczki od kłopotów z angielskim jest skierowanie uwagi rozmówcy na inny język. Ten inny możemy znać na podobnym poziomie, musi tylko brzmieć obco i słowa należy wypowiadać z wyrazem pewności na twarzy.

Jarka:
„Znajomy mojego taty w restauracji w Hiszpanii chciał zabłysnąć i zamówić kurczaka na obiad, więc powiedział:
– Ajne kiten kokoten bite.
Innym razem, na wycieczce, poprosił przechodnia o zrobienie zdjęcia, mówiąc:
– Aparaten psztryken bite".

Bogumił:
„Na obozie harcerskim w zaprzyjaźnionym wówczas kraju koledzy przymusili mnie, bym pokonwersował z naszą opiekunką, Rosjanką. Zacząłem tak:

– How do you do?
Na to ona:
– A u nas jeszczio etowo nie było...".

Z przeżyć innych ludzi należy wyciągać wnioski dla siebie samego. Ja zacznę stosować metodę z opowieści Tomasza i Bogumiła. Na większość pytań po angielsku będę odpowiadał: *U nas jeszczio etowo nie było*. Tylko na *how are you?* będę zawsze reagował: *Thank you, I'm twenty*. Pytający na pewno się zniechęci, bo to przecież za drogo.

29 stycznia 2014

„Czop z rzodkwie" na światło wydany

Ludzkie choroby, dolegliwości, niedomagania należy traktować z powagą i współczuciem. I tak zazwyczaj do nich podchodzę. Ale jest mi coraz trudniej. Winę za osłabianie poziomu mojej empatii wobec cierpiących bliźnich ponoszą twórcy i nadawcy reklam leków. Kiedy przez pół roku co piętnaście minut słyszę w radiu zachętę do kupowania środków na wzdęcia bądź zaparcia, jakoś trudniej mi współczuć. Uruchamia się we mnie coś na pograniczu głupawki. Zwłaszcza kiedy po raz kolejny dopada mnie reklama śpiewana na skoczną nutę piosenki *Orkiestry dęte*. Cytuję z pamięci: „Kiedy jesteś cała wzdęta, w brzuchu gra orkiestra dęta, nie licz na oklaski, chcesz mieć brzuszek płaski...". Oczywiście dla higieny psychicznej mógłbym sprowadzić ten przypadek do zabawy i porównać reklamową przeróbkę z oryginałem, zastanawiając się, czy kiedy „babcia stała na balkonie, dołem dziadek defilował", babcia miała płaski brzuszek, czy już nie? Ale natłok reklam odbiera mi ochotę do żartów. Przez drugie pół roku trudno mi się uwolnić od leków na „lekkie nietrzymanie moczu" i hemoroidy. Niedawno zobaczyłem nawet reklamę telewizyjną, w której pani opowiada o tym, że miała problem z hemoroidami, ale mama poleciła jej jakiś skuteczny lek i już po problemie. Klip kończy się w ten sposób, że uśmiechnięta pani stwierdza: „Teraz mam czas na rzeczy ważniejsze niż hemoroidy". A mnie od razu korci, żeby zapytać: „To są takie?!". Bo sądząc po intensywności nadawania tej reklamy, aktualnie w naszym kraju nie ma spraw istotniejszych niż hemoroidy.

Żeby wszystko było w pełni jasne – wiem, że leki na tego typu przypadłości trudno reklamować. Bo to w ogólnym pojęciu wstydliwe tematy; za niezręczne uważa się samo ich poruszanie. Ja tak nie uważam. Należy o nich mówić, ale po prostu warto się zastanowić nad formą i intensywnością. Od producentów leków oczekuję w miarę subtelnej informacji, że mogę sobie z tymi problemami poradzić. Równie delikatnie i więcej chciałbym się dowiedzieć od lekarza czy farmaceuty. Tylko bez natłoku, proszę! Natłok mnie przytłacza! (O, może właśnie stworzyłem jakieś nowe pojęcie: natłok, który przytłacza = przytłok). Wiem, że czas antenowy hurtem można kupić taniej, ale... Gdyby znajomi z zagranicy wyrabiali sobie opinię na mój temat na podstawie tego, co widzą w blokach reklamowych w polskiej telewizji i słyszą w polskim radiu, mogliby pomyśleć, że ja i większość moich rodaków przez pół roku nie powinniśmy jeść, a przez drugie pół – siadać.

Tutaj miałem skończyć i wysłać tekst do redakcji i dumny ze swojej bezkompromisowej postawy, wyjść na ulicę z wyrazem twarzy krzyczącym do przechodniów: „To ten, który nie wstydził się pisać o reklamach środków na wzdęcia, zaparcia, nietrzymanie moczu i hemoroidy!". Ale coś mnie podkusiło i jeszcze sobie poczytałem. Tuwima, *Cicer cum caule, czyli groch z kapustą*. A tam... Recepta na „gryzienie w żywocie" z wydanej w 1564 roku książki *Lekarstwa doświadczone, które zebrał uczony lekarz pana Jana Pileckiego. Ktemu są przydane lekarstwa końskie z ćwiczeniami tegoż lekarza,*

przydaliśmy y figury ziół rozmaitych ku lekarstwam z ziołkami do-
statecznie sprawione. Teraz znowu na światło wydane. Roku 1564:

> *„Weźmi gnoiu gołębiego*
> *Trzecią część kopru swoyskiego,*
> *Tyle dwoie wody naley*
> *Warz aż trzecia część wydzie s niey*
>
> *Przecedź a day choremu pić*
> *Cztermi łotmi trunek zważyć,*
> *Żywot to dobrze przepuszcza*
> *Kto w nim cięszkie gryzienie ma.*
>
> *Albo czop z rzodkwie ustruży*
> *Miodem go z wierzchu pomaży,*
> *Wetkniż go w zad co nadaley*
> *Pozbędziesz tym choroby złey".*

Czyli jednak! Narodowa tradycja! Wesoło i do rymu! Przepraszam za wszystko, co napisałem wcześniej, i z wszystkiego się
wycofuję. Omawiane reklamy proszę nadawać jeszcze częściej!
Twórców i nadawców zachęcam do jeszcze większej odwagi!
Bawić bez skrępowania! Pokazywać, co się da! I przerabiać naj-
popularniejsze piosenki! Bo przecież:

> *My Słowianie wiemy, jak użyć swego ciała,*
> *Wiemy, jak pokazać to, co mama w genach dała.*

A jeśli dała, to nie ma się czego wstydzić.

Luty 2014 („Gazeta Lekarska")

„Inwazja Wykrzykników 4! Śmiertelne starcie!!!"

Ktoś powinien nakręcić film pod takim tytułem. Mam nawet pomysł na pierwszą scenę: piękna kobieta wchodzi pod prysznic, kamera zbliża się do prześwitującej zasłonki (od razu widać, że to co najwyżej Nowy Jork, a nie Wilanów – nie stać jej na porządną kabinę prysznicową), muzyka potęguje nastrój grozy, na tle zasłonki pojawia się cień wykrzyknika! Krzyk kobiety! Cięcie! Druga scena: grupa ludzi w panice ucieka przed ptakami, które lecą w kluczu zorganizowanym w wykrzyknik. Trzecia: wykrzykniki masowo wychodzą z grobów...

Plaga wykrzykników pojawiła się w Internecie. Kiedyś wykrzyknik był potrzebny do wzmocnienia wypowiedzi, zwrócenia uwagi na coś niezwykłego. Teraz służy właściwie do wszystkiego. Bo, być może, wszystko stało się niezwykłe? Wynotowałem sobie przykłady, na które natrafiłem, otwierając Internet. Oto pod zdjęciem jednej z gwiazd telewizji pojawia się napis: „Na premierę przyszła z partnerem!". Zastanawiam się, co ten wykrzyknik ma podkreślić? Że „z partnerem"? A z kim miała przyjść? Gdyby się zdecydowała przyjść z partnerką, na jednym wykrzykniku by się nie skończyło!!! A może, że „na premierę"? Bo zazwyczaj bywała dopiero na drugim spektaklu? Wydaje mi się, że kluczowe jest tutaj słowo „przyszła". Redakcja specjalizująca się w dodawaniu wykrzykników zwraca w ten sposób uwagę na kiepską sytuację finansową polskich elit towarzyskich. Albo na promowanie przez nich zdrowego stylu życia. Przyszła, bo bank zabrał jej samochód albo dba o kondycję i dlatego chodzi, a nie jeździ. Szukając odpowiedzi na to pytanie, wpisałem do wyszukiwarki internetowej formułkę „przyszła z partnerem!". Od razu pojawiła się lista fotograficznych sprawozdań z różnych towarzyskich wydarzeń pod wspólnym tytułem: „Zobacz, kto przyszedł!". I co druga z partnerem. A mężczyźni niejednokrotnie z partnerkami. I, oczywiście, z wykrzyknikiem!

Wciągnęło mnie to przeglądanie rubryk towarzyskich i dowiadywanie się z nich, „kto przyszedł!". Oczywiście przy okazji poznałem zawiłości układów. Okazało się, że... Jak by tu delikatnie i nie wprost? Może tak: „Niewielka jest długość promienia okręgu tego towarzyskiego kręgu". Po prostu często ktoś tym razem przychodzi z kimś, z kim wcześniej przychodził ktoś inny. Wiem, że to wszystko brzmi zawile, ale krępuję się pisać o tym bez ogródek. Kończąc ten wątek – wiedząc, że takie związki bywają krótkie, a liczba tego typu imprez w Warszawie dość ograniczona, dwie koleżanki, witając się na bankiecie, mogą z dużą dozą prawdopodobieństwa, że to już wkrótce nastąpi, używać formułki: „Przyszłam z twoim przyszłym!".

Wracając do wykrzykników – w jeszcze większe zdumienie wprawił mnie podpis pod zdjęciem innej gwiazdy telewizyjnej: „Czterdziestoletnia gwiazda TVP wciąż zachwyca!". Co tutaj ma wyrazić wykrzyknik? Podziw, że dożyła tak podeszłego wieku? Po prostu jest zdrowa, bo dużo chodzi. Ciekaw jestem, ile wykrzykników pojawi się, kiedy ta gwiazda skończy pięćdziesiąt lat i wciąż będzie zachwycać? Może wtedy wykrzyknik zostanie poprzedzony znakiem zapytania? „Pięćdziesięcioletnia gwiazda TVP wciąż zachwyca?!". Nie! Na pewno będzie: „Szok!". Bo zauważyłem, że „Szok!" przed informacją pojawia się wtedy, kiedy żadna liczba wykrzykników nie jest w stanie wyrazić zdziwienia, w jakie popadł autor tekstu. Na przykład kiedy dowiedziałem się, że moja znajoma, dotychczas spokojna żona specjalizującego się w uprawie owoców rolnika spod Rawy Mazowieckiej, ma romans z playboyem z punktu skupu przetwórni owocowo-warzywnej, nie wytrzymałem i rozesłałem wszystkim znajomym wiadomość pod tytułem: „Szok z czarnej porzeczki!".

Luty 2014 („Zwierciadło")

Sto lat? Sto lat?
Niech żyje, żyje? Nam?

Zapachniało skandalem, kiedy podczas odbioru nagrody na uroczystej gali publiczność odśpiewała znanej aktorce gromkie *Sto lat*. Kłopot w tym, że aktorka skończyła niedawno dziewięćdziesiąt dziewięć. Dziennikarze relacjonujący wydarzenie nie kryli oburzenia tym nietaktem.

Podejrzewam, że sama bohaterka przyjęła zdarzenie z odpowiednim dystansem. A moje podejrzenie bierze się stąd, że przyjaźniłem się z osobą, która dożyła prawie setki. I wiem, że spoglądanie na życie z perspektywy tylu lat dystans do tego życia powiększa i skraca listę zdarzeń uznawanych za nietaktowne. Stefania z okazji swoich dziewięćdziesiątych urodzin udzielała wywiadu telewizyjnego. Na koniec dziennikarka zapytała: „Pani Stefanio, a czego mogłabym pani życzyć?". Jubilatka odpowiedziała bez chwili wahania: „Żebym zdrowo umarła". „To tego pani życzę w imieniu własnym i naszych telewidzów". O tych życzeniach Stefania opowiadała przez kilka następnych lat z zachwytem, twierdząc, że to jedne z najpiękniejszych, jakie kiedykolwiek usłyszała.

No więc jak sobie poradzić z niezręcznością śpiewania *Sto lat* komuś, kto skończył już dziewięćdziesiąt dziewięć? I kiedy to się niby staje niezręczne?

Dziewięćdziesięciosiedmiolatkowi też teoretycznie mogłoby być przykro. Jeszcze raz zwracam uwagę, że jeżeli w ogóle śpiewanie takie jest niezręczne, to raczej dla śpiewających niż dla adresata pieśni. Ale przecież wiadomo, że my tego nie śpiewamy dla niego (dla niej). Śpiewamy dla siebie. O czym dobitnie świadczy fragment: „Niech żyje, żyje NAM". Gdyby to miało dotyczyć szanownego jubilata, śpiewalibyśmy: „Sto lat, sto lat, niech żyje, żyje SOBIE".

Otóż zacząłbym kombinować od dziewięćdziesiątych urodzin. Ale co śpiewać? „Dwieście lat" to po pierwsze głupie, bo wszyscy wiedzą, że niemożliwe, po drugie nie mamy pewności, czy adresat życzyłby sobie jeszcze tak długo. Kiedy prowadziłem koncert z okazji dziewięćdziesiątych urodzin pewnego wybitnego dyrygenta, reżyser widowiska wybrnął z kłopotu, nadając mu (widowisku, nie dyrygentowi) tytuł „100 lat + VAT". Chytry zabieg z kontekstem politycznym, bo sugerujący, że dla dobra tej szacownej postaci powinniśmy popierać politykę finansową rządu i z przyjemnością zgadzać się na podnoszenie stawki podatku o przynajmniej 1% każdego roku. Żeby jak najdłużej „żył NAM". Ale jest pewne niebezpieczeństwo interpretacji tych życzeń. Czy to ma być normalna stawka VAT, czyli 23%, czy też zaledwie 8%, jak w przypadku „dostawy i montażu szaf wnękowych". Albo 5%, kiedy są to niektóre towary, chociażby „rośliny inne niż wieloletnie"? Mógłby się znaleźć ktoś mało życzliwy, kto wspomniałby, że przecież „usługi w zakresie kontroli ruchu lotniczego" są objęte stawką 0% VAT.

Proponowałbym urealnienie takich śpiewanych życzeń. W Internecie bez problemu można znaleźć pomocne dane. Na przykład, że najstarszym żyjącym aktualnie człowiekiem jest Japonka Misao Ōkawa, która w chwili pisania tego tekstu ma 116 lat i 7 dni. Zatem jeśli chcemy komuś dobrze życzyć, śpiewajmy: „116 lat i 8 dni, 116 lat i 8 dni niech żyje, żyje nam". To i tak będzie dłużej od najstarszej Japonki, ale nie będzie przesady.

Zwracam się również z prośbą do bohaterów takich uroczystości. Pomóżcie tym wszystkim, którzy nie wiedzą, jak w takiej sytuacji mają się zachować. Wam wszystko wypada. Przecież wychodząc na scenę podczas uroczystej gali, możecie spokojnie powiedzieć: „Proszę państwa, gdyby państwo chcieli mi cokolwiek zaśpiewać, to proponuję następujące wersje:»Ile się da, ile się da, niech żyje, żyje nam«" albo: „»Dobrze, dobrze niech żyje, żyje nam«". A najlepiej proszę się w ogóle nie kłopotać określaniem ile, tylko od razu przejść do gwiazdki pomyślności, która niech mi nie zagaśnie.

Marzec 2014 („Gazeta Lekarska")

Żarty z nazwisk są jak kobiety we mgle w Tyrolu

Szwagier ma ekstremalne upodobania telewizyjne. Spędza kilka godzin dziennie, patrząc na monotonnie przesuwające się po ekranie obrazki z kamer internetowych stacji narciarskich w Tyrolu. Szczególnie lubi mgłę w Kitzbühel i deszcz w Kirchbergu, pięknie uzupełnione melodią *Tiroler Herz Marsch*, na orkiestrę dętą i akordeon Weltmeister, którego brzmienie wywołuje w szwagrze Weltschmerz.

Szwagier Gierka ma też specyficzne poczucie humoru. Lubi żartować z nazwisk. Zwłaszcza ze swoich. To aktualne nie jest pierwszym nazwiskiem szwagra. Jego poprzednia żona nazywała się Jolanta Śrotka. Szwagier przyjął jej nazwisko i zaśmiewał się do łez, kiedy odbierając telefon, mógł powiedzieć: „Halo, tu państwo Śrotka".

No cóż, z poczuciem humoru jest jak z... Właśnie, powinienem teraz wymyślić jakieś zgrabne porównanie. Na przykład: „Z poczuciem humoru jest jak z grypą. Lepiej się zaszczepić, bo powikłania popoczuciohumorowe mogą być śmiertelne". Tyle że to mało zgrabne. Utrzymuje się na poziomie żartu szwagra.

Zauważyłem, że często używanymi porównaniami są te, w których coś jest „jak kobieta", albo te, że z czymś jest „jak z kobietą". Po pewnej dawce złośliwości w nich zawartych można się domyślić, że większość wymyślili mężczyźni. Podczas recitalu, w którym po polsku śpiewane były francuskie piosenki, usłyszałem: „Tłumaczenia są jak kobiety – jak piękne, to niewierne, jak wierne, to niepiękne". Rajdowy kierowca, opisując swoje wrażenia z wyścigu, mówi: „Z Dakarem jest jak z kobietą – możesz ją kochać i nienawidzić jej jednocześnie". Zaś Tuwim twierdził, że: „Z matematyką jest jak z kobietą – można ją bardzo kochać, bardzo jej pragnąć – a nie rozumieć".

Panie, które mają ochotę natychmiast rzucić w kąt ten szowinistyczny tekst, proszę o chwilę cierpliwości i trochę litości. Czy Was to nie wzrusza? Przecież to dowód na męską bezradność! Każdy wymyślający tego typu porównania facet liczy po prostu na łatwy sukces swojej wypowiedzi. I rzeczywiście, te nawiązania „dokobiece" tak się upowszechniły, że już chyba nikt nie zwraca uwagi na ich trafność. Gdyby ktoś powiedział: „Z samolotem jest jak z kobietą – lata, ale niewielu wie dlaczego" albo: „Tatry są jak kobiety – piękne, groźne, widać je z daleka i trzeba długo stać w kolejce do kolejki na Kasprowy", albo: „Pieniądze są jak kobiety albo ich nie ma, jak kobiet", na pewno znalazłoby się kilka osób, które zaśmiewałyby się do łez, jak szwagier Gierka z nazwiska pierwszej żony, nawet się nie zastanawiając, czy to mądre, czy nie. Chociaż... Przeczytałem raz jeszcze wszystko, co przed chwilą napisałem, i w każdym z tych pozornie głupich porównań znalazłem odrobinę sensu. Więc może jak mi tak dobrze idzie, to spróbuję jeszcze? „Kobiety są jak kobiety..." albo: „Z mężczyzną jest jak z kobietą...", albo: „Mężczyźni są jak kobiety...". Stop! Pierwsze jest banalne, a dwa następne porównania mogłyby być wstępem do dyskusji o związkach jednopłciowych i *gender studies*. A o tym innym razem.

Paniom, które mimo wszystko są zirytowane tak instrumentalnym traktowaniem kobiet, polecam odwet w postaci prostego przerabiania tych „dokobiecych" porównań na „domęskie". „Z Dakarem jest jak z mężczyzną – można go kochać i nienawidzić jednocześnie". Pasuje. Albo: „Tłumaczenia są jak mężczyźni – jak przystojni, to niewierni, jak wierni, to nieprzystojni".

Siostra pierwszej żony szwagra ma na imię Maria. Przy każdej okazji, z wyrazem zachwytu na twarzy, szwagier powtarza wymyślony przez siebie żarcik:

– Państwo pozwolą, że przedstawię: Środka Marysia.

Marzec 2014 („Zwierciadło")

Przyjaciel ortopedii

Rację miał autor słów hymnu Światowej Federacji Młodzieży Demokratycznej, pisząc, że: „Nie zna granic ni kordonów pieśni zew". Nie ma takiej sprawy, o której nie dałoby się zaśpiewać. A ja, kiedy trafiam na kolejny dowód przekraczania przez pieśń następnej granicy, wpadam najpierw w zdziwienie, a potem w zachwyt.

Tak było, kiedy w artykule Małgorzaty Skotnickiej-Palki, poświęconym epidemii ospy we Wrocławiu w 1963 roku (pismo „Pamięć i Przyszłość"), przeczytałem tekst hymnu, który powstał w jednym z wrocławskich izolatoriów:

Na Psim Polu dość wesoło,
Dzieci kręcą się wokoło,
Zewsząd płynie radość, śpiew,
Czas nikomu się nie dłuży,
I tak płynie dzień za dniem.

Refren:
Kwarantanna, kwarantanna,
Tam przyjemnie i wesoło płynie czas.

Za drutami kolczastymi,
Do kwarantanny na Psie Pole jedź choć raz…

Zanim coś jeszcze powiem na temat zacytowanego wyżej tekstu – dygresja. Sam nie mogę wyjść ze zdumienia, kiedy widzę, co ja czytam. I to wszystko przez Państwa! Przecież gdyby nie Wy, nie rzucałbym się z taką zachłannością na historyczne artykuły poświęcone epidemii ospy. Raczej, tak jak inni koledzy w moim wieku, szukałbym opowieści o miłości, pożądaniu albo o samochodach. A najchętniej o tych trzech rzeczach naraz – czyli miłości do samochodów i pożądaniu ich.

Wracając do tekstu hymnu z wrocławskiego izolatorium. Można dyskutować nad jego wartością literacką, ale nie można mu odmówić trafności spostrzeżeń. I ta trafność została osiągnięta użyciem jednego słowa: „dość". Pisząc, że: „Na Psim Polu dość wesoło", autor sugeruje, że jest bez przesady. Ani bardzo wesoło, ani niewesoło. Uważam, że poeci powinni częściej używać słowa „dość", a wtedy ich dzieła byłyby prawdziwsze. Pisane w uniesieniu nie krępowałyby autorów, kiedy to uniesienie mija. Ot, weźmy Leśmiana. I dopiszmy mu, bo być może sam nie miał odwagi:

Ty przychodzisz jak noc majowa…
Biała noc, noc uśpiona w jaśminie…
I jaśminem pachną twe słowa…
I księżycem sen srebrny płynie…
Kocham cię… Dość…

Jeden z moich kolegów muzyków zaangażował się w ciekawe przedsięwzięcie. Otóż grupa lekarzy urologów, ludzi z tytułami naukowymi, założyła zespół. Zjeżdżają z całej Polski na

348

próby, grają, śpiewają. Zaczęło się od nagrania płyty z kolędami. Teraz repertuar się rozszerza, mają nazwę, coraz bardziej rockowe brzmienie, występują na zjazdach, kongresach naukowych. A Wojtek, mój kolega muzyk, wspierający ich fachową siłą w aranżacji utworów, w „Przeglądzie Urologicznym" (co ja czytam?!) nazwany został dumnie „przyjacielem urologii". Oczywiście nadany mu tytuł stał się powodem do delikatnych żartów kolegów spoza środowiska medycznego, ale to na pewno z zazdrości. A może by tak przyjąć zasadę, że każdy z artystów ma zaszczytny obowiązek bycia przyjacielem jakiegoś działu medycyny? Żeby w żaden sposób to nikogo nie krępowało, nie wywoływało głupich komentarzy zacofanych i nieżyczliwych ludzi, takie tytuły powinny być kadencyjne i rozdzielane w drodze losowania. Na przykład Związek Artystów Scen Polskich, Stowarzyszenie Autorów ZAiKS, Związek Polskich Artystów Plastyków i Związek Literatów Polskich na walnych zebraniach, zgodnie z wynikami losowania, powinny każdego ze swoich członków zobowiązać do bycia przez najbliższe cztery lata przyjacielem interny, alergologii, anestezjologii, wenerologii, chirurgii, patologii itd. A każdy z artystów na koniec swojej kadencji miałby obowiązek pozostawienia po sobie jakiegoś świadectwa przyjaźni. Gdybym był „przyjacielem ortopedii", napisałbym piosenkę:

Zrosła ci się dobrze kość,
Znaczy… Zrosła ci się dość.

Kwiecień 2014 („Gazeta Lekarska")

Cóż

Kiedy na pożegnanie ciocia Basia zacytowała znane powiedzenie: „Odjechać to trochę umrzeć", szwagier wypalił bez zastanowienia:

– Ciocia się nie martwi, przecież ciocia wraca do siebie, a wrócić to trochę zmartwychwstać.

Atmosfera pożegnania straciła trochę ze swojego wcześniejszego wzruszającego blasku, ale szwagier Gierka zyskał nowe zajęcie. Zaczął filozofować. Zdaje się, że robił to od lat, ale wcześniej nieświadomie. Po powrocie z dworca natychmiast sprawdził w Internecie i stwierdził, że pochodzące z wiersza francuskiego poety Edmonda Haraucourta: „Odjechać to trochę umrzeć" już przed nim ktoś uzupełnił o drugą część: „Umrzeć to bardzo odjechać".

Szwagier usiadł nad kartką i zaczął kombinować: „Odjechać 38 kilometrów to trochę zarejestrować się do endokrynologa", „Wyjść do kiosku to trochę zacząć kaszleć". Obie sentencje brzmią głupio, ale nie są pozbawione sensu. Rzeczywiście, najbliższy endokrynolog przyjmuje 38 kilometrów od miejsca zamieszkania szwagra, a do kiosku wychodzi tylko po papierosy (szwagier, nie endokrynolog).

Nowa pasja szwagra trochę mi zaimponowała. Postanowiłem również poszukać w Internecie ciekawych sentencji do przerobienia albo uzupełnienia. Ale się zdekoncentrowałem, ponieważ przypadkiem trafiłem na relację z pobytu księżnej Kate, księcia Williama i ich narodzonego niedawno syna George'a w Nowej Zelandii. Przeczytałem i stwierdziłem, że coś się zmienia. Ludzie! Internet łagodnieje! Do niedawna potrafił (Internet) wprost i bez cienia litości pisać o ludzkich niedoskonałościach. A tu tymczasem... Może zacytuję: „Kate, jak zwykle, wyglądała wspaniale w czerwonym płaszczyku. Jednak to George wzbudził największą sensację. Malec jest naprawdę słodki! A William? Cóż, może być dumny z tego, że ma taką rodzinę". Autor (autorka?) tekstu w delikatny sposób dał (dała?) do zrozumienia, że nie wszystkie z opisywanych postaci tak samo ją zachwycają. Delikatnie, z kulturą, bez obrażania. „Cóż" – krótkie słowo, a ile może znaczyć! Jest nawet taka piosenka... To znaczy może być. Jak się komuś będzie chciało ją dokończyć.

> Byłam z tobą w czasie burz,
> Ale teraz... Cóż...
> Powiem krótko: goń się, leszczu!
> Moknij sobie w zimnym deszczu,
> Mam cię dosyć wszerz i wzdłuż.
> Wróć do matki. Cóż...

Właściwie mógłbym tę piosenkę dokończyć sam, ale chwilowo przeżywam kryzys twórczości. Po zagranicznym tournée.

Występowałem dla Polaków w Londynie. W słynnym POSK-u (Polskim Ośrodku Społeczno-Kulturalnym). Było bardzo miło, do chwili kiedy w przewodniku przeczytałem, że w roku 1991 na koncert Pavarottiego w Hyde Parku przyszło ponad sto tysięcy ludzi. Na mój londyński występ przyszło ponad sto osób. Przeżyłem chwilowy kryzys wiary w sens tego, co robię. Ale powoli wychodzę z tej traumy, bo terapeuta uświadomił mi, że po pierwsze w POSK-u nie zmieściłoby się tyle osób, a po drugie wstęp na koncert Pavarottiego był darmowy, a na mój występ trzeba było kupić bilet. Ta informacja tak podbudowała moje ego, że zastanawiam się, czy nie ruszyć w trasę koncertową: „Artur Andrus – śladami darmowych koncertów Pavarottiego". Ruszyłbym natychmiast, ale mam katar, a szwagier twierdzi, że: „Wyjechać tak nagle to trochę się przeziębić, a nawet może trochę złapać zapalenie płuc".

Zaczyna przesadzać z tym filozofowaniem. Więcej nie podzielę się z nim informacjami, na które trafiam w Internecie. Bo je potem cynicznie wykorzystuje w walkach z rodziną. Na przykład kiedy przed wyjściem na imieniny koleżanki żona zapytała go, czy dobrze wygląda, odpowiedział: „Cóż, możesz być dumna z tego, że masz taką rodzinę".

Kwiecień 2014 („Zwierciadło")

Nie umie mieć psa

Teściowa jest jedną z najbardziej obśmianych współczesnych postaci. Nie wiem, czy tak było od setek lat, takich badań nie prowadziłem. Być może zjawisko wyśmiewania teściowej pojawiło się w jakimś konkretnym momencie – na przykład w roku 1772, od konfliktu jednego z twórców pisma „Zabawy Przyjemne i Pożyteczne z Sławnych Ludzi Wieku Tego Autorów Zebrane" z jego teściową. Postanowił wymyślić i opublikować pierwszy dowcip i poszłooo! I może to przez te żarty i utrwalane w nich stereotypy do dziś pierwsze spotkanie z przyszłą teściową (i teściem) zostawia niezatarty ślad w psychice przyszłego zięcia albo przyszłej synowej.

Po raz kolejny odwołałem się do wspomnień słuchaczy mojej audycji i zapytałem o pierwsze „okazanie" rodzicom wybranki lub wybranka, o pierwsze „zderzenie" z tymi, którzy nieznajomemu lub nieznajomej mają oddać swoją córkę lub swojego syna.

Oto kilka opowieści:

Barbara:
„Moja przyszła teściowa zagadnęła:
– Pani zabrała serce mojemu synowi.

Szacunek dla starszych kazał mi powiedzieć:

– To ja zwrócę...

Ale z tremy wielkiej tylko uśmiechnęłam się jak winowajca".

Mira:

„Moja (przyszła wtedy) teściowa przy pierwszym poznaniu powiedziała do swego syna (mojego obecnego męża):

– Nooo, ładna, ale co to za materiał na żonę? Jedynaczka z miasta! Pewno ani nie umie gotować, ani domem się zająć... A do tego nawet nie umie mieć psa! Bo ma takiego, co nie wiadomo, gdzie ma tył, gdzie przód, to co to ma być?!".

Konrad:

„W początkach znajomości z obecną żoną przyszła teściowa uparcie używała w stosunku do mnie imienia poprzedniego chłopaka mojej żony. Było to deprymujące dla mnie, a jeszcze bardziej dla żony, która w końcu przeprowadziła swojej mamie kurs na temat »Który jest który«. Pomogło".

Joanna:

„Moja przyjaciółka Julka przywiozła swojego przystojnego chłopaka pokazać rodzicom. Była bardzo dumna, bo podobał się wszystkim koleżankom. Pod koniec wizyty pyta tatę, jak mu się podoba nowy kawaler. Tata nie odpowiedział, ale mama się wtrąciła, mówiąc, że „jakiś taki średni". Na co Julka bez zastanowienia (przy tacie, oczywiście):

– Patrz na swojego!!!".

Łukasz:

„Pierwsza wizyta u teściów była dosyć strachliwa. Bo kiedy poszedłem z moją przyszłą żoną do pokoju, teść kazał mi klaskać przez cały czas, kiedy byliśmy sam na sam. A po wizycie dowiedziałem się, że jak wchodziłem, to teściu stwierdził:

– Najpierw wszedł nos, potem długo, długo nic, a potem Łukasz".

Krystyna:

„Kiedyś zaprosiłam mojego ówczesnego chłopaka na rodzinny obiad. Na pytanie mojej szanownej mamusi, czy »petent« zna jakieś języki obce, mój chłopak odpowiedział:

– Tak, migowy.

Kiedyś też stwierdził, że ładnie pachnę, i zapytał, czy to mydło. Tak to się wszystko zebrało, że nie jest już moim chłopakiem".

Mirela:

„Pamiętam pierwsze spotkanie z teściową mojej siostry. Na dzień dobry usłyszałam:

– Myślałam że jesteś szczuplejsza.

Zresztą moja teściowa też nie jest lepsza, cytuję:

– Tomasz (mój mąż) to miał ładne dziewczyny, oj, ładne miał".

Iwona:

„Moja przyszła teściowa przywitała mnie słowami:

– Jesteś pierwszą lepszą, jaką mój syn przyprowadził do tego domu...

To miał być komplement. Potem okazało się, że chodzi o wykształcenie i dobre wrażenie, jakie na niej zrobiłam. Że byłam »lepszą« od poprzednich".

Jeśli ktoś chce naprawdę odstraszyć kandydata lub kandydatkę na męża lub żonę swojego dziecka, podsuwam przeżycie pani Hani:

„Mam jedno bardzo wyraźne wspomnienie, jak moja niedoszła teściowa siedziała ze mną w kuchni przy stole. W pewnej chwili skrzywiła się i powiedziała:

– Ale mnie plecy swędzą!

Po czym wyjęła z szuflady ze sztućcami pierwszy lepszy widelec i podrapała się nim po plecach... Po tej czynności odłożyła widelec na miejsce, do szuflady, jak gdyby nigdy nic. Na drugi dzień rano jadłam jajecznicę łyżeczką".

I może na koniec wspomnienia dwóch panów:

Marcin:

„Odpowiem jak pewien stary grenadier napoleoński pytany po latach o odwrót spod Moskwy:

– Nic nie pamiętam, pamiętam tylko, że było gorąco".

Maniek:

„Nie pamiętam swojego pierwszego spotkania z teściową, ale za to doskonale pamiętam ostatnie, na którym nazwała mnie wredną szują".

Luty 2014

Polecamy matce radcę

Znalazłem sobie literacką niszę. A nawet kilka nisz. Pierwsza to współczesne ćwiczenia logopedyczne. Te stare, typu: „Król Karol kupił królowej Karolinie korale koloru koralowego" czy: „Szedł Sasza suchą szosą", należałoby poddać weryfikacji. Nie zanosi się na powrót monarchii w naszym kraju, ochłodziły nam się kontakty ze wschodnimi sąsiadami, więc i coraz rzadziej jakiegoś prawdziwego Saszę można u nas spotkać. Natomiast nikt nie zauważył, że popularyzują się arabskie używki i japońska kuchnia. Stąd moje propozycje: „W czasie suszy szisza sucha" i Suchą szosą szli na sushi".

Druga nisza to pisanie hymnów korporacyjnych. Rośnie na to popyt. Wpadł mi w ręce śpiewnik wydany na gazowniczą Barbórkę firmy Gaz System (w skrócie nazywają się GS, chociaż mnie ten skrót kojarzy się z czymś innym. Z Gminną Spółdzielnią „Samopomoc Chłopska", której sklep, w czasach mojego dzieciństwa, był w Solinie). Górnicy-gazownicy przy okazji swojego święta śpiewają to, co wszyscy inni ich koledzy po fachu: *Walczyk górniczy*, *Gdybym miał gitarę*, *Fajny chłop*, *Hej, sokoły!*, *Jarzębino czerwona*, *Komu dzwonią* czy *Jak długo na Wawelu*. Ale śpiewnik zaczyna się od *Hymnu Gaz Systemu*, którego tekst dopisał ktoś do melodii amerykańskiego *Hymnu Bojowego Republiki* (czyli słynnego *Glory! Glory! Hallelujah!*). Zacytuję tylko pierwszą zwrotkę i refren, bo to i tak wystarczająco dużo wrażeń.

Naprzód, wesoło niechaj żyje nasz GS,
Niech w naszych sercach nigdy nie zagości stres,
Niechaj rurami nieprzerwanie płynie gaz,
Więc śpiewajmy wszyscy wraz.
Ref:
Glory, glory, nasze rury, od Bałtyku aż po góry,
Glory, glory, nasze rury, niechaj żyje nasz GS!

Można? Włączę się w nurt poezji korporacyjnej i zasypię nasz kraj hymnami różnych firm, przedsiębiorstw, holdingów, stowarzyszeń, związków. Już zacząłem. Prowadząc „Bal radcy prawnego”, dowiedziałem się, że ta grupa zawodowa nie ma jeszcze swojej pieśni. Zacząłem zatem pisać piosenkę o matce, która po rozwodzie szuka pomysłu na dalszą część życia.

Matka poprosiła dzieci:
– Czy możecie mi polecić
Kogoś, z kim uczucia nić
Mogę snuć i da się żyć?
Z kim przez życie pójdę gładko
W sposób miły i zabawny?
Dzieci na to: – Ależ matko!
Polecamy radców prawnych!
Ref:
Polecamy matce radcę,
Radcę polecamy matce,
On otula, nie osacza,

Matce polecamy radcę,
Polecamy matce radcę,
Matce radcę, cza, cza…

Poślubiła matka radcę,
Była z radcą na okładce
Kwartalnika „Dobry Ton
– Wykaz Radców i Ich Żon"…

Jak się cały hymn nie przyjmie, to przynajmniej refren się przyda do ćwiczeń logopedycznych.

Prawdopodobnie samo nie urośnie to do rangi symbolu. Ale można, jak zwykle, pokombinować i usymbolizować coś niesymbolicznego. Jeśli to nastąpi dziś, zawsze będzie można zapytać: „Czy to na pewno przypadek, że Andrus zakończył pracę nad swoim blogiem 13 lutego 2014 roku, czyli dokładnie 180 lat po dniu, w którym Adam Mickiewicz zakończył pracę nad *Panem Tadeuszem*?". Między nami mówiąc – oczywiście, że przypadek, ale zawsze jakiś lekki ferment takim skojarzeniem można wywołać. Tak naprawdę powód zakończenia tego pisania jest banalnie prosty – kiedyś to się musiało skończyć. Mickiewicz też powinien szczerze napisać, dlaczego księga dwunasta jest ostatnią i dlaczego tak nagle zakończył pracę 13 lutego 1834 roku. Po prostu – miłość i inne obowiązki.

„I ja tam z gośćmi byłem, miód i wino piłem,
A com widział i słyszał, w księgi umieściłem".
I umieściłbym więcej, ale nie dam rady,
Jak wrócę od Celiny, to dokończę *Dziady*.

13 lutego 2014

Wiem, jak swoje książki kończyli niektórzy prawdziwi pisarze. Na przykład Lem tak: „Nie wiedziałem nic, trwając w niewzruszonej wierze, że nie minął czas okrutnych cudów". Nabokov tak: „A jest to jedyna nieśmiertelność, jakiej możemy zaznać oboje, moja Lolito". A z kolei Myśliwski: „Niech pan tylko łuska fasolę". Ale oni mniej więcej wiedzieli, o czym piszą. To i skończyć było im łatwiej. Gdybym ja pisał o czymś jednym i konkretnym, na przykład nostalgiczną powieść pod tytułem *Skąd wracacie, siostry mojej matki?*, pewnie też bym wiedział. I mógłbym zakończyć czymś w stylu: „To nie był wiatr. To był oddech pożegnania".

Zawsze kiedy nie wiem, co mam zrobić, zaczynam śpiewać. Ktoś złośliwy powie, że w polskim show-biznesie dużo jest osób, które śpiewają, bo nie wiedzą, co mają zrobić. Trudno, jestem gotów przyjąć takie złośliwości. A piosenki naprawdę często ratują mnie z kłopotliwych sytuacji. Zresztą jedna z takich napisanych całkiem niedawno opowiada właśnie o tym, że nigdy się nie wie, jak zacząć, gdzie skończyć i że w ogóle lepiej nie zaczynać. Uwaga! Śpiewam!

> To, że koniec wieńczy dzieło,
> Nie oznacza wcale, że

Jak się dobrze nie zaczęło,
To się musi skończyć źle.
Póki jeszcze świeci słońce,
Trzeba łamać każdy schemat,
Przecież kij ma aż dwa końce,
A początku nie ma!

Ref:
Nie zaczynaj! Szkoda czasu!
Nie wywołuj wilka z lasu!
Tutaj czy na górze Synaj
Nie zaczynaj! Nie zaczynaj!

Wszystko skończy się pomału,
Uschnie jak jesienny liść,
Człowiek dojdzie do finału,
Choćby nawet nie chciał iść.
To, co Państwo tu czytają,
Tego nie ma do tej pory,
W Hollywood to nazywają
NeverStarting Story.

Ref:
Nie zaczynaj! Szkoda czasu!
Nie wywołuj wilka z lasu!
Tutaj czy na górze Synaj
Nie zaczynaj! Nie zaczynaj!

To, że koniec wieńczy dzieło,
Nie oznacza wcale, że
Jak się dobrze nie zaczęło,

To się musi skończyć źle.
Szkoda czasu na głupoty,
Bo jak mawia mądry macho:
– Prawdziwego mężczyznę poznaje się nie po tym,
Jak skończył,
Tylko po tym, jak nie zaczął.

9 maja 2014

Spis treści

Artur Andrus

blog

osławiony
między niewiastami

Prószyński i S-ka

MARIA CZUBASZEK

w rozmowie
z Arturem Andrusem

Każdy szczyt
ma swój
CZUBASZEK

Prószyński i S-ka

MARIA CZUBASZEK
WOJCIECH KAROLAK

w rozmowie
z Arturem Andrusem

BOKS
NA PTAKU

czyli
każdy szczyt
ma swój

CZUBASZEK i KAROLAK

Prószyński i S-ka